VAL... ...
CIUDAD DEL MAR.
MAYO /2001.
ARENAL PIZARRO

Auge y caída
de los templarios

Alain Demurger

Auge y caída
de los templarios
1118-1314

Ediciones Martínez Roca

Traducción de Fabián García-Prieto

Diseño cubierta: Pep Trujillo
Foto cubierta: © Keijiro Tsukuma/Cover/Photonica

Título original: *Vie et mort de l'ordre du Temple*

© 1985, Éditions du Seuil
© 1986, 2000, Ediciones Martínez Roca, S. A.
Provença, 260, 08008 Barcelona
Cuarta edición: abril de 2000, primera edición en esta presentación
ISBN 84-270-2550-5
Depósito legal B. 13.172-2000
Fotocomposición: Fort, S. A.
Impresión: A&M Gràfic, S. L.
Encuadernación: Argraf, S. L.

Impreso en España – Printed in Spain

Índice

Prefacio 13

PRIMERA PARTE
LOS ORÍGENES

1. **Hugo de Payns**
   Algunos raros relatos 21
   La cruzada 23
   Hugo de Payns y sus hermanos 27

2. **Los monjes soldados**
   Guerra justa y guerra santa 31
   Los movimientos en pro de la paz 33
   El caballero de Cristo 35
   El cruzado 37
   Influencias: el Temple y el «ribat» 39

3. **Los amados hijos de san Bernardo**
   El concilio de Troyes 41
   La crisis 44
   El «Elogio de la nueva milicia» 48

SEGUNDA PARTE
EL TEMPLE CONSIDERADO EN SÍ MISMO

1. **La gira de Hugo de Payns**
   Después del concilio de Troyes (1128-1130) 55

Primeros éxitos   57
El Temple, ¿heredero del reino de Aragón?   58

2. **La santa milicia del Templo de Salomón**
Una casa en Jerusalén   62
Una regla   67
Símbolos   74
Privilegios   77

3. **El Temple, una gran familia jerarquizada**
El pueblo templario   84
La recepción en la orden   91
Los dignatarios del Temple   94
La red templaria   97

TERCERA PARTE
UN EJÉRCITO EN CAMPAÑA

1. **El marco de la segunda cruzada**
La caída del condado de Edesa 105
En las montañas de Asia Menor, bajo la protección del Temple . 107

2. **Misiones tradicionales y combates en Tierra Santa (1130-1152)**
Una presencia discreta 111
Los casos de Damasco y Ascalón 113

3. **La guerra permanente (1153-1180)**
Latinos y musulmanes en la segunda mitad del siglo XII 118
Una participación acrecentada en las operaciones militares 120
Un papel político creciente 123

4. **Gerardo de Ridefort, el genio malo del Temple**
La guerra en Oriente hacia 1180 218
Crisis política en Jerusalén 134
Hattin 137
Epílogo 141

CUARTA PARTE
EL APOYO LOGÍSTICO EN OCCIDENTE

1. **El patrimonio territorial**
El movimiento de las donaciones 149
La concentración del patrimonio: permutas, compras, ventas 154
La explotación del patrimonio: las rentas del Temple 158
Los templarios, ¿conservadores o innovadores? Los medios
de explotación 162
La defensa del patrimonio 167

2. **La vida diaria en las encomiendas de Occidente**
La encomienda: enorme granja y castillo en España 172
Un falso problema: las iglesias de los templarios 174
La vida en la encomienda 181
La «justicia de la casa» 184

3. **Entre Occidente y Tierra Santa**
Las actividades financieras 187
El aprovisionamiento de Tierra Santa 193
La extraordinaria vida del hermano Roger de Flor, capitán
de navío y condottiero 198
Informadores de Occidente 201
¿Un empobrecimiento templario en el siglo XIII? 202

QUINTA PARTE
EL TEMPLE EN EL SIGLO XIII.
¿CORRUPCIÓN DE SU MISIÓN?

1. **Los verdaderos amos del Oriente latino**
Querellas dinásticas 209
Frente a los soberanos de Occidente 211
En el corazón de las intrigas 216
Vista de conjunto de las relaciones entre las órdenes
militares 219

2. **En Occidente, el Temple al servicio de los Estados**
Su lugar en los asuntos políticos 223
La acción militar del Temple en Occidente 226
Los templarios, «funcionarios» reales 230

3. **¿Mantenimiento del espíritu templario?**
   Intensificación del dominio del Temple en Oriente 236
   Las grandes fortalezas de Tierra Santa 238

4. **Dudas e interrogaciones**
   Las dudas sobre la cruzada 244
   Las dudas sobre las órdenes militares 248
   Las dudas sobre el Temple 254

SEXTA PARTE
LA CAÍDA DEL TEMPLE

1. **Una reconversión fallida**
   La heroica muerte de Guillermo de Beaujeu 263
   Jacobo de Molay o la reconversión fallida 265
   El Temple y Felipe el Hermoso 268

2. **El ataque**
   Rumores 270
   La detención 271
   Los cargos y los primeros interrogatorios 275
   Los azares del procedimiento: las dificultades
       de la acusación 281
   La reacción del Temple 287

3. **La sucesión del Temple**
   La devolución de los bienes del Temple al Hospital 293
   ¿Qué fue de los templarios? 295

4. **¿Por qué el Temple?**
   ¿Inocente o culpable? 298
   Los motivos del rey 305
   Acerca de la tortura 310

APÉNDICES

Notas 319
Cronología 347
Genealogías 352
Mapas y planos 358
Bibliografía 361
Créditos de las ilustraciones 379

Prefacio

En 1919, un grupo de oficiales norteamericanos destinados en el campamento-hospital de Beaune compró el pórtico de la capilla de Saint-Jacques, la antigua iglesia de la encomienda templaria de Beaune. Una vez desmontado, se lo llevaron a Estados Unidos, para instalarlo en el Museo de Boston. Dichos oficiales pertenecían a la secta de los Caballeros de Colón, que se pretendían vinculados a la antigua orden del Temple.

El 28 de octubre de 1983, el periódico *Le Monde* publicaba en su página 11 el anuncio siguiente:

> La RESURGENCIA TEMPLARIA de 1984, organizada por los maestros guardianes de la TRADICIÓN, señalará el comienzo de una NUEVA ERA ESPIRITUAL con vistas al retorno de CRISTO. La Fraternidad Johannita para la Resurgencia Templaria, orden iniciática, tradicional, cristiana y caballeresca, ha sido fundada, como otros movimientos esotéricos, para trabajar en esta importante preparación (*etc.*).

El pequeño balneario de Gréoux-les-Bains está muy orgulloso, tanto de sus aguas, a las que acudían a buscar reposo los templarios, como de su castillo templario. Incluso ha añadido a su patrimonio un Parador de los Templarios y una calle de los Templarios. Lo malo es que su castillo data del siglo XIV y, por lo tanto, no puede ser templario. No existe tampoco ninguna prueba de que los templarios se hayan chapuzado en sus piscinas. Pero no vamos a discutirlo. Los templarios están sólidamente anclados en la cultura histórica de los habitantes de Gréoux. ¿Acaso no afirma la tradición oral que el fantasma de un templario, emparedado en uno de sus muros, habita aún el castillo?

Todos los franceses conocen el dicho «beber como un templario», dicho que ha vuelto a la actualidad no hace mucho gracias a la campaña publicitaria en favor del Banyuls. Se veía en ella una bodega poblada de templarios, beatíficamente dormidos, con una botella sobre el vientre.

¿Hay que deducir de esto, parodiando un título reciente, que los templarios están entre nosotros?

No.

El Temple murió a principios del siglo XIV, a manos de Felipe el Hermoso, rey de Francia. Murió abandonado por su protector natural, el papa, quien, después de gallear durante mucho tiempo, acabó por rendirse sin condiciones a la voluntad del rey.

Lo mismo que los cátaros y Juana de Arco, el Temple alimenta uno de los filones inagotables de la seudohistoria, la que no tiene otro objeto que ofrecer a los lectores ávidos su ración de misterio y de secretos. Existe la historia del Temple y existe la historia de su leyenda. El historiador no se ocupa sólo de la verdad; se ocupa también de lo falso cuando se ha tomado como cierto; se ocupa también de lo imaginario y lo soñado. Sin embargo, se niega a confundirlos.

La bibliografía del Temple es superabundante, pero dudosa. No nos ilusionemos acerca de su valor. Desde un punto de vista científico, la historia de la leyenda del Temple está casi enteramente por hacer.

Las leyendas del Temple se sitúan a varios niveles. No concedamos demasiada importancia a las que se refieren a los orígenes míticos de la orden, según las cuales se remonta nada menos que a Jesús. Cada cual es libre de divertirse en reconstruir una «historia» de sus orígenes más gloriosa que la de haber nacido de la iniciativa de un oscuro caballero de Champaña, Hugo de Payns. Nos limitaremos a señalar que, en una época en que era fácil y frecuente forjarse un pasado prestigioso, los templarios, a diferencia de los hospitalarios, no lo hicieron así.

El tema principal de la leyenda del Temple se centra en su supervivencia bajo la forma de sociedades secretas. Se dice incluso que el propio Temple fue una sociedad secreta en los siglos XII y XIII. Como tal sociedad secreta lo combatió el poder real. El Temple, se afirma, sobrevivió en la francmasonería. Antes de morir, Jacobo de Molay consiguió transmitir sus poderes y sus «secretos» a un caballero, John Mark Larmenius. A partir de entonces, el puesto de Gran maestre nunca ha estado vacante, y la francmasonería es la heredera del Temple. Peter Partner ha trazado la historia de este mito en un libro reciente, *The Murdered Magicians, the Templars and Their Myths* (Oxford, 1982). Dicho mito tiene su origen en el caballero Ramsey, católico inglés asentado en Francia, quien, en 1736, quiso establecer un vínculo entre la francmasonería y la cruzada. Según Ramsey, la masonería tuvo acceso, por mediación de los cruzados, a la antigua sabiduría de los constructores del templo de Salomón.

Más tarde, hacia 1760, ciertas logias alemanas, en desacuerdo con el igualitarismo y el nacionalismo de la masonería primitiva, introdujeron en ella jerarquía, grados, subordinación y secreto. Para justificarse, apelaron a la historia y unieron los orígenes de la masonería con el Temple. Así nació la doctrina del templarismo.

La Revolución francesa provocó un cambio radical. Para desacreditar la revolución, los medios conservadores extendieron la idea de un complot masónico. Los masones-templarios se convirtieron en los herederos de una larga cadena de conspiradores anarquistas, destructores del orden social cristiano y europeo, cadena que se remonta a la secta de los asesinos y a los gnósticos de la Alta Edad Media. El abate Barruel *(Mémoires pour servir à l'histoire du jacobinisme)* y luego el orientalista austriaco Joseph von Hammer-Purgstall hicieron así de los templarios y de los francmasones templaristas los adherentes a una secta pre y anticristiana.

Tercera pista de investigación en la leyenda del Temple: el universo de las sectas. Existen en el mundo actual numerosos grupos, numerosas sectas que se pretenden derivadas del Temple. Éste, muerto como está, parece tener las espaldas lo bastante anchas para soportar herencias tan contradictorias (herencia cristiana o anticristiana). Ahora bien, a fin de cuentas, que una secta del siglo XIX o del siglo XX se proclame heredera espiritual del Temple no interesa en nada al historiador del mismo. Corresponde a la mentalidad de los siglos en cuestión, y concierne en primer lugar al historiador del mundo contemporáneo. Que se sueñe con una filiación no significa que tal filiación exista. Pero la historia con que se sueña forma parte también del «territorio del historiador».

Queda, por último, el campo apasionante de las leyendas propiamente dichas. La historia del Temple, las acusaciones presentadas contra él, su fin trágico dejaron huellas en la conciencia colectiva. A partir de un fondo histórico, se formaron, difundieron y deformaron mitos, tradiciones, leyendas.

Michel Lascaux, en su obra *Templiers en Bretagne,* se refiere a la tradición de los «monjes rojos» (templarios y hospitalarios confundidos), malvados, intemperantes, crueles, que raptaban a las muchachas en su noche de bodas y que, como castigo de sus crímenes, desaparecieron todos la misma noche. El relato toma a veces otra forma: apariciones, visiones de fantasmas, especialmente durante las noches de tormenta. En algunas localidades, se cuenta que el antiguo comendador, cargado de crímenes, galopa en torno a unas ruinas. Regresa cada noche para implorar la compasión de los vivos, y no desaparecerá hasta el día en que un alma caritativa haga decir una misa por su salvación.

Otro relato, del Languedoc en esta ocasión, fue recogido por el abate Maurice Mazières. Se trata de una tradición oral del valle de Brezilhou, en el Aude. Un rey de Francia y su hijo visitaron Brenac, situado en el valle, donde se albergaron en casa del señor de Brenac. El hijo del rey propuso al joven hermano del señor de Brenac tomarle como paje, pero el muchacho rechazó la oferta, ya que había prometido hacerse templario. La afrenta ofendió al hijo del rey. Más tarde, durante el proceso, el joven templario fue condenado a la hoguera. El rey, al descubrir su nombre en una lista, quiso indultarle, pero recibió una nueva negativa. La tradición tiene un origen histórico, puesto que el rey Felipe III y su hijo, el futuro Felipe IV el Hermoso, pasaron por Brenac cuando se dirigían a la cruzada contra Aragón.

El mismo autor menciona también un documento que leyó en la biblioteca de Campagne-sur-Aude en 1941: Juan de Aniort, señor de Brenac, intentó en 1411 un proceso para recuperar los bienes que pertenecieron a uno de sus antepasados, Udaut de Aniort, bienes confiscados por el rey porque Udaut era templario. El senescal de Carcasona, que actuaba como juez, desestimó su demanda. Los bienes habían sido confiscados legítimamente, teniendo en cuenta que los hermanos templarios de la encomienda de Campagne-sur-Aude habían dado asilo a los «hombres buenos» cátaros. Se trata de un hecho histórico deformado, más bien que de una leyenda. Lástima que el manuscrito se perdiera en 1942.

En esas tradiciones se ha de buscar la «supervivencia» del Temple, más que en las elucubraciones esotéricas y en las reconstrucciones dudosas.

Sin embargo, aun a riesgo de decepcionar a los aficionados a los misterios insondables, los subterráneos encantados y los tesoros ocultos, me atendré exclusivamente a la historia.

En este libro me propongo contar la vida y la muerte de una creación original del Occidente medieval: las órdenes religioso-militares, de las que el Temple constituye el primer ejemplo. Fue fundado en 1118-1119, por iniciativa de algunos caballeros de las cruzadas, para encarnar de forma duradera el espíritu de las mismas: la defensa del sepulcro de Cristo en Jerusalén y la protección de los peregrinos que acudían a visitarlo. Pronto se hizo poderoso y extendió a través de toda la cristiandad una red de casas y de explotaciones que recolectaban los recursos y las rentas precisos para las necesidades de Tierra Santa, para su defensa. Defensa en la que el Temple asume la parte más pesada (conjuntamente con las otras dos órdenes militares, los hospitalarios y los teutónicos), gracias a las fortalezas que posee y al trasiego continuo de combatientes de Occidente a Oriente. El fracaso de las cruzadas y la desaparición de los Estados latinos de Tierra Santa destruyeron los fundamentos materiales e ideológicos de su actividad. En qué medida contribuyó esto a su caída será la cuestión que habremos de plantearnos.

Con demasiada frecuencia, la historia de la orden del Temple se reduce a la de su proceso o, por lo menos, se la ve a través de ese proceso. A los historiadores nos resulta fácil afirmar que sucedió lo que necesariamente tenía que suceder. Me gustaría demostrar que el proceso de los templarios no constituye el resultado lógico e inevitable de su historia. Las críticas dirigidas contra su orden recayeron también en otras, hospitalarios, teutónicos, cistercienses, mendicantes. De ahí procede la primera postura que he adoptado en este libro. En la medida de lo posible, intento comparar la historia del Temple con la de las demás órdenes, esencialmente con la del Hospital, para la cual disponemos de la obra, muy completa, de Jonathan Riley-Smith. Como se verá, la comparación no se muestra siempre desfavorable para el Temple.

El Temple fue la apuesta, el chivo expiatorio, en la partida que se jugaba entre el poder espiritual (el papa) y los poderes temporales (las monarquías administrativas y territoriales). De ahí mi segunda postura: salir de Francia, no considerar tan sólo el enfrentamiento Molay-Felipe el Hermoso. Me he servido en abundancia de los trabajos históricos publicados recientemente en Inglaterra, Alemania, España e Italia, los cuales dejan bien claro que el Temple, a pesar de sus orígenes franceses, a pesar de la importancia que los franceses conservaron en él hasta el final, era ante todo una orden internacional. Este ambiente internacional de la orden tiene una particular importancia para la comprensión del proceso y para el juicio que podemos hacernos sobre el Temple. El comportamiento de los reyes Jaime II de Aragón, Dionisio de Portugal, Eduardo I y Eduardo II de Inglaterra, el de los arzobispos de Rávena, Tarragona o Maguncia explican el comportamiento y los móviles tanto de Felipe el Hermoso como del papa Clemente V.

PRIMERA PARTE

Los orígenes

1

Hugo de Payns

Algunos raros relatos...

Se conoce poco sobre los primeros tiempos de los templarios. Los relatos más precisos son muy posteriores a la fundación de la primera orden religiosa y militar de la cristiandad. Suele citarse a este respecto a Guillermo de Tiro:

> En aquel mismo año de 1119, ciertos nobles caballeros, llenos de devoción a Dios, religiosos y temerosos de Él, poniéndose en manos del señor patriarca para el servicio de Cristo, hicieron profesión de querer vivir perpetuamente siguiendo la costumbre de las reglas de los canónigos, observando la castidad y la obediencia y rechazando toda propiedad. Los primeros y principales de entre ellos fueron dos hombres venerables, Hugo de Payns y Godofredo de Saint-Omer...[1]

Guillermo había nacido hacia 1130 en Palestina. Canciller del reino de Jerusalén en 1174 y obispo de Tiro al año siguiente, empezó la redacción de su *Historia rerum in partibus transmarinis gestarum* (que se tradujo al francés en el siglo siguiente, con el título *Histoire d'Éraclès*) durante el reinado de Amalrico I (1163-1174), en el momento en que éste llevaba a cabo una serie de campañas victoriosas en Egipto y en que el porvenir del reino parecía asegurado. Guillermo no conoció los comienzos gloriosos de los Estados latinos de Tierra Santa. Por lo tanto, no asistió a los primeros pasos de los templarios, difíciles pero prometedores.

En el siglo XIII, Jacobo de Vitry, historiador y obispo de Acre, nos relata los mismos acontecimientos en su *Historia orientalis seu hierosolymitana*:

> Ciertos caballeros amados de Dios y ordenados para su servicio renunciaron al mundo y se consagraron a Cristo. Mediante votos solem-

nes, pronunciados ante el patriarca de Jerusalén, se comprometieron a defender a los peregrinos contra bandidos y ladrones, a proteger los caminos y a constituir la caballería del Rey Soberano. Observaban la pobreza, la castidad y la obediencia, según la regla de los canónigos regulares. Sus jefes eran dos hombres venerables, Hugo de Payns y Godofredo de Saint-Omer. Al principio, no fueron más que nueve los que tomaron una decisión tan santa y, durante nueve años, se vistieron con ropas seculares, que los fieles les daban como limosna. El rey, sus caballeros y el señor patriarca se llenaron de compasión por estos hombres nobles que lo habían abandonado todo por Cristo y les concedieron ciertas propiedades y beneficios para subvenir a sus necesidades y por el alma de los donadores. Y como no tenían iglesia ni lugar en que habitar que les perteneciesen, el rey les alojó en su palacio, cerca del Templo del Señor. El abad y los canónigos regulares del Templo les dieron un terreno no lejos del palacio para su servicio; y por esta razón, se les llamó más tarde «templarios».[2]

No obstante, en la mayoría de los casos los historiadores de la época se refieren brevemente al acontecimiento. Por ejemplo, Guillermo de Nangis dice que en ese tiempo (1120) fue fundada «la orden de la milicia del Temple, dirigida por Hugo, su maestre». Los compendios o resúmenes de textos históricos publicados con el nombre de «pequeña crónica» se limitan en su mayor parte a indicar el dato y su fecha, 1119 o 1120.

Como se ve, esos relatos están escritos mucho tiempo después de los hechos. Se copian los unos a los otros y siguen la misma orientación. Lo menos que puede decirse es que Jacobo de Vitry había asimilado bien a Guillermo de Tiro. Pero, en Acre, frecuentó a los templarios, de los que se hizo amigo. Su testimonio, aunque poco original, añade algunos detalles interesantes al de Guillermo de Tiro, en general poco favorable a las órdenes militares. En cuanto a los documentos de archivo, casi todos ellos actas de donación, aclaran poco los orígenes del Temple.

Queda todavía un texto, desgraciadamente poco explícito, pero que tiene el doble mérito de proceder de los propios templarios y de ser casi contemporáneo de la creación de éstos: la regla de la orden. En su versión latina, fue redactada entre 1120 y 1128, puesto que el concilio de Troyes, reunido en el año 1128, la aprobó con algunas modificaciones. Según dice su prólogo, el concilio de Troyes se reunió «a petición del maestro Hugo de Payns, bajo la dirección del cual dio comienzo la dicha caballería por la gracia del Espíritu Santo».

Se mantienen, pues, muchas incertidumbres, que más tarde se transformaron con demasiada facilidad en «misterios». Sin embargo, se perfilan claramente tres ideas fundamentales:

– La orden nació de la voluntad de renunciar al mundo de algunos caballeros, los cuales llevaron a cabo un acto religioso.

– La iniciativa corresponde a dos hombres, uno de los cuales, Hugo de Payns, fue el primer maestre de la nueva milicia, como se la llamaba entonces.

– Su creación respondía por completo a los deseos de las autoridades religiosas y laicas del reino de Jerusalén.

El Temple, como las órdenes militares ulteriores, une el ideal del monje al del caballero, algo que no está lejos de suscitar el escándalo en el preciso momento en que se impone en la sociedad cristiana el esquema trifuncional de los tres órdenes –los que rezan, los que combaten, los que trabajan–. Esos tres órdenes están bien delimitados y subordinados jerárquicamente unos a otros. El clero domina a los demás, y el monacato forma la clase superior del clero.

El Temple nace de la voluntad de un oscuro caballero de Champaña, preocupado por su salvación, pero arrastrado también por las nuevas corrientes espirituales que la reforma de la Iglesia –la reforma gregoriana– ha liberado. Se ajusta perfectamente a la ideología de la cruzada. Es la respuesta más pertinente a las necesidades de ésta.

La cruzada

El 27 de noviembre de 1095, el papa Urbano II predica ante un concilio provincial reunido en Clermont. Acaba de recorrer la Francia meridional para enterarse de los progresos logrados por la reforma de la Iglesia, de la que es, como fiel gregoriano, ardiente partidario. Ante esta reunión de obispos y abades (algunos laicos, muy pocos, asisten a la asamblea), condena severamente a los clérigos simoniacos, que trafican con los bienes de la Iglesia. Pero amonesta también a los laicos, a aquellos que, a pesar de las sanciones eclesiásticas, se complacen en la lujuria, como el rey de Francia, Felipe I; a aquellos que, verdaderos caballeros bandidos, violan la paz de Dios, cuyo respeto se esfuerza por imponer la Iglesia desde hace un siglo. El tono de su discurso se eleva. Ofrece a los caballeros un medio de redimirse. Abre un camino hacia la salvación: la liberación de Jerusalén:

¡Que vayan, pues, al combate contra los infieles –un combate que vale la pena iniciar y que merece terminar en victoria– aquellos que hasta ahora se entregaban a guerras privadas y abusivas, con gran perjuicio para los fieles! ¡Que sean a partir de ahora caballeros de Cristo los mismos que no fueron más que bandidos! ¡Que luchen con todo derecho contra los bárbaros los que se batían contra sus hermanos y sus parientes! Los que se hacían mercenarios por unos miserables sueldos ganarán las recompensas eternas. Los que se fatigaban en detrimento de su cuerpo y de su alma trabajarán por un doble honor. Aquí estaban tristes y eran pobres; allí estarán alegres y serán ricos. Aquí eran los enemigos del Señor; allí serán sus amigos (Foucher de Chartres, *Historia Hierosolymitana*).[3]

Urbano II no improvisa. Confía la dirección del «Santo Viaje» al obispo del Puy, Ademaro de Monteil. Y el papa sabe que puede contar con el conde de Tolosa, Raimundo IV, con el que se ha entrevistado poco antes, para arrastrar tras él a la caballería laica.

Como se sabe, el éxito de la exhortación de Clermont superó las esperanzas más optimistas. Hombres de todas las condiciones se pusieron en camino por millares, preguntando en cada etapa si no era aquello Jerusalén. Detrás de este tropel entusiasta e indisciplinado, que mata en masa a los judíos del valle del Rin, que roba a los campesinos húngaros y saquea los campos bizantinos, grupos de caballeros, de señores, grandes y pequeños, venidos de los Países Bajos, de Francia o de la Italia normanda, convergen hacia Constantinopla, la ciudad maravillosa que impresiona todas las imaginaciones. Inquieto ante tal aflujo, el *basileus* se esfuerza por hacer que los cruzados pasen en buen orden a Asia Menor. A partir de la batalla de Mantzikert, que tuvo lugar en 1071, esta antigua región bizantina se encuentra en su casi totalidad en manos de los turcos selyúcidas. Vencedores de esos mismos turcos en Dorilea en 1097, los cruzados desembocan en Siria del Norte y sitian y toman Antioquía en 1098. Un año más, y cae Jerusalén, el 13 de julio de 1099. La ciudad del Señor, a la que se considera mancillada por varios siglos de presencia infiel, es purificada implacablemente con sangre.

Un gran número de cruzados consideran alcanzada su meta: orar ante el sepulcro de Cristo y sentirse así muy cerca de Dios. Como otros hicieron durante todo aquel siglo, han efectuado la peregrinación más sagrada y más prestigiosa. Además, han expulsado al infiel de la ciudad de Cristo. Cumplida su misión, regresan a la patria. No todos, sin embargo.

Achard de Montmerle, pequeño señor de la región de Lyon, ha entregado como garantía sus tierras a la abadía de Cluny, a fin de procurarse el dinero necesario para el Santo Viaje:

Yo, Achard, caballero, del castillo dicho de Montmerle, hijo de Guichard, que se llama también de Montmerle, yo, pues, Achard, en medio de todo este levantamiento en masa o expedición del pueblo cristiano deseoso de ir a Jerusalén para combatir por Dios a los paganos y los sarracenos, yo también me he visto movido por ese deseo; y queriendo ir bien armado, he hecho con Dom Hugo, venerable abad de Cluny, y con sus monjes, el convenio que seguirá [...]. En el caso de que muriese durante esta peregrinación a Jerusalén, o bien si decidiese fijarme de la manera que fuese en aquellos países, este bien que el monasterio de Cluny tiene ahora en prenda lo tendrá, ya no a título de prenda, sino en posesión legítima y hereditaria, para siempre... [4]

No obstante, los que han partido pensando en no regresar, como ese normando de Sicilia, Bohemundo, que llegó a ser príncipe de Antioquía, son poco numerosos. No lo bastante, en todo caso, para sostener las conquistas. Al principio, eso no plantea problemas, ya que el éxito de la cruzada ha tenido repercusiones enormes en Occidente. Cada año, llegan a Tierra Santa grupos de peregrinos armados. Los cruzados se apoyan también en las flotas italianas de Pisa y Génova, más tarde en Venecia. Su ayuda permite la conquista de las principales ciudades costeras, Acre en 1104, Trípoli en 1108. Los latinos pueden establecer así su dominio en una faja

La primera cruzada. Escena del sitio de Antioquía (1097-1098).

de territorio, entre el mar y el desierto, que comprende la llanura costera y las montañas del Líbano y de Judea. Progresivamente se forman cuatro Estados. Al norte, tierra adentro, el condado de Edesa, medio franco, medio armenio. El primero en ser fundado, lo creó Balduino de Boulogne, hermano de Godofredo de Bouillon, primer rey de Jerusalén. El principado de Antioquía ocupa la Siria del Norte. Después, más pequeño, el condado de Trípoli. Por último, desde el Líbano al Sinaí, el reino de Jerusalén.

El mundo musulmán está entonces demasiado dividido para reaccionar con eficacia. Sin embargo, dos plazas importantes permanecen en manos de los musulmanes: Tiro, hasta 1124, y Ascalón, llave de Egipto, hasta 1153. Ahora bien, esta última ciudad representa una amenaza para la región de Ramleh y Jafa. En 1114-1115, la guarnición de Ascalón, con el apoyo de una pequeña flota venida de Egipto, intenta por dos veces en pocos días apoderarse de Jafa. Y hasta la toma de Ascalón, la llanura de Ramleh será un campo de batalla permanente. Pero la principal vía de acceso a Jerusalén, la que siguen los numerosos peregrinos que se apiñan en Tierra Santa, viene de Jafa y pasa por Ramleh. Por lo demás, ya antes de la cruzada, los peregrinos occidentales tomaban este camino. Ese vaivén continuo atraía a bandidos y ladrones, para quienes despojar a los peregrinos suponía una actividad lucrativa. Por eso los peregrinos tomaban la precaución de viajar en grupo y armados. En realidad, no había necesidad de llegar tan lejos para ser robado. La seguridad de los «viajeros de Dios» no era mucho mayor en las rutas pirenaicas que conducían a Santiago de Compostela.

De modo que, ya poco segura en la travesía de la zona costera, la ruta se vuelve absolutamente impracticable, a menos de llevar escolta, en los pasos de Judea, entre Ramleh y Montjoie. Un problema de policía se añade al problema militar planteado por Ascalón.

Cierto que existía en Tierra Santa una institución dedicada a auxiliar a los peregrinos: el Hospital. Se conocen tan poco sus orígenes como los del Temple. La historia, en cierto modo oficial, que el hermano hospitalario Guillermo de San Stefano compuso en el siglo XIV no nos inspira la menor fe, claro está. Reagrupando tradiciones anteriores, hace remontar los comienzos del Hospital nada menos que al Antiguo Testamento y a san Juan Bautista. Ya en el siglo XI, tal vez antes, existían dos monasterios, uno de hombres –Santa María Latina– y otro de mujeres –Santa María Magdalena–, ocupados ambos por benedictinos, que acogían ocasionalmente a los viajeros. En el transcurso del siglo del año mil, ante el aflujo constante de peregrinos, los benedictinos abrieron un hospicio, probablemente con la ayuda del rico mercader Mauro di Pantaleone, jefe de la comunidad de comerciantes de Amalfi en Constantinopla, a quien sus negocios conducían a veces a tierra musulmana. Como es natural, la cruzada provoca un recrudecimiento de las actividades del hospicio, hasta tal punto que, en 1113, una bula del papa Pascual II erige en orden independiente el Hospital de San Juan de Jerusalén (se trata de san Juan Limosnero). Por esta fecha, la orden había creado ya hospicios en Europa, en Saint-Gilles-du-Gard, Pisa, Bari, Tarento, o sea, en los principales puertos de embarque de los cruzados. Se trataba, pues, de una orden internacional, dedicada a la caridad.[5] Es posible que, al menos en Tierra Santa, la acción caritativa fuese acompañada muy pronto por actividades militares. Ayudar a los peregrinos significa también protegerlos durante el viaje. Sin embargo, la evolución del Hospital demuestra que las tareas de asistencia siguieron siendo prioritarias. En los primeros años del siglo XII, la acción de policía se limitó sin duda a acciones episódicas. Ocuparse de los enfermos, de los débiles y de los que carecían de todo bastaba ampliamente para llenar el tiempo de los hospitalarios. Para ocuparse de los normales, hacía falta otra cosa. Algunos de los cruzados debieron de comprenderlo así. Y uno de ellos, Hugo de Payns, se atrevió a iniciar la empresa.

Hugo de Payns y sus hermanos

«Hues de Paiens delez Troies», dice la traducción francesa de Guillermo de Tiro. Las últimas puntualizaciones sobre el fundador del Temple, las de Malcolm Barber y Marie Luise Bulst-Thiele, confirman su origen, la Champaña. Payns está situado en la orilla izquierda del Sena, a unos diez kilómetros de Troyes.[6] Armado solemnemente caballero, señor de Montigny, posee también bienes hacia Tonnerre. Casado, se le conoce un hijo, Teobaldo, futuro abad del monasterio de Sainte-Colombe de Troyes. Hugo aparece como testigo en algunas actas de procedimiento. En 1100, su sello figura junto a los del conde de Bar y el conde de Ramerupt en la parte inferior de un acta del conde de Champaña. No se debe al azar, puesto que sus lazos con la familia de Champaña son estrechos y constantes. Se ha sugerido incluso que pertenecía a una rama menor de los condes. Por consiguiente, era sin duda un señor de cierta importancia, un hombre de la aristocracia media, como los miembros de la familia de Montbard, a la que está aliado. La madre de san Bernardo pertenecía a esta familia.

Los rastros son raros y, en esas condiciones, no hay que extrañarse de que Hugo de Payns se haya convertido en el hijo de muchos países. Se le han encontrado antepasados italianos, en Nápoles, en Mondovi o, más recientemente, en Ardeche. Pagan, Pagani, Payen, Péan... Si todos esos nombres pertenecen a una misma familia, seguramente fue una de las más prolíficas del Occidente cristiano. No se presta más que a los ricos, sobre todo cuando se es pobre... en documentos.[7]

Igualmente difíciles de precisar son las fechas y la duración de las estancias en Oriente de Hugo. Algunos historiadores le hacen partir con la primera cruzada y regresar en 1100. Para mayor seguridad, hay que esperar a 1104. Acompaña entonces al conde Hugo de Champaña, que efectúa su primer peregrinaje a los Santos Lugares. Después, hay que preguntarse: ¿se queda en Palestina hasta 1113? ¿Regresa mucho antes? Lo único cierto es que vuelve a partir en 1114, siempre con el conde. Y en esta ocasión, se queda.

A partir de ese momento, toma cuerpo la idea de una *militia Christi*, con la misión de proteger a los peregrinos. Que el conde de Champaña haya estado asociado de algún modo al nacimiento de la orden no suscita la menor duda. Durante su tercera peregrinación, en 1126, lo abandona todo y entra en el Temple. San Bernardo, amigo suyo, no recibe bien la noticia. Cierto que le felicita por su decisión, pero hubiera preferido verle entrar en el Cister. Tendremos ocasión de volver sobre esta curiosa actitud de san Bernardo. Queda por resolver el problema de la fecha en que se creó el Temple.

El texto de Guillermo de Tiro coincide con el de la regla latina. Según esta última, el concilio de Troyes se reunió «en la fiesta del señor san Hilario, en el año 1128 de la Encarnación de Cristo, en el noveno año del comienzo de dicha caballería». Guillermo indica: «El noveno año, habiéndose celebrado un concilio en Troyes, Francia...». De acuerdo con esto, la creación del Temple se remontaría al año 1119, fecha admitida por la mayor parte de los historiadores. El año se señaló por el ataque a un grupo de peregrinos entre Jerusalén y el Jordán, un acontecimiento lo bastante importante para ser recogido por un historiador de la época, Alberto de Aix. Tal vez el robo sirvió de detonador para provocar una doble toma de conciencia:

• Tierra Santa tiene necesidad de hombres. Guillermo de Tiro indica que, en 1115, el rey de Jerusalén, Balduino I, preocupado por la seguridad del reino, advirtió que «los cristianos eran tan pocos que apenas alcanzaban a llenar una de las calles principales». Y envió un llamamiento a los cristianos de Oriente, exhortándoles a venir a poblar el reino. En 1120, su sucesor, Balduino II, se vuelve hacia Occidente.

• Conviene crear una organización original para asegurar una policía eficaz.

Quizá se estudiaron entonces con interés las ideas de Hugo de Payns y sus amigos.

Otros historiadores, en particular Marie Luise Bulst-Thiele, se inclinan por el año 1118, ya que, según se dice, fue en esta fecha cuando Balduino concedió a Hugo de Payns y sus compañeros un local situado en el palacio real, cerca del templo de Salomón.

¿Se trata de 1118 o de 1119? El detalle puede parecer secundario. Pero esta divergencia sobre la fecha plantea un verdadero problema: ¿quién tomó la iniciativa? ¿Hugo de Payns y algunos caballeros? ¿O bien el rey de Jerusalén, de acuerdo con ciertos príncipes de Occidente, como el conde de Champaña, y las autoridades religiosas del reino, como el patriarca Gormond?

Guillermo de Tiro escribe que, en un primer tiempo, los caballeros hicieron voto de vivir conforme a una regla y en la pobreza, lo que no tiene nada de original. Pronto el rey y las autoridades religiosas de Jerusalén otorgaron algunos bienes y privilegios a los nuevos «soldados de Cristo». Después, «les fue encomendada su primera misión, para remisión de sus pecados, por el señor patriarca y el resto de los obispos: "Que guarden para la gente honrada vías y caminos contra los ladrones y las asechanzas de los invasores, y esto para la salvaguarda de los peregrinos"». La lección está clara: el patriarca orienta a la nueva orden hacia su tarea de protección y combate.

Jacobo de Vitry, cuyo texto hemos citado ampliamente al principio de este capítulo, ofrece una versión distinta: la iniciativa corresponde a los caballeros, y el rey y el patriarca les conceden después su acuerdo y su apoyo. Otra crónica, la de Ernoul, presenta también la creación del templo como resultado de una iniciativa de la base. Los caballeros, que habían hecho sus votos y obedecían a los canónigos del Santo Sepulcro, se ponen de acuerdo:

> Dejamos nuestras tierras y nuestros amigos y vinimos aquí para elevar y exaltar la ley de Dios. Y estamos detenidos, bebiendo y comiendo y gastando sin hacer nada. No nos movemos ni combatimos, cuando el país necesita que le socorran. Y obedecemos a un sacerdote y no hacemos actos de armas. Celebramos consejo y nombramos maestre a uno de nosotros, con permiso de nuestro prior, para que nos conduzca a la batalla cuando llegue el momento.[8]

La intervención del rey Balduino II debió de ser importante. Algunos datos lo hacen pensar así. En 1120, el conde de Anjou, Fulco, futuro rey de Jerusalén, desembarca en Palestina. Entabla conocimiento con los templarios, se aloja con ellos y entrega a los caballeros un donativo de treinta libras angevinas. ¿No es ésta la prueba de que la recién creada orden goza ya de una notoriedad que se explicaría mejor admitiendo un apoyo activo del rey?

Sin embargo, ¿no está esto en contradicción con otra indicación de Guillermo de Tiro, ampliamente repetida después de él: «Durante nueve años después de su institución, se vistieron con ropas seculares, que la gente les daba como limosna para la salvación de su alma»? ¿Y con esta otra: «Aunque llevaban nueve años embarcados en esta empresa, no eran más que nueve...»?

Desconfiemos de Guillermo de Tiro. Critica las riquezas de los templarios y se deleita recordando su pobreza inicial. Al no admitir su independencia total con respecto a las autoridades eclesiásticas de Tierra Santa, insiste sobre la precariedad de sus comienzos y recuerda que, sin el socorro de dichas autoridades, los templarios no hubieran logrado sobrevivir.

Ahora bien, en 1126, el conde de Champaña se une al Temple. Se puede suponer que no es el único. En el mismo momento, las donaciones empiezan a afluir poco a poco. Y cuando, en 1127, Hugo de Payns se embarca hacia Occidente con cinco de sus compañeros, se propone un triple objetivo:

• Hacer que la Iglesia de Occidente confirme la regla de la orden, elaborada en Oriente.

• Dar a conocer la orden.

• Reclutar adeptos para la nueva milicia de Cristo y, más ampliamente, combatientes para Tierra Santa.

Esta última tarea la cumple también como enviado del rey Balduino II, que al parecer financió el viaje. En una carta dirigida en esta fecha a san Bernardo, el rey de Jerusalén pide a la Iglesia que proteja al grupo de templarios que ha ido a reclutar hombres para la defensa del sepulcro de Cristo.[9]

La orden del Temple existía desde hacía nueve años y empezaba a ser conocida. Pero esto no bastaba. Había que movilizar a la cristiandad, a fin de convertir la orden en el instrumento eficaz con que había soñado Hugo de Payns y que los Estados latinos necesitaban.

El Occidente estaba dispuesto a escuchar el llamamiento.

2

Los monjes soldados

Hugo de Payns ha inventado una figura nueva, el monje caballero, nos dice Marion Melville.[1] La santidad y la caballería, dos éticas radicalmente opuestas... Para conciliarlas, hacía falta una evolución espiritual considerable, la misma, por lo demás, que permitió la cruzada. La Iglesia tuvo que modificar su concepción de la teoría de la guerra. Se vio obligada a aceptar la caballería y hacerle un lugar en la sociedad cristiana, en el orden del mundo querido por Dios.

Guerra justa y guerra santa

El cristianismo primitivo condena toda guerra, toda violencia. Consecuencia del pecado original, la guerra, siempre mala e ilícita, es una calamidad. Muy pronto, sin embargo, se produce una flexión de la doctrina. En lugar de interesarnos por la guerra, en general, consideremos más bien a sus protagonistas. ¿Se puede condenar al que se defiende de una agresión? La teología cristiana se hace más matizada y formula la noción de guerra justa. Una guerra que se propone adquirir riquezas y honor es ilícita. Una guerra que se propone mantener un derecho está permitida, siempre que se cumplan ciertas condiciones. Debe suponer el último recurso para sostener ese derecho, cuando todos los demás han fracasado. Sólo puede declararla el príncipe, la autoridad pública. Señalemos de paso que el cristianismo condenará siempre las guerras privadas.

En el siglo IV, tras la conversión de Constantino, el Imperio romano se convierte en un imperio cristiano. Lo hubiese querido o no, el cristianismo tiene que adaptarse a la nueva situación. San Agustín es el primero en esbozar una teoría de la guerra justa. «Se llaman justas las guerras que vengan las injusticias, cuando un pueblo o un Estado, al que hay que hacer la guerra, se ha descuidado en el castigo de los crímenes de los suyos o en la restitución de lo que ha sido arrebatado por medio de esas injusticias.» Y también: «El soldado que mata al enemigo, como el juez y el verdugo que ejecutan a un criminal, no creo que pequen, ya que, al actuar así, obedecen a la ley».

La guerra justa no se limita a una acción punitiva. Se propone también reparar la injusticia. En el siglo VII, Isidoro de Sevilla añadirá a la definición agustiniana una precisión capital: «Es justa la guerra que se hace, después de advertirlo, *para recuperar bienes* o para rechazar a los enemigos». Este argumento servirá para justificar la cruzada, que se fija como objetivo recuperar los Santos Lugares, retenidos ilícitamente por los infieles.[2]

La doctrina apenas evoluciona después, pero, al verse enfrentada a la realidad, se afina. Los papas de la reforma gregoriana, que, según la fórmula consagrada, quieren «liberar a la Iglesia del poder de los laicos», ampliarán el campo de la violencia legítima. Estudiaremos en su momento la relación entre la cruzada y los movimientos en pro de la paz. Por el momento, nos limitaremos a mencionar la opinión –esencial– de Anselmo de Lucca, eslabón decisivo, según Jean Leclercq, de la cadena que une san Agustín a san Bernardo. Para defender la actitud pontificia, Anselmo atribuye a la Iglesia la decisión del recurso a la fuerza, sin mediación de ningún poder laico. Urbano II no lo olvida. Al lanzar su proclamación de Clermont, convierte la cruzada en una empresa pontificia.

También la reflexión de san Bernardo sobre la guerra justa está profundamente enraizada en la historia y la experiencia de la primera mitad del siglo XII. La guerra no puede ser otra cosa que un mal menor, que se ha de utilizar lo menos posible, estudiando caso por caso. Entre cristianos, sólo es justa cuando peligra la unidad de la Iglesia; contra los judíos, los heréticos, los paganos, ha de evitarse la violencia, ya que la verdad no se impone por la fuerza. El cristiano debe convencer, y sólo se justifica una guerra defensiva. Para san Bernardo, la cruzada contra los infieles musulmanes debe considerarse como una guerra defensiva, llevada a cabo con una intención recta, reduciendo la violencia al mínimo.[3]

De la guerra justa, la reflexión conduce de manera natural a la guerra santa. Los canonistas del siglo XII, siguiendo a Graciano, piensan que la guerra justa por excelencia es la guerra hecha para defender al verdadero Dios, la verdadera fe, la Iglesia de Dios. Cuando se vuelve hacia el exterior de la cristiandad, contra los paganos y los infieles, la guerra justa se transforma en guerra santa, aplicación particular, en suma, de la guerra justa a un cierto tipo de adversarios. Pero exige del que la hace una conciencia de sus deberes todavía más firme, una moral más segura.[4] La guerra santa requiere una verdadera conversión interior, pues el fiel no se limita a obedecer la ley, sino que combate por Cristo y muere por su salvación. San Bernardo escribe crudamente:

> Cuando mata a un malhechor, no comete un homicidio, sino, me atrevería a decir, un malicidio. Venga a Cristo de los que hacen el mal; defiende a los cristianos. Si le matan, no perece. Consigue su objetivo. La muerte que inflige va en provecho de Cristo; la que recibe, en el suyo propio.

Se comprende fácilmente que la idea de guerra santa está contenida por entero en la idea de cruzada, sin ser su elemento exclusivo.

Los movimientos en pro de la paz

Guerra justa o guerra santa son los caminos más cortos hacia la paz. La paradoja no es más que aparente, puesto que en la Edad Media la paz se concibe como el mantenimiento del orden requerido por Dios. A partir de san Agustín, el lazo entre guerra justa y paz queda firmemente anudado.

> Debemos querer la paz y no hacer la guerra salvo por necesidad, ya que no se busca la paz para hacer la guerra, sino que se hace la guerra para obtener la paz. Sed, pues, pacíficos, incluso en el combate, a fin de que, gracias a la victoria, conduzcáis a los que combatís a la dicha de la paz (*Carta 305*).[5]

Guerra justa, guerra santa y cruzada permanecen así asociadas a la paz. La guerra santa procura la paz, y ésta sólo es durable gracias a la guerra santa. Con toda lógica, san Bernardo aplica a casos concretos la fórmula siguiente: restablecer la unidad de la Iglesia, por la guerra santa en caso necesario, equivale a hacer obra de paz. Y cuando más tarde, en 1147, predica la cruzada en Vézelay, insiste sobre la agresión musulmana y, por lo tanto, sobre la guerra justa que permitirá restablecer la paz.

La noción de paz se aplica a situaciones concretas, las de un mundo en plena mutación, donde reina la violencia. Violencia agravada por el desarrollo de una categoría social nueva, la caballería. Hacia el año mil, los caballeros, profesionales del combate a caballo, son los causantes de disturbios, los bandidos, raptores de doncellas y ladrones de los bienes de la Iglesia denunciados por los clérigos. Son esos señores castellanos de Île-de-France cuyas fechorías describe tan bien Suger, abad de Saint-Denis, en su *Vie de Louis VI le Gros*.

Esta violencia no conoce límites cuando se produce la declinación del poder real durante el reinado de los primeros Capetos. Demasiado débil, el rey no cumple ya su misión de justiciero, de defensor de los pobres (hay que entender por pobres a todos aquellos que, cualquiera que sea su posición social, no pueden defenderse por sí mismos), de las viudas y los huérfanos. Unica fuerza todavía sólida, la Iglesia intenta paliar la deficiencia real y contener la violencia. Reunidos en concilios o sínodos provinciales, los obispos proclaman la paz de Dios, destinada a proteger a ciertas personas (los pobres), poner al abrigo ciertos bienes (bienes de la Iglesia, aperos campesinos), ciertos lugares (iglesias, cementerios) contra la agresividad de los caballeros.

En el curso del siglo XI, la Iglesia va más lejos todavía e intenta imponer la tregua de Dios. Prescribe a la caballería abstenerse de la violencia ciertos días (el domingo), durante ciertas fiestas (Pascuas, período de Cuaresma). Al hacerlo, se resigna a lo inevitable para salvar lo posible, puesto que acepta, fuera de esos días consagrados, que los caballeros se dediquen libremente a sus ocupaciones habituales, que no tienen nada de inocentes.

Y en el momento en que la tregua de Dios se extiende, principalmente en Francia, Adalberón de Laon elabora su célebre esquema de la organización tridimensional de la sociedad: los que rezan, los que combaten y los que trabajan. La coincidencia no debe nada al azar. Así se reconoce el lugar del caballero en la obra de Dios. A condición de guiarle, de disciplinar sus instintos belicosos y de orientarlos en la buena dirección, el caballero puede servir a la obra de Dios. A la Iglesia le corresponde llevar a cabo esta «recuperación», dispuesta, en caso necesario, a castigar con rigor a los rebeldes que se obstinen en perturbar la paz. A la sanción clásica de la excomunión, la Iglesia añade una penitencia adaptada a la condición caballeresca, la peregrinación penitencial, que, como veremos, llegará a ser uno de los componentes de la idea de cruzada. En fin, como último recurso, pondrá en marcha una operación punitiva contra el causante o los causantes de la perturbación: la guerra justa, llevada a cabo bajo la responsabilidad de clérigos, con el concurso de príncipes laicos, en primer lugar el rey. Esta guerra alía a los buenos contra los malos; los buenos se encuentran entre los caballeros, pero también en las comunidades parroquiales, dirigidas por sus sacerdotes. Las milicias de paz tienen un emblema común, la cruz.

Suger nos relata una operación de este género. Él y algunos otros se enfrentan a las fechorías de Hugo de Puiset. Estamos en 1111 y, para acabar con la víbora, ha sido preciso recurrir al rey. «Hugo no se preocupaba ni por el rey del Universo ni por el rey de Francia [...] y la emprendió contra la muy noble condesa de Chartres y contra su hijo Teobaldo.» Dirigiéndose al rey, le recuerdan «que debía al menos considerar que las iglesias habían sido oprimidas, los pobres sometidos a pillaje, las viudas y los huérfanos víctimas de vejaciones muy impías, en resumen, la tierra de los Santos y los habitantes de esta tierra entregados como presa a la violencia». El rey y el conde sitian a Hugo en su castillo. Un primer asalto, fallido, deja a la hueste real abatida...

... cuando la fuerte, la todopoderosa mano de Dios todopoderoso quiso que se le reconociese como único autor de una venganza tan manifiesta y tan justa. Estaban presentes las comunidades de las parroquias del país. Dios suscitó el vigoroso aliento del heroísmo en un sacerdote calvo, a quien le fue dado, contra la opinión de los hombres, el poder de cumplir lo que aparecía como imposible para el conde en armas y para los suyos...[6]

Luis VI tuvo que intentarlo tres veces, en 1111, 1112 y 1118, antes de imponerse al señorial saqueador. Vencido, Hugo partió en peregrinación a Tierra Santa, donde murió. Como puede juzgarse por la muestra, la empresa de pacificación no era fácil de realizar. Su objetivo consistía no sólo en corregir al pecador, sino también en convertirlo, a fin de que se pusiese al servicio de Cristo. La actuación de los gregorianos resulta fundamental en este camino hacia la salvación, en que el caballero bandido se convierte en caballero de Cristo (*miles Christi*).

El caballero de Cristo

Liberar la Iglesia del dominio de los laicos, tal es, como hemos dicho, la meta de la reforma gregoriana. Lo que significa también, más prosaicamente, asegurar el poderío material de la Iglesia. ¿Con qué objeto, salvo para asegurar su papel dirigente en el mundo? Enfrentado al emperador Enrique IV, el papa Gregorio VII pone en aplicación una idea que había formulado por primera vez cuando amenazó al rey de Francia, Felipe I, con la excomunión: utilizar a la pequeña nobleza, la caballería, contra el mal príncipe. Reclama el empleo de la fuerza para una guerra justa, puesto que se propone recuperar o proteger los bienes de la Santa Sede. Y Gregorio VII incita a los laicos a ponerse al servicio de los fines políticos del papado, reuniéndose en una *militia Christi*.[7]

La expresión es antigua. San Pablo se había referido ya al combate espiritual del soldado de Cristo. En los siglos v y vi, la *militia* estaba representada por el clero secular, que combatía por la fe en el siglo, distinguiéndose de los monjes. En los umbrales del siglo XII, el obispo Yves de Chartres, firme en cuanto a los principios, pero abierto al compromiso, escribe a un tal Roberto: «Debes combatir el espíritu del mal; por lo tanto, si quieres luchar con confianza, entra en el campo de los soldados de Cristo, habituados a la táctica de las batallas». Un vocabulario tan marcial para referirse a un combate ante todo espiritual no sorprenderá en absoluto al hombre del siglo XX.

Pero Gregorio VII innova, puesto que toma la expresión al pie de la letra. La milicia de Cristo abandona el campo espiritual por el campo de batalla. Se convierte en una compañía de caballeros dispuesta al combate contra los adversarios de la cristiandad. Los antigregorianos se indignan: Gregorio VII invita a verter sangre y promete la remisión de los pecados a todo aquel, quienquiera que sea y cualquier cosa que haya hecho, que defienda por la fuerza el patrimonio de san Pedro. ¡Un verdadero escándalo! ¡El asesinato justificado, incluso sacralizado...!

No obstante, las ideas gregorianas se imponen y, tras la muerte de Gregorio, sus sucesores las perfilan. Los obispos, dicen en sustancia, no pueden combatir...

... pero esto no significa que los creyentes, en particular los reyes, los magnates, los caballeros, no deban ser llamados a combatir por las armas a cismáticos y excomulgados. Pues si no lo hicieran, el *ordo pugnatorum* sería inútil en la legión cristiana.

Así se expresa Bonizo, teólogo gregoriano. Tales ideas alcanzaron un auge considerable, sobre todo a finales del siglo XI. La Iglesia ofrecía a los laicos una vía de salvación original, combatir a los enemigos del orden cristiano. Hasta entonces, no podían esperar la remisión de sus pecados más que asociándose estrechamente al orden monástico. El caballero que se «convertía» debía abandonar con toda solemnidad las armas. Fundaciones piadosas, donaciones, todo eso estaba bien. Pero entrar en el monasterio era mejor.

La salvación propuesta por Gregorio denota una concepción profundamente distinta, puesto que afirma que los laicos disponen de un terreno de lucha propio contra los adversarios de Cristo. No deben desertar. En 1079, el papa amonesta al abad de Cluny por haber acogido como monje a Hugo I de Borgoña, quien tenía cosas mejores que hacer como laico. No hay que extrañarse de que esas ideas no fueran aceptadas sin más, hasta tal punto chocaban con la tradición cristiana. Se comprende la actitud de san Bernardo, caballero que había abandonado el mundo, cuando, en 1126, lamenta la profesión del conde Hugo de Champaña en la milicia del Temple, que no haya entrado como él en el Cister.

Sin embargo, tales ideas respondían a una necesidad profunda de la sociedad caballeresca. ¿Cómo explicar si no el éxito de la cruzada? Al fijar como objetivo para la guerra santa la liberación del sepulcro de Cristo, la cruzada proporciona al mismo tiempo una meta al camino del caballero hacia su salvación:

> En nuestro tiempo, Dios ha instituido la guerra santa, de modo que los caballeros y la multitud inestable, que tenían la costumbre de enzarzarse en matanzas recíprocas, a la manera de los antiguos paganos, encuentren un camino nuevo para obtener la salvación.

El monje Guiberto de Nogent era más perspicaz que el monje Bernardo de Clairvaux.

El cruzado

Mediante la paz de Dios, los obispos señalaban con el dedo a los malvados, es decir, a los caballeros, y les dictaban su deber. Mediante la tregua de Dios, ofrecían una ascesis adaptada a la condición y al modo de vida caballerescos. Mediante el esquema trifuncional, la cruzada, la ceremonia solemne de armar a un caballero, integraban definitivamente la caballería en el orden cristiano.

Guerra santa para la liberación de los Santos Lugares y, a partir de 1099, para su protección, la cruzada constituye también una peregrinación. Las expresiones utilizadas en la Edad Media lo demuestran. Es el «Santo Pasaje», lo que sugiere la idea de un esfuerzo prolongado por llegar al sepulcro del Salvador. En su *Historia de la guerra santa,* el historiador Ambrosio relata el sitio de Acre por el ejército de Ricardo Corazón de León. Para él no hay ninguna vacilación, los cruzados son «los peregrinos».

La peregrinación penitencial constituye el signo de una espiritualidad nueva, nacida con el monacato cluniacense. Experimenta un desarrollo prodigioso en el siglo XI y, según la expresión de Josuah Prawer, significa con frecuencia una «obra de expiación colectiva». En conjunto, expresa una fe sincera, una sensibilidad viva, pero –y se podría llamar a esto su efecto perverso– lanza a los caminos la hez de la humanidad. Sabemos de algunos pecadores recidivistas que se convirtieron en peregrinos asiduos, el conde de Anjou, Fulco Nerra, por ejemplo.

La cruzada y, una vez creadas, las órdenes militares tendrán que integrar este dato, ya sea asociando a su combate a los peregrinos que lo aceptan durante el tiempo de su estancia en Oriente, ya sea reclutando algunos balarrasas de los que Occidente se desembaraza por medio de la peregrinación penitencial. La necesidad de combatientes en los Estados latinos se impone.

Tras la publicación de los trabajos de Paul Alphandéry (*La chrétienté et l'idée de croisade*), ha prevalecido la opinión de que la idea de cruzada sólo se dio en estado puro en la primera y la única cruzada popular, la de Gualterio Sans-Avoir y Pedro el Ermitaño. Desde hace unos veinte años, los historiadores han reaccionado contra este punto de vista excesivamente unilateral, demostrando que, en realidad, estuvo implicado el conjunto de la sociedad occidental. Para A. Waas, la cruzada constituyó la principal traducción en actos de los ideales de caballería. El «pasaje» a ultramar significa en su opinión la exteriorización de la conciencia religiosa de la caballería. La realidad «cruzado» es en primer lugar de esencia caballeresca. Todo lo demás resulta marginal o secundario.[8]

Se pasa sin duda de un exceso a otro, pero la idea fundamental sigue siendo justa. La prueba –y ya podemos volver a ella– la tenemos en la orden del Temple. ¿Qué es, a fin de cuentas, la orden del Temple? Una institución original, que representa de manera permanente el modelo de la caballería de Cristo; una orden que concilia lo inconciliable, reuniendo bajo el mismo techo las dos funciones de monje y de guerrero, eliminando toda fuente de antagonismo entre ellas; una orden, en fin, que «va a encarnar de forma permanente, y no ya por un tiempo dado, como ocurría con los cruzados, la ideología de la cruzada».[9]

Todas estas ideas aparecen reunidas en un fragmento, muy hermoso, de la *Canción de la cruzada albigense*, de Guillermo de Tudela. La obra data del siglo XIII y, sin embargo, la ideología del caballero de Cristo parece no haber envejecido en absoluto. Estamos en 1216. Los cruzados de Simón de Montfort acaban de apoderarse del castillo de Termes. Vencido, el conde de Tolosa...

> ... se fue a Saint-Gilles, para asistir a una asamblea que había reunido el clero, el abad de Citeaux y los cruzados [...]. El abad se levantó: «Señores –les dijo–, tened por cierto que el conde de Tolosa me ha honrado mucho, que me ha abandonado su tierra, por lo que le estoy agradecido; y os ruego que le tengáis por recomendado». Entonces se

abrieron las cartas selladas de Roma que le habían traído al conde de Tolosa. ¿De qué serviría prolongar el relato? Tanto pidieron que, al final, el conde Raimundo dijo que no podría pagar aquello ni con todo su condado [...] [*Nueva reunión en Arles.*] Los cruzados redactaron por escrito todo el juicio, que entregaron al conde, el cual esperaba fuera con el rey de Aragón, al frío y al viento. El abad se lo dio en mano, en presencia de todos [...]. La carta decía en sus primeras palabras: Que el conde observe la paz, y también los que estén con él, y que, hoy o mañana, renuncie a saltear los caminos. Que devuelva sus derechos a los clérigos, que éstos entren en posesión de todo lo que le piden. Que retire su protección a los pérfidos judíos; y a los adherentes a los herejes, que los clérigos le denunciarán, los entregue a todos, y eso en el plazo de un año, para que actúen con ellos a su placer y voluntad. Y no comerán más de dos clases de carne, ni se vestirán en adelante con telas caras, sino con bastas capas pardas, que les durarán más tiempo. Arrasarán los castillos y fortalezas [...]. Entregarán al año cuatro denarios tolosanos a los *paziers* [*los encargados de hacer respetar la paz de Dios*], de la tierra que los clérigos establecerán. Todos los usureros tendrán que renunciar al préstamo con usura [...]. El conde cruzará el mar hasta el Jordán y permanecerá allí tanto tiempo como quieran los monjes, o los cardenales de Roma, o su delegado [...]. En fin, entrará en una orden, la del Temple o la de San Juan.[10]

La guerra en defensa de la paz, la paz de Dios y los *paziers,* guardianes de la paz, la peregrinación penitencial a los Santos Lugares y, por consiguiente, la cruzada y, para terminar, el Temple o el Hospital.

Influencias: el Temple y el «ribat»

¿Significa eso, sin embargo, que el Temple y las órdenes religiosas militares son una creación pura del cristianismo occidental? Hubo un tiempo en que los historiadores aludieron a la posible influencia del *ribat* de los musulmanes. Después de algunos años de abandono de esta teoría, se acepta ahora la explicación, si bien sobre nuevas bases.[11]

El *ribat* es un centro militar y religioso, fortificado, instalado en las fronteras del mundo musulmán. El servicio, voluntario y temporal, constituye un acto de ascesis y se considera como un aspecto del deber de *djihad,* la guerra santa del Islam: Los *ribats* eran numerosos en España. El debate opone a los que piensan que, «en lo que se refiere a su estructura, el Temple y las demás órdenes militares nacieron de los monasterios cristianos y de las órdenes monásticas, en especial el Cister»,[12] para las cuales no hay ninguna prueba directa de la influencia del *ribat,* a aquellos que, sensibles a los trabajos de los antropólogos, se interesan por los fenómenos de aculturación entre grupos culturales diversos y piensan que la imitación y los préstamos son más bien la regla que la excepción. Esquemáticamente, el etnohistoriador considerará que, si se encuentran rasgos similares, unidos entre sí de manera similar, a ambos lados de una frontera, hay prueba suficiente de difusión.

Pasar de la noción de guerra justa, en la que matar sigue siendo un pecado, a la noción de guerra santa, donde se hace lícito matar al infiel, no fue sencillo para el mundo cristiano. «Hasta la segunda mitad del siglo XI, la guerra, aunque "bautizada", nunca había sido santificada.»[13] Las polémicas que suscitó su santificación sugieren que la idea venía del exterior y, aunque combinada con éxito con los conceptos cristianos de peregrinación y guerra justa, el pensamiento cristiano tradicional nunca llegó a asimilarla por completo.

¿Se produjo una difusión de las características propias del *ribat* durante la formación de las órdenes militares y, especialmente, durante la aparición del Temple en España? Hay un eslabón esencial, hasta ahora menospreciado: la creación en 1122 de la confraternidad de Belchite. Alfonso I de Aragón asigna a esta confraternidad la misión de defender la frontera y combatir al infiel. Se permitía en ella el servicio temporal, como en el *ribat.* Ambas organizaciones comparten también la noción de mérito proporcional a la duración del servicio cumplido. Ahora bien, la noción de servicio temporal era ajena al monacato cristiano. Por lo tanto, tuvo que venirle de fuera.

En el Temple, los caballeros que se alistan por una duración limitada *(fratres ad terminum)* no se consideran como miembros de la orden. Sólo son «hermanos» los que han pronunciado votos que les comprometen para toda la vida. Se dan, pues, dos etapas «estructurales» en la adaptación de las características del *ribat* a las ideas cristianas de la vocación monástica. En Belchite, se aplica el modelo del *ribat* casi en su estado puro, con un servicio temporal dominante. El Temple representa una etapa más evolucionada. Las características tomadas del *ribat* se modifican para hacerse compatibles con el monacato tradicional. La confraternidad de Belchite, a medio camino entre el estatuto religioso y el estatuto laico, no podía subsistir mucho tiempo en aquella época. Desapareció una vez que la evolución llegó a su término: el Temple. Y sobre su modelo, se crearon otras órdenes militares, tanto en España como en Tierra Santa.

3
Los amados hijos de san Bernardo

El concilio de Troyes

«Aunque llevaban nueve años embarcados en esta empresa, no eran más que nueve.» Como ya he dicho, esta frase de Guillermo de Tiro, repetida al unísono por todos los historiadores del Temple, nos deja más bien escépticos. En efecto, cuando Hugo parte hacia Occidente en 1127, va acompañado de otros cinco templarios: Godofredo de Saint-Omer, al que se relaciona con la familia de los castellanos de esta ciudad, Pagano de Montdidier, Archimbaldo de Saint-Amand, Godofredo Bisol y un tal Rolando, todos ellos procedentes muy probablemente del medio de la caballería, avanzadilla de la sociedad feudal. Nueve menos seis, quedan sólo tres en Jerusalén. ¿No parece un poco justo para cumplir las misiones de la orden?

Se puede suponer, claro está, que existía ya la clase de los hermanos sargentos, al menos de hecho, si no de derecho. En efecto, la primera regla, la que Hugo de Payns hizo aprobar en el concilio de Troyes, no imponía más que una condición para la admisión en la orden: ser de condición libre. Señalemos también que, en ese momento, la misión única de la milicia del Temple consistía en proteger a los peregrinos en las vías de acceso a la Ciudad Santa. Habrá que esperar a 1129 para que los templarios se enfrenten por primera vez a los infieles en el combate. ¿Así que nueve? No, realmente, los templarios eran ya mucho más numerosos.

En consecuencia, me siento inclinado a considerar el viaje de Hugo de Payns a Europa desde tres puntos de vista:

• El de la crisis de crecimiento. La orden se ha extendido. No lo bastante, sin embargo, para hacer frente a su misión, aunque ésta se reduzca todavía a una labor de policía. Las cuestiones de organización empiezan a preocuparla. Conviene resolverlas. Tal es el objeto de la regla.

• El de la crisis de conciencia o, si se prefiere, la crisis de identidad. Re-

sulta de las críticas formuladas contra la nueva milicia, de las impli-
caciones militares de su misión, pero también de las dudas, de las interrogaciones de los hermanos sobre la calidad espiritual de su compromiso.
Críticas y dudas que frenan la expansión de la orden y paralizan su acción. Hugo de Payns va a pedir a san Bernardo una respuesta a estas cuestiones.

• El del reclutamiento, por último. Hugo actúa como enviado del rey
Balduino II, que le ha encargado reclutar soldados para Oriente, pero
también como jefe de su orden. Quiere reclutar futuros templarios y desarrollar en Occidente el apoyo logístico necesario para las empresas del
Temple en Oriente. Tal será el motivo de la gira que harán Hugo y sus
compañeros durante los meses que siguen al concilio de Troyes.

¿Pasó Hugo por Roma antes de dirigirse a Champaña? Es probable.
El papa Honorio II (1124-1130) seguía de cerca la experiencia de la orden y los problemas de la cruzada. Como enviado de Balduino II, Hugo
no podía dejar de visitar al papa. Y como maestre del Temple, cabe pensar que le sometió los proyectos de su regla.

Hugo llega después a Troyes para participar, en enero de 1128, en el
concilio de los prelados de Champaña y Borgoña. Se trata de un concilio
más entre otros muchos: Bourges, Chartres, Clermont, Beauvais, Vienne,
en 1125, Nantes en 1127, Troyes y Arras en 1128, después Châlons-sur-Mar-
ne, París, de nuevo Clermont, Reims... La influencia de san Bernardo y el
Cister deja una profunda huella en estos concilios provinciales, destinados a precisar la reforma de la Iglesia tras la solución de la querella de las
investiduras, el gran conflicto entre el papa y el emperador provocado por
la reforma gregoriana.

El prólogo de la regla del Temple expone la lista de los participantes: el
cardenal Mateo de Albano, legado del papa en Francia; los arzobispos de
Reims y Sens, con sus obispos sufragáneos; varios abades, entre ellos los
de Vézelay, Citeaux, Clairvaux (se trata de san Bernardo), Pontigny, Trois-
fontaines, Molesmes; algunos laicos, Teobaldo de Blois, conde de Champaña, Andrés de Baudement, senescal de Champaña, el conde de Nevers,
uno de los cruzados de 1095. Se ha puesto en duda la presencia de san
Bernardo. Sin pruebas. Su ausencia resultaría extraña, puesto que se hallan presentes los principales dignatarios del Cister: Esteban Harding,
abad de Citeaux (1109-1134), y Hugo de Mâcon, abad de Pontigny. Añadiremos que el arzobispo de Sens, Enrique Sanglier, es amigo de Bernardo. El número y la calidad de los clérigos cistercienses lo demuestra ampliamente. La influencia de las ideas reformistas fue determinante.

¿Cómo se ejerció? Se ha repetido con exceso que la regla del Temple se debe a san Bernardo, que fue él su autor. Basta, sin embargo, con remitirse al prólogo de la misma:

Y oímos por capítulo común la manera y el establecimiento de la orden de caballería de la boca del antedicho maestre, hermano Hugo de Payns; y según el conocimiento de la pequeñez de nuestra conciencia, lo que nos pareció bien y provechoso lo alabamos, y lo que nos parecía sin razón lo descartamos. Y todo lo que en el presente concilio no pudo ser dicho ni contado por nosotros [...] lo dejamos a la discreción de nuestro honorable padre Honorius y del noble patriarca de Jerusalén, Esteban de la Ferté, que conocía la cuestión de la tierra de Oriente y de los pobres caballeros de Cristo [...]. Yo, Juan Miguel [...], fui el humilde escribano de la presente página, por mandato del concilio y del venerable padre Bernardo, abad de Clairvaux, a quien se había encargado y confiado este divino oficio.

Si Bernardo hubiera escrito la regla, los templarios no hubieran dejado de vanagloriarse de ello.

La regla fue redactada en Oriente, con ayuda del patriarca de Jerusalén. Hugo la discutió después con el papa, antes de someterla al concilio de Troyes, en el que sabía que predominaba la influencia del Cister. Los padres, con Bernardo a la cabeza, corrigieron ciertos detalles, modificaron algunos artículos y dejaron puntos en suspenso, remitiéndolos al papa y al patriarca. Y en efecto, este último revisará la regla en 1131, revisión que suscitó diversas dificultades. Me ocuparé más a fondo de ellas en un capítulo posterior.

A decir verdad, la influencia cisterciense se sitúa sobre todo en otro plano. Tras haber subrayado, sin reflexionar lo bastante, la filiación benedictina de las órdenes militares, los historiadores han atraído más recientemente la atención sobre la observancia agustiniana. La regla de san Agustín rige en general las comunidades de canónigos regulares, adscritos a una iglesia catedral. Ahora bien, en sus comienzos, la nueva orden estaba vinculada a la comunidad de canónigos regulares del Santo Sepulcro de Jerusalén. Muy pronto, sin embargo, surgen las dificultades, lo que puede resultar paradójico, puesto que el desarrollo de las comunidades de canónigos regulares es reciente y parece particularmente bien adaptado a los proyectos de la reforma gregoriana de la Iglesia. Recordemos el texto de Emoul, ya citado y muy injustamente olvidado: «Y obedecemos a un sacerdote y no hacemos actos de armas». Para los nuevos caballeros, los canónigos regulares son en primer lugar y de manera exclusiva clérigos.

Pero las exigencias de la cruzada, encarnadas entre otros en los templarios, resultan incompatibles con un modelo únicamente clerical. Hace falta una síntesis entre los ideales monásticos tradicionales y las necesidades de la cruzada.

El monacato cisterciense, nacido en ese comienzo del siglo XII de la «conversión» de algunos jóvenes nobles, desengañados de la vida secular, supo comprender esas aspiraciones, aunque sin captarlas. San Bernardo era y siguió siendo un monje, pero ayudó a los templarios a encontrar su marco original. Desde un punto de vista más general, se subraya hoy en día lo suficiente el papel del Cister en la génesis de la mayor parte de las órdenes militares de los siglos XII y XIII.[1]

El Cister se esforzó también por actuar directamente sobre las almas, por insuflar en los laicos el espíritu cisterciense. La reforma gregoriana puso en marcha un ambicioso programa de cristianización de la sociedad. La primera fase tendió a moralizar la Iglesia (lucha contra la simonía y el concubinato de los sacerdotes), a clericalizar las órdenes monacales (fue la obra de Cluny). Liberó al clero de la tutela de los laicos, izándolo muy por encima de éstos. En un segundo tiempo, los gregorianos desearon extender a los laicos la reforma moral, ofreciéndoles, por ejemplo, un modelo de santidad: el caballero de Cristo. Fiel a este proyecto, el Cister supo inculcar la idea fundamental de que no hay salvación sin una conversión interior, sea cual sea el orden de la sociedad al que se pertenezca y la función que se ejerza por la voluntad del Creador. San Bernardo era lo bastante sensible a las realidades de la sociedad de su época para no exigir de todos que siguieran su mismo camino. Exploró otras vías hacia la salvación, entre ellas la elegida por los templarios.

Su comprensión y su ayuda serán particularmente útiles y eficaces durante la verdadera crisis de conciencia que agita a la milicia en el momento –un poco antes, un poco después– del concilio de Troyes.

La crisis

¿Conciliar el ideal del monje y el del caballero? La regla de 1128 lo consigue, al menos en el plano teórico. Pero aun siendo el fruto de diez años de experiencia, ¿responde a todas las preguntas que se plantean sobre el terreno, en Jerusalén, los hermanos de la milicia de Cristo? Desde luego que no. El célebre texto de san Bernardo *De laude novae militiae* (o *Elogio de la nueva milicia*) debe comprenderse como una respuesta a los dolorosos interrogantes de una comunidad en crisis de identidad.

Para analizar esta crisis, hay que convencerse de que el hermano de la milicia de los pobres caballeros de Cristo –así se autodenomina el Temple– no es un soldadote que esconde la negrura de su alma bajo la bella capa blanca del Cister. Naturalmente, más tarde, se mostrarán menos exigencias en el reclutamiento, pero, en 1130, el Temple no equivale todavía a la Legión extranjera. Dicho esto, supondría un exceso semejante no ver en los templarios más que cistercienses militarizados, cuyo ideal sería el monacato y la vida contemplativa, no constituyendo el servicio militar más que un entreacto en una existencia esencialmente ascética».[2] ¿Monje o soldado? No, monje y soldado. Y ahí está el problema.

Hugo de Payns permanece lejos de Oriente durante tres años, de 1127 a 1130. Allí se han quedado los templarios, enfrentados a una tarea abrumadora. Tal vez con mayor frecuencia de lo que desean, se ven obligados a recurrir a las armas, a combatir, a matar. ¿Están seguros de que todos los bandidos y saqueadores a los que matan son infieles? Algunos cristianos indígenas les acompañan. ¿Reconocerá Dios a los suyos? Estas palabras, pronunciadas durante el saqueo de Béziers al comienzo de la cruzada contra los albigenses, no tienen vigencia en 1130. ¿Están en su derecho? La cuestión atormenta a los templarios. En 1129, combaten por primera vez como verdaderos soldados. Derrotados, sufren pérdidas sensibles, dura prueba moral cuando no se ve venir nada de Occidente, a pesar de los esfuerzos de Hugo y sus compañeros.

Esta crisis de conciencia afecta mucho más aún a los templarios porque saben que su elección, pese a ser alentada por las principales autoridades religiosas, no se aprueba por unanimidad. Incluso dentro de la Iglesia, hay quien se inquieta por la «nueva monstruosidad» que supone la milicia de Cristo. Jean Leclercq, interrogándose sobre la actitud de san Bernardo con respecto a la guerra, cita la opinión de un cisterciense, Isaac de Stella: «Cuando una cosa se puede hacer legalmente, ¿no nos sentiremos tentados a hacerla por placer?». No condena, pero duda.[3]

He ahí otro texto revelador de las preguntas que se formulan ciertos medios, la carta que Guigues, prior de la Gran Cartuja dirigió a Hugo, probablemente en 1128:

En verdad, no podemos exhortaros a las guerras materiales y a los combates civiles; tampoco somos aptos para inflamaros por la lucha del espíritu, nuestra ocupación diaria, pero deseamos al menos advertiros que penséis en ella. En efecto, es vano atacar a los enemigos exteriores si no dominamos primero nuestros enemigos del interior... Hagamos primero nuestra propia conquista, amigos muy amados, y podremos después combatir a nuestros enemigos del exterior. Purifiquemos nuestras almas de sus vicios, y podremos después purgar de bárbaros la tierra.

Un poco más adelante, Guigues cita la Epístola a los Efesios:

«Pues no es contra adversarios de carne y hueso contra los que tenemos que luchar –está escrito en el mismo lugar–, sino contra los principados, contra las potestades, contra los dominadores de este mundo tenebroso, contra los espíritus del mal que pueblan los espacios celestes» (Ef. 6, 12), es decir, contra los vicios y sus instigadores, los demonios.[4]

Sensible a estas reticencias e informado de las dificultades de sus hermanos en ultramar, Hugo de Payns contraataca.

Se dirige en primer lugar a los templarios. En un manuscrito conservado en Nimes, se incluye una carta escrita por un tal Hugo Peccator a sus hermanos *milites Christi*. Dicha carta aparece en el manuscrito encuadrada por una versión de la regla del Temple y una copia del *De laude* de san Bernardo. La carta fue atribuida primero a Hugo de Saint-Victor. Jean Leclercq, basándose en sus concomitancias evidentes con el *De laude,* quiso ver en ella un texto de Hugo de Payns.[5] Un estudio reciente de Joseph Fleckenstein pone de nuevo en duda esta identificación. En su opinión, el autor de la carta es demasiado ducho en derecho canónico para que se le pueda confundir con Hugo de Payns. Hecha esta salvedad, las preocupaciones de Hugo Peccator coinciden con las del maestre del Temple, que concedió su aval a la carta.[6]

El texto dice en sustancia que algunos reprochan a los caballeros de Cristo su «profesión armada», actividad perniciosa, incapaz de conducirles a la salvación, puesto que les aparta de la oración. Tales reproches, que conmueven a los templarios y hacen nacer dudas en su corazón, son infundados, una astucia del Maligno. Hay que rechazar las dudas, signo de orgullo. Humildad, sinceridad, vigilancia... Han de atenerse a sus deberes sin dejarse turbar. La finalidad de la orden es luchar contra los enemigos de la fe en defensa de los cristianos.

En resumen, el texto está destinado a mantener el fuego sagrado. Y quizá también a salvaguardar el rebaño de la influencia perniciosa de ciertos espíritus fuertes.

Pero Hugo de Payns no se detiene ahí. Está en juego la legitimidad de la orden, diez años después de su creación... Se vuelve entonces hacia san

Bernardo, la figura más eximia de la cristiandad. Bernardo responde a su amigo mediante el justamente célebre *De laude:*

> Por tres veces, salvo error de mi parte, me has pedido, queridísimo Hugo, que escriba un sermón de exhortación para ti y tus compañeros [...]. Me has dicho que supondría para vosotros un verdadero consuelo que os aliente con mis cartas, puesto que no puedo ayudaros con las armas.

Para medir la evolución de Bernardo, conviene recordar su actitud, más que reticente, cuando el conde de Champaña entró en el Temple en 1126. Todavía en 1129, Bernardo escribe al obispo de Lincoln (Inglaterra), dándole noticias de un canónigo de la catedral que, en su camino a Jerusalén, ha hecho un alto definitivo en Clairvaux:

> Vuestro amado Felipe, que había partido hacia Jerusalén, ha hecho un viaje mucho más corto y ha llegado al término al que tendía [...]. Ha echado el ancla en el puerto mismo de la salvación. Su pie pisa ya las piedras de la Jerusalén santa y adora a su gusto, en el lugar en que se ha detenido, al que iba a buscar en Éfrata, pero que ha encontrado en la soledad de nuestros bosques [...]. Esta Jerusalén aliada a la Jerusalén celeste [...] es Clairvaux.

Está bien claro. La retirada del mundo propia del monje lo supera todo, incluso la cruzada.

Bernardo ha conocido y apreciado a los templarios en el concilio de Troyes. Sus relaciones personales con Hugo de Payns –su tío, Andrés de Montbard, es uno de los nueve fundadores de la orden– influyeron en este sentido. Pero la calidad de la fe que descubrió en aquellos hombres fue, a mi entender, determinante. Además, como hijo sumiso de la Iglesia, san Bernardo no puede contrariar la voluntad del papa, favorable al desarrollo de la orden. Admite, pues, la existencia de dos vías para alcanzar Jerusalén, a la vez ciudad terrestre y ciudad celeste: la guerra santa, el retiro monástico.

Al término de una profunda reflexión sobre las ideas de guerra justa y guerra santa, redondeará las ideas tradicionales sobre la teología de la guerra, sobre la cruzada, guerra defensiva y, por consiguiente, justa, sobre la violencia, que hay que reducir al mínimo, sobre la intención recta. Añade una reflexión nueva sobre el misterio de la muerte. Presente en la guerra, la muerte se orienta hacia otra cosa que sí misma, hacia el encuentro de Dios. El caballero, no sólo no ha de temerla, sino que debe desearla, ya que su salvación será más segura si le matan que si mata. San Bernardo llega con esto al núcleo de la idea de cruzada. Había quien emprendía el Santo Viaje sin esperanzas de regreso, para ver Jerusalén, es decir, el sepulcro de Cristo, y morir.

La composición del *De laude* señala, por lo tanto, una etapa importante en el pensamiento de san Bernardo, evolución que le conducirá a predicar la segunda cruzada en Vézelay.

El «Elogio de la nueva milicia»

Se conoce sobre todo la primera parte,[7] en la que el autor justifica y describe la misión que incumbe a los caballeros de Cristo. En un estilo vigoroso, opone la nueva caballería –los templarios– a la caballería secular, es decir, a todos los demás. La nueva caballería lleva «un doble combate, a la vez contra la carne y contra los espíritus de malicia que invaden los aires». El nuevo caballero, cuyo «cuerpo se recubre de una armadura de hierro, y su alma, de una armadura de fe», no teme a nada, ni a la vida ni a la muerte, porque «Cristo es su vida, Cristo es la recompensa de su muerte». Y les tranquiliza así:

> Id, pues, con toda seguridad, caballeros, y afrontad sin miedo a los enemigos de la cruz de Cristo... ¡Regocíjate, valeroso atleta, si sobrevives y eres vencedor en el Señor, regocíjate y glorifícate más aún si mueres y te reúnes con el Señor!

En contraposición, Bernardo denuncia y lamenta la milicia secular, más todavía, esta «malicia del cielo» *(militia y malitia)*. «Los que sirven en ella han de temer que maten su alma, tanto si matan ellos a su adversario en cuerpo, como si el adversario los mata a ellos en cuerpo y alma.» Y traza entonces la famosa descripción de los caballeros de su época, perdido el vigor en sus ricas vestiduras de seda, cubiertos de oro, ligeros y frívolos, ansiosos de vanagloria.

Justifica después el oficio de soldado, apoyándose en las enseñanzas de Cristo. Desarrolla la idea de guerra defensiva, hecha en Tierra Santa, la tierra que representa «la herencia y la casa de Dios», mancillada por los infieles. La primera parte acaba con unas palabras «sobre la manera en que se conducen los caballeros de Cristo, para compararles a nuestros caballeros, que sirven, no a Dios, sino al diablo». Disciplina y obediencia, pobreza, rechazo de la ociosidad. «La voluntad del maestre o las necesidades de la comunidad deciden sobre el empleo de su tiempo.» Ascetismo, negación de los placeres de su clase, como la caza... En una palabra, el ideal del Cister, aunque adaptado, pues san Bernardo concluye: «Vacilo en llamarles monjes y en llamarles caballeros. ¿Y cómo se podría designarles mejor quedándoles ambos nombres a la vez, ya que no les falta ni la dulzura del monje ni la bravura del caballero?».

Así quedan legitimados los templarios. Hasta entonces, san Bernardo no ha predicado la guerra santa, ni ha hecho ningún llamamiento en favor de la nueva milicia. El *De laude* no significa en absoluto un texto del estilo: «Alistaos, reenganchaos...». Esta disciplina sólo conviene a un pequeño número, a la élite de los «convertidos».

Sin embargo, no basta con justificar la elección de los templarios. Hay que demostrarles también que ejercen un oficio único, que nadie puede cumplir en su lugar. En ese sentido va la segunda parte del *De laude,* la más trabajada y tal vez la más innovadora.

Dicho oficio es la policía de las rutas. Pero no se trata de cualquier ruta, sino de aquellas que constituyen la «herencia del Señor». La exaltante misión de la nueva milicia consiste en guiar a los pobres y los débiles por los caminos que Cristo recorrió. Como escribe Jean Leclercq, san Bernardo ha compuesto una guía para los viajeros de Tierra Santa. «Más que animar a los guerreros, dirige a los peregrinos.»

Los templarios tienen a su cargo la custodia de lugares religiosos particularmente apreciados por los cristianos: Belén, donde «el pan vivo descendió del cielo», Nazaret, donde creció Jesús; el monte de los Olivos y el valle de Josafat; el Jordán, en el que fue bautizado Cristo; el Calvario, donde Cristo «nos lavó de nuestros pecados, no como el agua, que disuelve la suciedad y la guarda en ella, sino como el rayo de sol, que quema permaneciendo puro»; por último, el Sepulcro en el que descansa el Cristo muerto, donde los peregrinos, después de pasar por mil pruebas, aspiran a descansar también. Tras esas páginas de turismo místico, que son otras tantas meditaciones sobre los dogmas cristianos, san Bernardo concluye:

He aquí, pues, que esas delicias del mundo, ese tesoro celeste, esa herencia de los pueblos fieles han sido confiados a vuestra fe, amadísimos hermanos, a vuestra prudencia y a vuestro valor. Ahora bien, os bastaréis para guardar fiel y seguramente ese depósito celeste si contáis, no con vuestra habilidad y vuestra fuerza, sino con el socorro de Dios.

El caballero combate, el monje ora. Los primeros templarios dudaron de la legitimidad de su actividad guerrera y lamentaron no disponer de tiempo suficiente para dedicarlo a la oración. San Bernardo justifica su función combatiente y demuestra que «su vida de oración puede encontrar alimento en los mismos lugares en que cumplen su servicio» (Jean Leclercq).

¿Cómo fue recibido este mensaje?

Dado que no se conoce la fecha precisa, tendremos que limitarnos a dejar constancia de los hechos. La orden del Temple se desarrolla de modo considerable a partir de 1130. Sin embargo, no se puede dilucidar hasta qué punto se debió al mensaje de san Bernardo o hasta qué punto influyó la campaña de reclutamiento efectuada por Hugo de Payns. Verosímilmente, se apoyaron el uno en el otro.

Se perciben mejor las consecuencias que tuvieron para la Iglesia y los pueblos cristianos, si no el *De laude,* al menos las ideas de san Bernardo. En 1139, el papa Inocencio II publica la bula *Omne datum optimum.* Por primera vez, un texto pontificio aclara la misión de los templarios:

> La naturaleza os había hecho hijos de la cólera y aficionados a las voluptuosidades del siglo, pero he aquí que, por la gracia que sopla sobre vosotros, habéis prestado oído atento a los preceptos del Evangelio, renunciando a las pompas mundanas y la propiedad personal, abandonando la cómoda vía que conduce a la muerte y eligiendo con humildad el duro camino que lleva a la vida [...]. Para manifestar que hay que considerarse efectivamente como soldados de Cristo, lleváis siempre sobre el pecho el signo de la cruz, fuente de vida [...]. Fue Dios mismo quien os constituyó como defensores de la Iglesia y adversarios de los enemigos de Cristo.[8]

Inocencio II emplea las mismas palabras que el abad de Clairvaux. Más adelante, otros textos pontificios recordarán la razón de ser y la función del Temple.

Cosa más significativa todavía, el papel de la nueva milicia empieza a ser captado con claridad por numerosos fieles de Occidente, que le hacen donaciones. Más de un templario debió de sentirse reconfortado al leer el texto de la donación siguiente, hecha en Douzens, Languedoc, hacia 1133-1134 por una tal Lauretta. Cede todos sus terrazgueros y todas las rentas que posee en la ciudad de Douzens, así como dos parcelas de tierras de cultivo, culturas o condominas, en los terrenos del castillo de Blomac, «a los caballeros de Jerusalén y del Templo de Salomón, que combaten valerosamente por la fe contra los amenazadores sarracenos, ocupados sin cesar en destruir la ley de Dios y los fieles que la sirven».

Lauretta ha asimilado bien la teoría de los teólogos sobre la cruzada-guerra defensiva. ¿Y cómo no percibir en ese gesto, aunque burdo, el estilo y la emoción del *De laude*?[9]

Pero situémonos en un plano más general. En su estudio sobre los templarios y los hospitalarios de Champaña y Borgoña, Jean Richard señala con justeza que los legados hechos a ambas órdenes, suponen asimismo legados piadosos, destinados a hombres de oración. Los fieles esperan de esas órdenes, poderosas y bien consideradas, un acceso más fácil, más eficaz, a la gracia divina. ¿No se deberá, también en este caso, a que se ha retenido la lección del *De laude*?[10]

De 1118-1119 a 1130: una docena de años de experiencias, de tanteos y de inquietudes. Es poco para sentar las bases sólidas de una organización completamente nueva. La expansión del Temple puede comenzar.

SEGUNDA PARTE

El Temple considerado
en sí mismo

1

La gira de Hugo de Payns

Después del concilio de Troyes (1128-1130)

Terminado el concilio, Hugo y sus compañeros emprenden, cada uno por su cuenta, una gira de propaganda, de reclutamiento y de colecta de limosnas. En favor de la orden, cierto, pero también de manera más general, en favor de Tierra Santa.

Sigamos a Hugo de Payns. Pasa primero algún tiempo en Champaña, sobre todo en Provins, y se dirige después a Anjou y Maine. El conde Fulco V, uno de los primeros príncipes de Occidente en interesarse por la nueva milicia, se había alojado en la casa de los templarios de Jerusalén cuando se hallaba cumpliendo su primer voto de cruzado, en 1120-1121. Agradecido, fue el autor de la primera donación hecha a la orden. Un amigo, por lo tanto, a quien Hugo de Payns viene a proponer, de parte del rey Balduino II, la corona de Jerusalén. Balduino no tiene hijos varones. Su hija Melisenda heredará por consiguiente sus derechos. Necesita un marido, un caballero valiente, capaz de velar por los destinos del reino. Y con preferencia un occidental, lo que significará un defensor más para Tierra Santa.

Balduino se ha fijado en Fulco de Anjou. Ha podido apreciar su bravura, sabe el interés que le inspira el reino, conoce sus dotes de administrador y sus talentos de diplomático. Conde de Anjou y de Turena, ha adquirido el Maine gracias a su primer matrimonio. Vasallo a la vez de Enrique I de Inglaterra y de Luis VI de Francia, ha sabido mantener el equilibrio entre sus dos señores, pese a ser éstos violentamente antagonistas. Y prepara, mediante el matrimonio de su hijo Godofredo con Matilde, hija de Enrique I y viuda del emperador germánico (de ahí el título de emperatriz Matilde que se le asigna de ordinario), la formación de un poderoso conjunto territorial, asentado en Inglaterra y la fachada occidental de Francia.

Fulco acepta la oferta que le transmite el maestre del Temple y toma la cruz el día de la Ascensión de 1128, en Le Mans. Ciertos historiadores, siguiendo en eso a Victor Carrière, fechan erróneamente la visita de Hugo a Anjou en la primavera de 1129.[1]

La misión de éste en la corte angevina no ha terminado. Para interesarse por las cuestiones de los Estados de la cruzada, Occidente tiene que ser pacificado. Hugo, fiel al pensamiento de san Bernardo, piensa que no se pueden reclutar adherentes a las milicias del Temple que no estén en paz con sus vecinos y consigo mismos y, por consiguiente, con la Iglesia. En Anjou, Fulco teme los tejemanejes de su vasallo Hugo de Amboise, que se entrega a numerosas exacciones a expensas de Marmoutier, la célebre abadía de Turena. El conde no ha conseguido hacerle entrar en razón. Hugo se encarga de la tarea y triunfa en toda la línea. «Convertido», Hugo de Amboise puede ya partir a la cruzada.

Mientras el conde de Anjou soluciona sus asuntos, Hugo de Payns prosigue su viaje. Se le encuentra en Poitou, después en Normandía. Allí se entrevista con el rey Enrique I, que le acoge calurosamente y le envía a Inglaterra. «Fue recibido por todos los hombres de bien, que le hicieron regalos, y en Escocia le recibieron de la misma manera. Y además, enviaron a Jerusalén grandes riquezas en oro y en plata», nos dice la *Crónica anglosajona*.[2] Desembarca después en Flandes, para regresar a Champaña a principios de 1129. Le acompañan numerosos caballeros ingleses y flamencos, dispuestos a partir hacia Oriente. Es probable que haya pasado la mayor parte del año preparando la primera organización de su orden en la cristiandad de Occidente.

Durante esos mismos años de 1128-1129, otros templarios han trabajado como él en diversas regiones. Godofredo de Saint-Omer le ha precedido en Flandes; otro de los «nueve» (los primeros fundadores), Pagano de Montdidier, natural de Picardía, ha recorrido el Beauvaisis y su región natal para recibir donaciones y nuevos adherentes. Una misión recorre el sur de Francia, dirigida por Hugo Rigaud, verosímilmente originario del Delfinado y uno de los primeros reclutas del período del concilio de Troyes. Obtiene un éxito tal en Provenza y el Languedoc que se ve obligado a confiar a Raimundo Bernard, templario de nuevo cuño como él, el cuidado de ocuparse de la Península Ibérica.

A finales de 1129, Hugo de Payns desciende por el valle del Ródano, con numerosos templarios nuevos. Fuico de Anjou hace el camino en su compañía.[3] Se detienen en Aviñón, donde, el 29 de enero de 1130, el obispo de la ciudad dona una iglesia al Temple. Desde allí, marchan a Marsella y se embarcan hacia Jerusalén. El hijo de Hugo de Payns, abad de Sainte-Colombe, seguirá a su padre, llevándose una parte del tesoro de su monasterio, con gran furor de sus monjes, para hacer donación de ella al Sepulcro.

Primeros éxitos

La gira constituye un triunfo. Los hermanos que quedaron en Jerusalén y que sufrieron una prueba muy dura con ocasión de su primera entrada en combate, en 1129, ven llegar refuerzos importantes. Enterados de la amplitud de los dones recibidos en Occidente, tienen ahora grandes esperanzas de que el reclutamiento no se detendrá. En efecto, además de una infraestructura todavía modesta, Hugo de Payns deja tras él numerosas casas del Temple, que significan otros tantos focos de irradiación para la orden.

Las primeras limosnas llegaron ya antes del concilio: la granja de Barbonne, cerca de Sézanne, fue entregada al Temple el 31 de octubre de 1127 por el conde Teobaldo de Champaña, sobrino del conde Hugo que se había hecho templario en 1126 en Palestina. Ahora bien, en los primeros años que siguen al concilio de Troyes, se produce una expansión fulminante. El patrimonio del Temple se compone en primer lugar de las riquezas de los primeros templarios, lo cual no tiene nada de sorprendente, puesto que la regla adoptada en 1128 imponía, entre otras cosas, el voto de pobreza individual. Hugo cedió sus bienes de Payns; Godofredo de Saint-Omer aportó la gran casa que poseía en Ypres (Flandes); Pagano de Montdidier entregó su señorío de Fontaine. Siguiendo su ejemplo, los participantes en el concilio no se quedaron atrás; el arzobispo de Sens, Enrique Sanglier, hizo donación de dos casas, una en Coulaines y otra en Joigny.

Personas de toda condición les imitaron y se multiplicaron las donaciones más diversas. Los condes de Flandes Guillermo Cliton y luego, en 1128, Thierry de Alsacia cedieron al Temple los derechos de reconocimiento de los feudos, tasas de mutación que se percibían cada vez que cambiaba el titular de los mismos. Obispos como Bartolomé de Joux, titular de la sede de Laoni, y simples particulares, caballeros o no, donaron una casa, una tierra, una cantidad de dinero.

Dado el origen de la mayoría de los fundadores, no es de extrañar que la orden se extendiese rápidamente por Flandes, Picardía, Champaña y Borgoña. Pero su fama alcanza en el mismo momento otras regiones, a veces lejanas. No obstante, hay que rechazar la tradición de una implantación templaria precoz en Portugal, puesto que la sitúa en 1126; la primera donación de la condesa Teresa, el castillo de Soure, no tuvo lugar antes de 1128 (aprovechemos para precisar que los templarios portugueses no fueron los fundadores de Coimbra, como se afirma con frecuencia). Del mismo modo, A. J. Forey, en su estudio sobre la corona de Aragón, rechaza formalmente toda idea de donaciones al Temple en el noreste de España antes de 1128.[4] El desarrollo de los establecimientos templarios en la Península Ibérica presenta un carácter tan particular que merece un estudio exclusivo al final de este capítulo. En la misma época, se produce la prodigiosa proliferación de las donaciones en el Languedoc y en Provenza, depositadas en manos de Hugo Rigaud, que actuaba como procurador de la orden –los títulos son vagos–. El cartulario de los templarios de la casa de Douzens, en el Aude, indica dieciséis donaciones en esta pequeña región entre el 28 de noviembre de 1129 (fecha de la primera) y el año 1134.[5]

Sin embargo, en esta región (y lo mismo ocurre en Italia), el Hospital de San Juan de Jerusalén ha precedido al Temple en el corazón de los fieles. El establecimiento hospitalario de Saint-Gilles-du-Gard ejercía ya una gran influencia en la región, atrayendo a los numerosos peregrinos que partían hacia la Ciudad Santa desde Marsella o los puertos italianos. Hay que creer que había lugar suficiente para las dos órdenes. El Midi francés había proporcionado un gran contingente a la cruzada, sensibilizándose en favor de ésta. Muchos de los primeros donadores habían participado en alguno de los pasajes hacia Oriente. En junio de 1131, Hugo de Rigaud recibe la masía de Salzet, en las Cévennes, de manos de Bernardo Petit, hijo de Raimundo, señor de Alés, que había seguido al conde de Tolosa, Raimundo de Saint-Gilles, durante la primera cruzada. Esa donación constituyó el núcleo de la encomienda de Jalès.[6]

En cambio, a pesar de la excelente acogida que le dispensaron, Hugo de Payns recogió pocas donaciones en las Islas Británicas. Llegarán más tarde, durante el período de disturbios originados a causa de la lucha por el trono que opone a Enrique Plantagenet y Esteban de Blois. Los desgarramientos internos han favorecido siempre a las órdenes religiosas. Los primeros documentos relativos a Italia datan de 1134. Se trata de una casa en Milán. Unos años más tarde, un acta de Lotario señalará los comienzos del Temple en el Imperio germánico.[7]

El Temple, ¿heredero del reino de Aragón?

Doy también y cedo a la misma milicia, con el asentimiento de mi hijo Ramón, y con la aprobación de mis barones, en manos del mismo

Hugo, el castillo fortificado llamado Grayana [*o más frecuentemente Grañana*], situado en mi marca, en contacto con los sarracenos, con los caballeros que sostienen para mí ese castillo y con las poblaciones que lo habitan...[8]

Esta carta del conde de Barcelona Ramón Berenguer III está fechada el 14 de julio de 1130. El conde anuncia también en ella su voluntad de hacer don de su persona al Temple y, en efecto, al año siguiente fallece en la casa de los templarios de Barcelona. Tan importante donación, de la que el Temple no se hizo cargo de inmediato, suscitó otras. Entre 1128 y 1136, se cuentan treinta y seis en España (y seis en Portugal).

Pero hay que detenerse sobre todo en el espectacular testamento del rey de Aragón y de Navarra Alfonso I el Batallador. En 1131, hace su testamento en Bayona, dejando su reino a las tres órdenes internacionales de Tierra Santa: el Temple, el Hospital y el Santo Sepulcro. Tres años más tarde, poco antes de su muerte confirma el legado. Cierto que Alfonso I no tenía herederos. Pero la donación parece incomprensible. A los historiadores les ha costado siempre trabajo explicarla. Se ha visto en ella la prueba de la popularidad extraordinaria de las órdenes nacidas de la cruzada. O bien, el deseo del Batallador de confiar en buenas manos la tarea de la Reconquista contra los musulmanes españoles y de comprometer en ella a las órdenes de Palestina, aunque fuese contra la voluntad de éstas. Más a menudo, sin embargo, se ha considerado este acta extraña como una prueba de una carencia absoluta de sentido político por parte de Alfonso I, a no ser que se tratase del síntoma de su excesiva inclinación a la utopía. Y los historiadores alaban la prudencia de las órdenes militares, que rechazaron el envenenado regalo.

De hecho, tal vez constituyese una maniobra de una extrema sutileza. Quizás Alfonso quiso utilizar las órdenes como peones en la búsqueda de una solución satisfactoria para la sucesión de Aragón. No tenía la menor intención de que se ejecutase el testamento. Así lo piensa Elena Lourie. Veamos cómo justifica su idea.[9]

Aunque sin hijos, ya que sin duda es estéril, Alfonso I tiene un hermano, Ramiro. Monje, abad y obispo electo, Ramiro todavía no ha sido ordenado sacerdote. Claro que se pueden pedir al papa las dispensas necesarias para «laicizar» a Ramiro, pero cabe dudar que las conceda. En efecto, el reino de Aragón es vasallo de la Santa Sede, y el papa, al comprobar la falta de herederos, acaso aproveche la ocasión para designar un rey de su elección, a lo cual tiene derecho en tanto que señor. Su elección recaerá seguramente sobre el rey de Castilla y León, Alfonso VII, que, para colmo, tiene miras hegemónicas sobre el conjunto de la España cristiana (por el momento). Pero da la casualidad de que los aragoneses no le quieren. Y su rey tampoco. Gracias a su sorprendente testamento, Alfonso I neutraliza al papa y le impide forzar la candidatura del rey de Castilla. La toma de posesión del reino de Aragón por las tres órdenes organizaría un rompecabezas tal que daría tiempo a Ramiro para salir de su convento –con dispensa o sin ella–, casarse y tener un heredero. Los aragoneses le reconocerían con entusiasmo, y el papa se vería obligado a aceptarle. Y así fue como sucedieron las cosas, en efecto. Por lo tanto, se trata de un razonamiento esclarecedor, que no contradice, sin embargo, una de las razones invocadas tradicionalmente para explicar el testamento: la voluntad del rey de Aragón de implicar más al Temple en la Reconquista. Al Temple únicamente, porque, como señala Elena Lourie, el texto del testamento está claro. Ni el Santo Sepulcro ni el Hospital se consideran como órdenes militares. Ahora bien, el Temple no parece muy dispuesto a comprometerse a fondo en la Reconquista española. Vacila, como hemos dicho, en tomar posesión del castillo fronterizo de Grañana, del que se le ha hecho donación «para la defensa de la cristiandad conforme a la finalidad para la que ha sido fundada la orden». El Temple vacila. Defensa de la cristiandad, desde luego, pero en Tierra Santa...

Maniobra sutil o no, el testamento fue letra muerta. Ramiro se convirtió en rey y, más tarde, en 1137, organizó la unión de Aragón y Cataluña en manos del conde Ramón Berenguer IV. Eso no impide que el testamento fuese un hecho real y que las órdenes beneficiarias pudieran sentirse tentadas a conseguir que se aplicase. De hecho, conscientes de que la carga resultaba demasiado pesada para ellas, se contentaron con sacar partido de su renuncia. El maestre del Hospital dirigió las negociaciones en nombre de las tres órdenes. Dichas negociaciones desembocaron en la carta de 1143, que prevé expresamente la participación de las órdenes del Temple y del Hospital en la Reconquista:

> Para la defensa de la Iglesia de Occidente que está en España, para la derrota futura y la expulsión de la raza de los moros [...], he decidido que se creará una milicia a imitación de la milicia del Templo de Salomón que defiende la Iglesia oriental, sujeta al Temple y siguiendo la regla de esta milicia y sus costumbres.

Así se expresa el rey. A cambio de esta participación, concede privilegios importantes: la quinta parte de todas las tierras conquistadas con el concurso de las órdenes.

El texto señala, pues, la entrada «oficial» del Temple en la obra de la Reconquista española. La orden acepta combatir en un frente distinto al de los Santos Lugares.

Hugo de Payns murió antes de la conclusión de esta negociación, el 24 de mayo de 1136 (quizá 1137). Su sucesor, Roberto de Craon, se interesó de cerca por las cuestiones españolas y, después de él, muchos maestres del Temple ejercitaron sus armas en España. Cierto que en ella asistían a una ruda, pero buena escuela.

2

La santa milicia del Templo de Salomón

Una casa en Jerusalén

Los templarios deben su nombre a su «casa presbiterial» –su cuartel general– de Jerusalén, el templo de Salomón. Al principio, se constituyeron como «milicia de los pobres caballeros de Cristo». La regla aprobada en Troyes les da otros apelativos. El prólogo se dirige en primer lugar a aquellos «que se niegan a seguir su propia voluntad y desean como un valor puro constituir la caballería del Rey Soberano», después, personalmente, al nuevo «caballero de Cristo». La expresión agradaba a san Bernardo. Las primeras donaciones, la de Raúl Le Gras en Champaña, por ejemplo, se dirigen «a Cristo y a sus caballeros de la Ciudad Santa». Alrededor de dos siglos más tarde, el rey de Portugal, Dionisio, que defendió al Temple y se negó a entregar sus bienes portugueses al Hospital, obtuvo la creación de otra orden destinada a prolongar la obra del Temple, la «orden de Cristo».

Pero ya los nombres familiares del Temple y templarios se habían impuesto. El prólogo de la versión francesa puede terminar sin problemas con estas palabras: «Aquí comienza la regla de la pobre caballería del Temple». Las actas de donación de esos años se dirigen con frecuencia: «a Dios y a los caballeros del Templo de Salomón de Jerusalén», «a Dios y a la santa milicia jerosolimitana del Templo de Salomón».

Según Guillermo de Tiro, cuando Hugo de Payns y sus primeros compañeros se reunieron, no tenían «ni iglesia ni domicilio seguro». Hombre caritativo, el rey de Jerusalén, Balduino II, les alojó en un ala de su palacio, «cerca del templo del Señor», escriben Guillermo de Tiro y Jacobo de Vitry. Más preciso, Ernoul dice que los templarios no se atrevieron a habitar en el Sepulcro y eligieron el templo de Salomón, «donde Dios fue ofrecido». Todavía se confunden con demasiada frecuencia el templo de Salomón, el templo del Señor y el Santo Sepulcro, incluso en las historias recientes del Temple. Dado que tal confusión no carece de consecuencias, sobre todo a propósito de la arquitectura religiosa de los templarios, considero útil describir rápidamente «la ciudad santa de Jerusalén, cuya tutela tienen y cuya defensa aseguran los hermanos combatientes de la milicia», nos dice, con cierta exageración el vizconde de Carcasona, Roger de Béziers, en 1133.[1]

La ciudad que los cruzados descubrieron en 1099 se presenta como un burdo paralelepípedo, rodeado de murallas y de torres. El plano del manuscrito de Cambray, que data de hacia 1150, reduce el trazado de este recinto a casi un rectángulo. La ciudad vieja actual corresponde a la Jerusalén medieval. Dos vías casi perpendiculares la dividen en distritos; el eje norte-sur, cuya parte central fue cubierta en 1152 por la reina Melisenda para albergar el mercado, pasa entre dos colinas: al oeste, el Calvario, lugar santo para el cristianismo; al este, la *Moria,* lugar sagrado del Islam, donde se instalaron los templarios.[2]

Del conjunto cristiano del Calvario, surge en primer lugar, venerado entre todos, el Santo Sepulcro, formado por una rotonda y una basílica. La rotonda, o *Anástasis,* restaurada en 1048, alberga el sepulcro de Cristo, meta de los peregrinos de Tierra Santa. A la rotonda se añadió una basílica, cuya construcción emprendieron los cruzados y que fue consagrada el 15 de julio de 1149, quincuagésimo aniversario de la toma de la ciudad. Al sur, en el antiguo *forum* romano, se construyeron tres iglesias en el siglo XI: Santa María Latina, Santa María Magdalena y San Juan Bautista. Hacia 1070, gracias al dinero de los mercaderes de Amalfi, se fundó un hospital destinado a acoger a los peregrinos. Una vez ampliado, se convirtió en el Hospital de San Juan de Jerusalén, cuyos ocupantes se constituyeron en orden caritativa, reconocida por el papado en 1113. En el transcurso del siglo XII, se transformó en orden militar, rival, pero también asociada, del Temple, aunque conservando su misión primitiva.

Frente a este barrio cristiano, la *Moria* incluye al contrario un conjunto religioso e intelectual enteramente musulmán, creado en la época de la dinastía de los califas omeyas (661-750): el *Haurán* o «Casa de Dios». En el centro de una vasta explanada muy bien pavimentada (de ahí el nombre de «Pavimento» dado a veces a este espacio despejado), se alza una de las joyas de la arquitectura musulmana, la Cúpula de la Roca, llamada erróneamente «mezquita de Omar». Fue construida de 687 a 691, sobre un plano poligonal único en tierra islamita. Está coronada por una espléndida cúpula dorada, que guarda la roca en que Jacob tuvo la visión de la escala mientras dormía. Al sur de la explanada, la mezquita Al-Aqsa,

Jerusalén (*arriba*). Se distingue el antiguo barrio del Temple, con la mezquita de Omar (Templum Domini de los cruzados), la explanada y la mezquita al-Aqsa (sede de la orden del Temple) en el emplazamiento del antiguo templo de Salomón.
Plano de Jerusalén (siglo XVII) (*abajo*). En primer plano, la mezquita de Omar (14), precedida de la puerta de Oro, cerrada; al fondo, el Santo Sepulcro (15).

que fue edificada de 705 a 715. Es la mezquita «lejana», en recuerdo del viaje nocturno del profeta Mahoma desde La Meca. Se ajusta a un plano basilical.

Naturalmente, los cruzados modificaron por completo la *Moria*. La mezquita Al-Aqsa fue en cierto modo secularizada y se convirtió en residencia real cuando, en 1104, Balduino I abandonó la Torre de David, que dominaba la muralla occidental, al suroeste del Sepulcro. En 1118, el rey Balduino II acogió en ella a Hugo de Payns y sus caballeros de Cristo. En el mismo año, dejó esta residencia para ocupar el nuevo palacio real, establecido cerca de la Torre de David, dejando el conjunto de Al-Aqsa a la nueva milicia. Los cruzados habían identificado muy pronto Al-Aqsa con el «templo de Salomón», cuyas subestructuras subsisten, y los «pobres caballeros de Cristo» tomaron muy pronto su nombre.

Gracias a las donaciones sucesivas tanto del rey como de los canónigos del Santo Sepulcro, los templarios recuperan toda la explanada, en particular la Cúpula de la Roca, a la que llaman el «templo del Señor», y hacen de ella su iglesia, consagrada en 1142. Sobre este verdadero «monte del Temple», reservado para su uso y enteramente rodeado de muros, los caballeros emprenden diversos trabajos: dividen la gran sala de oración de la ex mezquita en habitationes, construyen al oeste nuevos edificios, para instalar en ellos la bodega, el silo, el refectorio... El cronista Teodorico señala que el tejado en pendiente de este nuevo edificio no se acomoda con los techos en terraza de la ciudad. En el subsuelo, las inmensas salas abovedadas de los «establos de Salomón» albergan los caballos de la orden.

En el templo del Señor, los templarios recubren la roca de mármol y alzan un altar en su centro, encajándolo en un cierre de hierro forjado; en las paredes, hay mosaicos que relatan episodios del Antiguo Testamento; por último, colocan en la cima de la cúpula una inmensa cruz de oro. Cerca de la Cúpula de la Roca, la pequeña Cúpula de la Cadena se convierte en la iglesia de Santiago el Menor. Una de las siete puertas de la ciudad, la Puerta de Oro, da acceso a la explanada. Cerrada en permanencia, sólo se abre el domingo de Ramos y el día de la Exaltación de la Santa Cruz.

Además de esta ciudad dentro de la ciudad, en los años prósperos del reino de Jerusalén, entre 1150 y 1180, la orden adquiere edificios y comercios en los barrios más poblados.

Así aparece, pues, en el siglo XII el cuartel general del Temple. Pero el «Pavimento» es también un barrio de la ciudad, que se anima durante las manifestaciones importantes, con ocasión, por ejemplo, de la coronación del rey. El cronista Emoul relata la de Balduino V, en noviembre de 1183. Balduino no tiene más que seis años. El patriarca le ha entregado la corona en el Sepulcro. Después, se forma un cortejo y, en procesión, se dirigen a la explanada del Temple. El rey niño es conducido al templo del Señor, donde, «según la costumbre de los reyes francos de Jerusalén, nacida de la tradición judía, el rey entrega su corona a la iglesia y la rescata después». El cortejo se dirige a continuación al templo de Salomón, donde los burgueses de la ciudad ofrecen un banquete al rey y su corte.[3]

Si el templo de Salomón es la casa matriz de la orden, Nuestra Señora es su patrona, y no hay necesidad de ser adivino para ver en esta elección la influencia de san Bernardo. Ese culto a la Virgen explica que las donaciones a la orden vayan en primer lugar dirigidas a Nuestra Señora. La regla se establece en su honor, y la mitad de las oraciones que deben rezar los hermanos le están destinadas. Una de las primeras y principales plazas fuertes confiadas a los templarios fue Tortosa, en el condado de Trípoli, ciudad célebre por su peregrinación de la Virgen. Según la tradición cristiana, san Pedro, que se dirigía a Antioquía, hizo alto en Tortosa para consagrar el santuario más antiguo elevado en honor de la madre de Cristo.[4]

La orden del Temple comprendía caballeros, sargentos y capellanes. Los primeros eran poco numerosos, sobre todo en Occidente. Los clérigos y los laicos de Europa, que en la mayoría de los casos sólo tenían que entendérselas con los sargentos, tomaron la costumbre de dirigirse indistintamente a los «hermanos» de la milicia del Temple. Las autoridades laicas o eclesiásticas, en cambio, más al tanto de las realidades, como el rey de Inglaterra Enrique II, distinguían entre «los hermanos del Hospital de Jerusalén y los caballeros del Templo de Salomón». El obispo de Carcasona, que es una autoridad en la materia, pero que sabe también cómo hablan sus ovejas, arbitra en 1183 entre «los hermanos de la milicia y los hermanos del Hospital de los pobres de Carcasona». Los hombres del siglo XII marcaron bien la diferencia entre la vocación militar del Temple y la vocación caritativa del Hospital, a pesar de la transformación de este último. La diferencia se atenuará en el siglo siguiente, sin desaparecer. Habrá que recordarlo en el momento del proceso del Temple, ya que dicha diferencia se aprovechó en contra suya.

No obstante, frente al mundo laico, la matización resulta poco perceptible. Al relatar la toma por los musulmanes del castillo hospitalario de Arsuf, en 1265, la crónica llamada del «templario de Tiro» indica que «fueron aprisionados en su interior caballeros de religión y del siglo».[5] A finales del siglo XIII, templarios y hospitalarios son considerados todavía como la «nueva caballería».

Una regla

En sus comienzos, los «pobres caballeros de Cristo» no se ocupan apenas de su organización. Hugo de Payns es el maestre, los demás son los hermanos. Los primeros éxitos de la orden la obligan a ir más allá. La eficacia de su acción depende de ello. La organización adquiere sus rasgos más duraderos durante el maestrazgo de Roberto de Craon (1136 o 1137-1149).

Roberto de Craon pertenece a la alta nobleza. Por su abuelo, Roberto el Borgoñón, está emparentado con la familia de los Capetos. Su padre se ha convertido en señor de Craon al casarse con Domitia de Vitré. Roberto, último hijo del señor de Craon y de Domitia, ha conocido al fundador de Fontevraud, Roberto de Arbrissel, y oído a los predicadores de la primera cruzada. Frecuenta después la corte de los señores de Angulema y entra al servicio del duque Guillermo IX de Aquitania. Disputa a un rival la mano de la rica heredera de Confolens y Chabannes, cuando, de pronto, alrededor de 1126, rompe todo lazo con Occidente, marcha a Palestina y entra en el Temple.

En 1132 y, más tarde, en 1136, reaparece en Europa en busca de refuerzos, con el título de senescal del Temple. A la muerte de Hugo de Payns, es elegido maestre del Temple (se conoce ya en aquella época la expresión Gran maestre, pero se emplea poco).[6] Durante su maestrazgo, se producen dos hechos importantes: en 1139, obtiene del papa la bula *Omne datum optimum,* que da forma a los privilegios concedidos hasta entonces a la orden; al año siguiente, hace traducir –o más bien adaptar– la regla al francés. En efecto, la versión francesa no es muy fiel al texto latino. Al parecer, se le añadieron complementos en distintas fechas. En el curso de esta obra, habrá tiempo para hacer referencia a la regla, con objeto de ilustrar los diversos aspectos de la vida de los templarios, pero conviene precisar ahora sus fases de elaboración y aclarar su significación.

Cuando Hugo de Payns viene a Troyes, trae en mente las costumbres y los usos no escritos que reglamentan la vida de la orden naciente. Una vez discutidos y modificados, los padres del concilio los ponen por escrito. En 1131, el patriarca de Jerusalén, Esteban de la Ferté, revisa y enriquece el texto, llegando así a la regla llamada «primitiva», que se compone de setenta y dos artículos, redactados en latín. G. de Valous ha intentado determinar la parte que corresponde a cada una de las tres fases de elaboración.[7] Según él, los usos no escritos incluyen el triple voto de pobreza, castidad y obediencia, característico de toda orden monástica. Conceden gran importancia al patriarca de Jerusalén, que recoge esos votos. Añaden algunos elementos de disciplina: comidas en común, carne tres veces a la semana, vestimenta igual para todos, sin lujo, lugar de los legos y de los *valets* de armas, obligaciones religiosas diarias, según los usos de los canónigos regulares del Santo Sepulcro. En resumen, se trata del reglamento de una pequeña milicia privada, que se ha presentado voluntaria para asegurar la salvaguarda de los transeúntes en una encrucijada muy peligrosa.

Las precisiones y los complementos aportados en Troyes son más conformes a la idea que se hacía la orden de su misión –lo mismo que los padres del concilio–. Toman en cuenta la evolución reciente: reclutamiento, primeras donaciones. Se introducen novedades en cuanto a las formalidades necesarias para la admisión de los templarios; se prohíbe la oblación de los niños (práctica que consiste en que un padre consagre muy joven a su hijo a un establecimiento religioso) (artículo 14). El Temple necesita combatientes, no bocas que alimentar. La especificidad de la misión de la nueva orden impone reglas derogatorias con respecto a lo que se practica en otras casas religiosas, comprendidos los hospitalarios. Basándose en la experiencia, el concilio elabora un rudimento de reglamentación penal. Por último, acentúa el carácter religioso de la orden, detallando las obligaciones del servicio divino que incumben a los hermanos.

Al regreso de Hugo de Payns a Palestina, el patriarca revisa doce artículos y añade veinticuatro.[8] Reserva la capa blanca para los caballeros; los «demás» no tienen derecho más que al sayal pardo o negro. Reglamenta la presencia temporal de clérigos en la orden y, con ello, inicia el desarrollo de una organización religiosa propia del Temple. En fin, se ocupa en detalle del estatuto de los caballeros-huéspedes de la milicia, esos cruzados de Occidente que, una vez cumplido su voto de peregrinación, desean entrar al servicio del Temple por un tiempo determinado, por regla general un año.

G. de Valous ha visto en esta revisión la voluntad del patriarca de incrementar su dominio sobre la orden. Cierto que, haciendo uso de las prerrogativas que le ha reconocido el concilio de Troyes, afirma su autoridad. Pero la introducción de los clérigos, aunque sea a título temporal, ¿no favorecerá la inclinación de los templarios a hacerse independientes del clero ordinario, es decir, del clero secular, patriarca, obispos, titulares de parroquia? ¿Por qué depender de ellos cuando los hermanos pueden dirigirse a clérigos-huéspedes en el seno de la misma orden?

Y en efecto, los templarios rechazan muy pronto toda tutela del patriarca, y Roberto de Craon obtiene satisfacción en 1139: los templarios quedan bajo la férula del papa, sin intermediarios. La regla da testimonio de este éxito. No la regla latina, sino su traducción francesa, muy poco posterior a la decisión pontificia y que, como hemos dicho, no tiene nada de literal. La frase siguiente, por ejemplo: «Todos los mandamientos dichos y escritos en la presente regla están a la discreción y el cuidado del maestre», no figuraba en el texto latino. ¡Y con motivo! El patriarca ha perdido el poder de modificar la regla. Ha sido expulsado, y la jerarquía secular con él, del servicio religioso en el interior de las casas del Temple, puesto que, tras la bula de 1139, la versión francesa de la regla integra a los clérigos, convertidos en hermanos capellanes, como miembros de derecho en la milicia del Temple. Autonomía religiosa completada por la posibilidad ofrecida al Temple de abrir sus propios oratorios.

Dos modificaciones han excitado particularmente la imaginación de los historiadores. Ambas se refieren a la admisión en la orden. La regla latina preveía un noviciado para los aspirantes a templario. «Después del tiempo de su prueba...», estaba escrito. La versión francesa no habla de eso para nada.

La segunda modificación resulta muy importante, ya que, mediante la supresión de una negación, cambia totalmente el sentido del artículo 12.

«Allí donde sepáis que están reunidos caballeros no excomulgados, os ordenamos que vayáis...», dice la regla latina. Lo que se convierte en la regla francesa: «Allí donde sepáis que están reunidos caballeros excomulgados, os ordenamos que vayáis...». Y el texto prosigue:

Y si hay alguno que quiera entrar y unirse a la orden de caballería de las partes de ultramar, no debéis considerar solamente el provecho temporal que podáis alcanzar, sino también la salvación eterna de su alma. Os ordenamos recibirle, a condición de que se presente ante el obispo de la provincia y dé parte de su resolución. Y cuando el obispo le haya oído y absuelto, si lo pide al maestre y a los hermanos del Temple, si su vida es honesta y digna de la compañía de estos últimos y si le parece bien al maestre y a los hermanos, que sea recibido con misericordia...

Han corrido ríos de tinta acerca de esto. No pudiendo expulsar de su mente el proceso de 1307-1414, el historiador ha tendido con exceso a ver en la negación suprimida la causa lejana de la caída del Temple. Ya casi en sus comienzos, la corrupción se apodera de la orden. En consecuencia, no es extraño si... Pequeñas causas y grandes efectos.

Sin embargo, los tres artículos 11, 12 y 13, que tratan de la admisión en la orden, lejos de ser contradictorios, forman un todo.[9] El artículo 11 se refiere al caso de los caballeros seculares o de otros hombres, que quieran «separarse de la masa de perdición y abandonar este siglo, y elegir vuestra vida común...». Ninguna dificultad para recibirles. El maestre y los hermanos, reunidos en capítulo, se bastan para pronunciarse sobre la admisión.

El artículo 12 concierne a otra categoría de caballeros: los que han sido excomulgados. No serán rechazados si se retractan públicamente, pero, en todo caso, han de reconciliarse con la Iglesia y quedar libres de la excomunión. Dado que sólo el obispo posee el poder de atar y desatar, el caballero arrepentido ha de dirigirse primero a él. Después, si es absuelto (palabra introducida en la versión francesa), el Temple le recibe de acuerdo con el procedimiento enunciado en el artículo 11. Fuera de este caso particular, se prohíbe todo trato con los excomulgados, objeto del artículo 13. Como se ve, el mantenimiento de la negación hubiera producido confusión y contradicción. ¿Qué diferencia habría entre el caballero que quisiese dejar la «masa de perdición» y el caballero «no excomulgado»?

Cierto que se puede razonar de otra manera, partiendo de la regla latina. Los artículos 11, 12 y 13 de la versión francesa corresponden respectivamente a los artículos 58, «cómo recibir a los caballeros seculares», 64, «los hermanos que viajan a diferentes provincias», y 57, «que los hermanos del Temple no deben frecuentar a los excomulgados». Se advertirá entonces que, en el artículo 58, los caballeros seculares son recibidos directamente por el maestre y los hermanos, mientras que en el artículo 64 los caballeros no excomulgados (¿dónde está la diferencia?) sólo pueden serlo después de haber sido oídos por el obispo. ¿El artículo 64 repara un olvido en cuanto al papel del obispo? Si tal fuera el caso, el obispo controlaría la entrada en la orden. Esto ocurre en 1128-1130.

Real o no, los templarios dejan de aceptar ese papel. La bula de 1139 les libera casi por completo de la autoridad del clero ordinario. Al traducir la regla al francés, los hermanos la adaptan a la nueva situación y, procediendo a una nueva ordenación, reagrupan todos los artículos referentes a la admisión de nuevos templarios. Se toca lo menos posible el texto: supresión de una negación; inclusión de la palabra «absuelto».

La versión latina y la versión francesa obedecen a dos lógicas diferentes. La primera prohíbe todo contacto con los excomulgados y concede el papel activo al obispo. El Temple deja que vengan a él. La segun-

da rechaza el papel del obispo, para dar a los hermanos y el maestre todas sus responsabilidades en el reclutamiento de nuevos hermanos, puesto que les autoriza, digamos a «pescar en aguas turbias», yendo a llevar la
buena palabra a los caballeros excomulgados. ¿Quiénes eran éstos y dónde se les encontraba?

Eran esos caballeros bandidos, causantes de disturbios, que la Iglesia
denuncia y contra los que pronuncia el anatema. Esos caballeros que, apenas armados o más experimentados, huyen del enemigo, se reúnen en
bandas y corren de torneo en torneo, en busca de la gloria, de rescates y
de ricas herederas. Esos «jóvenes» inestables, no instalados todavía en la
vida, que constituyen las fuerzas agresivas de la feudalidad occidental.[10]
No iré hasta imaginar, en las proximidades del campo, el *stand* del hermano templario reclutador, que, recitando su san Bernardo, sermonea a
la caballería secular y le alaba los atractivos de la Tierra Santa, al tiempo
que calcula, con ojos de entendido, las capacidades de los combatientes en
los torneos. Puestos a ello, más vale reclutar a los mejores.

Sin embargo, la clientela privilegiada del Temple se encuentra entre
ellos. El Temple se mantiene fiel a su misión, la que san Bernardo le tra-
zó, la que la Iglesia le ha asignado: conducir al caballero pecador hacia la
salvación a través de una ascesis original. Los santos vienen por sí mismos. A los otros, hay que ir a buscarlos.

Las modificaciones de la regla no son síntomas de corrupción de la orden. Precisan y refuerzan, mediante una presentación más coherente, la
vocación del Temple: «convertir» y poner al servicio de la cristiandad una
categoría social indócil. ¿El Temple, Legión Extranjera? La imagen resulta anacrónica, pero esclarecedora. Los templarios actúan al margen de la
sociedad cristiana. La cosa requiere valentía, pero es peligrosa.

Si la regla parece no haber sido la causante, ¿no sería el uso que se
hizo de ella lo que condujo a abusos ya a mediados del siglo XII?

¿Los templarios reclutaban sistemáticamente a los balarrasas? ¿Procu-
raban obtener «el derecho a enterrar los cuerpos malditos en sus cementerios»?[11] Se necesitarían pruebas. Ahora bien, el ejemplo de Geoffrey de
Mandeville, conde de Exeter (Inglaterra), que se invoca con frecuencia a
este propósito, no me parece demostrativo en absoluto. Veamos el caso:

Nos hallamos en plena guerra de sucesión entre Esteban y la emperatriz Matilde. Geoffrey de Mandeville, un gran señor, trata de recuperar
tres castillos de los que ha sido despojada su familia en otro tiempo. Lo
consigue gracias a Esteban, junto al cual desempeña un papel de primer
plano. Pero intriga también con Matilde. En 1143, se produce la caída. Detenido, tiene que ceder todos sus castillos para liberarse. El odio le ciega.

Se apodera de la bahía de Ramsey y del territorio de la isla de Ely. Saquea, mata, tortura. Herido por una flecha durante el verano de 1144, agoniza durante días y muere sin la absolución de la Iglesia. De creer en la crónica de la abadía de Walden, abadía de la que es fundador y que le permanece absolutamente fiel, surgen entonces algunos caballeros del Temple. Cubren el cadáver con la cruz (como veremos, no la llevaron hasta después de 1147) y, apelando a sus privilegios, transportan el cuerpo a Londres, a su casa del Vieux Temple. Colocan el cuerpo en un féretro y cuelgan éste de un árbol, a fin de no mancillar la tierra cristiana.

Los monjes de Walden interceden en favor de su patrono, implorando el perdón del papa. No lo consiguen hasta pasados veinte años, durante los cuales el féretro continúa colgado en su árbol. Habiendo obtenido por fin satisfacción, los monjes de Walden se precipitan al Temple para recoger el cuerpo. Por desgracia, informados del perdón, los templarios lo han enterrado ya en su nuevo cementerio de New Temple.

Este relato, verosímilmente corregido por los monjes de Walden para las necesidades de su causa, deja sin aclarar muchos problemas. ¿Por qué la intervención de los templarios? ¿Qué lazos les unían con Mandeville? No obstante, hay algo seguro: los templarios no enterraron en tierra cristiana a un excomulgado. Esperaron su perdón. ¿Y si se tratase de un simple conflicto entre dos establecimientos religiosos con los que Mandeville estaba relacionado, en un caso como fundador del convento, en el otro tal vez como «cofrade»? Accesoriamente, se ha demostrado también que la famosa estatua yacente de la iglesia del Temple en Londres, que se considera como una representación de Geoffrey, no puede ser la suya. Es por lo menos cincuenta años posterior y el blasón no corresponde a los Mandeville.[12]

Pero volvamos a la regla francesa. Para terminar con ella, falta señalar que revela la existencia de provincias, que tienen a su cabeza un comendador o preceptor (artículo 13). Así elaborada, no volverá a cambiar. Pero será completada varias veces. En primer lugar, los *retraits,* complementos o modificaciones cuya composición se remonta a la época en que fue maestre Beltrán de Blanquefort (1156-1169), detallan la organización jerárquica de la orden. En 1230, y luego alrededor de 1260, se añadieron artículos referentes a la vida conventual, la disciplina y las sanciones y la admisión en la orden. La regla define los principios: los complementos y otros artículos tratan de aspectos particulares, de manera muy colorista, haciendo referencia a acontecimientos fechados con precisión, a la experiencia del Temple. El lenguaje es pintoresco, pero se comprueba una tendencia cada vez más clara al formalismo. Ya no se inventa ni se adapta. Se conserva y se fija.

¿Los templarios conocían realmente, la regla y sus complementos? Se leía, por lo menos en forma resumida, durante las ceremonias de admisión del nuevo caballero: «Poned a prueba el espíritu para saber si viene de Dios (san Pablo), pero, después de que le haya sido otorgada la compañía de los hermanos, que se lea la regla ante él...» (artículo 11). El ritual de admisión de los años 1260 señala que se resuman los principales artículos de la regla y los complementos (el conjunto forma ahora un gran volumen de seiscientos setenta y ocho artículos).

La incultura de los hermanos del Temple explicaría a la vez la necesidad de resumir el texto y su traducción a la lengua vulgar. Se ha subrayado que incluso las citas de la Escritura, como la de san Pablo que acabamos de citar, aparecen traducidas. Recordemos, sin embargo, que en la Edad Media ser iletrado *(illitteratus)* significa simplemente no conocer el latín. Y las investigaciones recientes sobre la cultura de los laicos demuestran que ésta es muy real, comprendidos, creo yo, los templarios. Algunos toman como prueba la prohibición hecha al hermano templario «de tener *retrait* ni regla, a no ser que los tengan con permiso del convento», porque...

... los escuderos los encuentran a veces y los leen, y así descubren nuestros establecimientos a la gente del siglo, cosa que puede ser perjudicial para nuestra religión. Y para que tal cosa no suceda, el convento establece que ningún hermano los tenga si no está autorizado y el que los pueda tener por su oficio (art. 326).

Ya veremos lo que la acusación sacará de este famoso secreto en 1307. Recordemos por el momento que existen templarios que saben leer y que, si bien se prohíbe al hermano sin responsabilidad poseer un ejemplar de la regla, no se le prohíbe leerla. Todas las casas importantes debían de contar con un manuscrito. Dos ejemplos lo demuestran. Durante el interrogatorio de los templarios del Mas Deu (Rosellón) en enero de 1310, el hermano capellán Bartolomé de la Tour «presentó a monseñor el obispo de Elne y a los demás miembros de la comisión de encuesta el susodicho libro de la regla, que había hecho traer de la casa del Mas Deu y que empieza así en "romance": *Quam cel* [...] *proom requer la companya de la Mayso...*». ¿Se trata del texto de la regla del manuscrito de Barcelona, del cual se sabe que está escrito en un francés salpicado de numerosos términos occitanos o catalanes?[13]

Otro ejemplo: hace muy poco tiempo, se descubrió un manuscrito francés de la regla en la Walters Art Gallery de Baltimore (Estados Unidos). Data de los años 1250-1285 y proviene sin duda de la casa templaria de Dauges, cerca de Douai (Nord). Al texto de la regla, aparece añadido un trivial poema cortés. Judith Oliver, que presenta este descubrimiento, explica así esta compañía no muy católica: «Al parecer, un caballero del Temple se ejercía en la poesía amorosa, a despecho de sus votos religiosos».[14] Hay que tomar la explicación por lo que vale, pero está claro que el acceso a la regla del Temple era relativamente fácil.

Por otra parte, según Laurent Dailliez, los manuscritos que se conservan de la regla, latina o francesa, son menos raros de lo que se ha dicho, y en todo caso menos raros que los de la regla de los hospitalarios. Existen doce, contando el ejemplar de Baltimore.[15]

El texto de los templarios se conoce no sólo dentro de la orden, sino también en el exterior, puesto que influye muchísimo sobre las reglas de las demás órdenes militares. Ciertos detalles de la regla de los hospitalarios relativas a los capellanes, el capítulo y los dignatarios de la orden dejan transparentar una influencia del Temple y del Cister. Los préstamos son todavía más claros en lo que respecta al Hospital de Santa María de los Teutónicos, orden germánica nacida del Hospital y que asocia como él la misión caritativa y la misión combatiente, pero que, en 1198, adoptó como modelo la regla latina del Temple.[16]

La regla del Temple está, pues, muy extendida, tanto en el interior como en el exterior de la orden. Simple y directa en sus primeras redacciones, detallada, incluso minuciosa, en sus complementos, no da apenas lugar a misterio. Por eso los aficionados a ellos se han visto obligados a inventar una regla secreta. En 1877, Mersdorf publicó unos estatutos secretos, descubiertos en manuscritos del Vaticano. Prütz ha demostrado que se trata de una pura falsificación, llevada a cabo después del proceso basándose en los textos de éste y destinada a probar la filiación del Temple y la francmasonería.[17] Y naturalmente, esta regla permanece escondida con todo celo en los sótanos del Vaticano, ya que el papado no quiere de ningún modo que salga a la luz, por miedo a que lo salpique el escándalo. Una suerte que así lo haga, por cierto. De otra manera, nos hubiéramos quedado sin secreto...

Símbolos

La «blanca clámide» de los templarios impresionó a sus contemporáneos. Toda regla monástica describe con precisión el hábito de los monjes. La regla del Temple no es una excepción. La misión particular de los hermanos impone un tipo de ropa adaptada al clima y a la vida en los campamentos. Muy pronto, las damas piadosas de Tolosa donaron camisas y calzas que ellas mismas habían confeccionado.[18] Abundan los detalles sobre las armas y las piezas del uniforme militar: cotas de malla, lórigas, cascos...

Pero todo esto se borra ante la capa, cargada de sentido simbólico. La capa de las órdenes militares corresponde al hábito cluniacense o cisterciense. La entrada en la orden se traduce simbólicamente por la entrega de la capa. Tras el intercambio de promesas, «el que dirige el capítulo debe tomar la capa y ponerla al cuello y atarla...» (art. 678).

Al principio, como nos han dicho Guillermo de Tiro y Jacobo de Vitry, los templarios usaron sus ropas seculares. La regla, una vez revisada, distingue entre el hábito y la capa blanca, cuyo uso está reservado a los hermanos caballeros, y la capa de sayal, negra o parda, que llevan los demás. Los abusos habían conducido a esta distinción. Es probable, por ejemplo, que personas que no tenían nada que ver con la orden se sirviesen de la capa blanca para conseguir fondos con engaño. Los colores son los mismos del Cister: blanco para los monjes, negro para los conversos.

El artículo 17 de la regla precisa el sentido de esos colores, un sentido muy simple: «Que aquellos que hayan abandonado la vida tenebrosa reconozcan mediante el hábito blanco que se han reconciliado con su Creador: significa blancura y santidad de cuerpo... Es castidad, sin la cual no se puede ver a Dios». Símbolo de la castidad por su blancura, la capa lo es también de la pobreza por el material de que está hecho, paño crudo, sin tinte y sin aprestos.

Ni la versión francesa ni la versión latina de la regla hacen alusión a la cruz. Ésta, colocada sobre el hombro izquierdo, por encima del corazón, no figura sobre la capa antes de 1147. El 24 de abril de ese año, el papa Eugenio III, presente en Francia en el momento en que partía la segunda cruzada, asistió al capítulo de la orden, celebrado en París. Concedió a los templarios el derecho a llevar permanentemente la cruz; cruz sencilla, pero ancorada o paté, que simboliza el martirio de Cristo; cruz roja, porque el rojo es el símbolo de la sangre vertida por Cristo, pero también símbolo de vida. Sabemos que el voto de cruzada se acompaña de la toma de la cruz. Llevarla permanentemente simboliza, pues, la permanencia del voto de cruzada de los templarios.

El cronista Ernoul, que escribe en el siglo XIII, asigna al porte de la cruz un origen producto de su fantasía. Según él, templarios y hospitalarios tomaron una parte de «la enseña del hábito del Sepulcro», la cruz roja, en recuerdo de los lazos, rotos después, que les unieron con el capítulo del Santo Sepulcro. De todos modos, todas las órdenes militares acabaron por adoptar la capa y la cruz: cruz blanca sobre capa negra para los hospitalarios; cruz verde sobre capa blanca para la orden de San Lázaro, reservada a los caballeros leprosos; cruz negra sobre capa blanca para los teutónicos. Los templarios acogieron mal esa capa blanca de los teutónicos y no se privaron de hacerlo saber.[19]

A finales del siglo XIII, si no antes, se produjo un cierto relajamiento. Había templarios y hospitalarios que se vestían de «civil» cuando se hallaban en París. Una ordenanza real, aprobada por el Parlamento de 1290, les amenaza: los templarios y hospitalarios que no lleven su hábito no disfrutarán de los privilegios concedidos a sus órdenes.[20]

Otro símbolo: el sello. O los sellos, porque, además del que representaba la autoridad de la orden, existía también el sello del maestre, más personal. A un lado, una cúpula simbolizaba la casa del Temple en Jerusalén, la cúpula dorada del templo del Señor, coronada por una cruz, que los templarios eligieron para representar su orden y que no hacía la menor referencia al templo de Salomón. El templo del Señor figura también en el sello del reinado de Jerusalén, con la cúpula del Santo Sepulcro, abierta para dejar pasar el fuego de Pentecostés. Ambos encuadran la Torre de David.

La otra cara del sello de los templarios ha suscitado en mayor grado la curiosidad de los historiadores. Representa a dos caballeros montando el mismo caballo, acompañados de la leyenda siguiente: «sello de los caballeros de Cristo». Se le han dado interpretaciones diversas. Prestando fe a los cronistas ingleses, se ha pretendido ver en ella el símbolo de la pobreza primitiva de la orden. «Este año comenzó la orden de los templarios, que eran tan pobres al principio que dos hermanos cabalgaban un solo caballo, lo que está hoy esculpido en el sello de los templarios para exhortar a la humildad.»[21] La explicación es inverosímil. Los primeros caballeros eran «pobres», no cabe duda, pero eran todos caballeros. La regla indicaba que cada uno podía tener dos caballos.

Por consiguiente, se ha buscado otra razón. El sello simboliza la unión y la entrega. Aunque ciertos historiadores hayan querido ver en los dos caballeros a los dos fundadores de la orden, Hugo de Payns y Godofredo de Saint-Omer, hay que retener el simbolismo del buen entendimiento, la armonía y la disciplina que deben reinar en la orden.[22] Algunos artículos de la regla aclaran este simbolismo, en particular el artículo «Sobre las escudillas y los vasos»: «En lo que respecta a la disposición de las escudillas, que los hermanos coman de dos en dos, a fin de que el uno se provea con lo del otro, para que aprecien la vida en la abstinencia y en el hecho de comer en común» (artículo 25). No significa forzosamente que los templarios comiesen dos en la misma escudilla, como se ha repetido con demasiada frecuencia, aunque la práctica era frecuente en la Edad Media.[23]

Se recomendaba también partir el pan juntos. La regla se dirige a cenobitas, y no a ermitaños. Insiste sobre la vida en común. El sello la simboliza a su vez.

Asimismo cargado de sentido, el pendón de los templarios recibe el nombre de *baussant* o *bauceant,* lo que significa semipartido. Por ejemplo, en francés se llama *baussant* a un caballo cuando tiene dos colores. Dado que se trata de un adjetivo, la palabra francesa *baussant* nunca se emplea sola. El pendón del Temple es *baussant* porque es negro y blanco, lo mismo que las capas de los templarios son blancas o negras, según la clase de los hermanos. El blanco significa pureza y castidad; el negro, fuerza y valor. A menos que sigamos a Jacobo de Vitry: «Son francos y acogedores para sus amigos, negros y terribles para sus enemigos».[24]

El caballero que lo llevaba en el combate tenía una gran responsabilidad, compartida por de cinco a diez caballeros, que debían rodearle sin cesar. El pendón debía alzarse siempre hacia el cielo, bien alto. Bajarlo, incluso para servirse del asta como una lanza durante la carga, se castigaba con los hierros y, sobre todo, con la pérdida del hábito, de la capa, una de las sanciones más graves en todas las órdenes militares (artículo 241). El hermano caballero entregaba su capa y se revestía con un hábito sin cruz. Estaba obligado a comer en el suelo y a ocuparse de trabajos infamantes. La duración máxima de esta verdadera degradación militar se limitaba a un año y un día.

Los templarios inventaron el uniforme y el apego a la bandera. Llevaban el pelo corto y usaban barba. Los pocos templarios que escaparon a la detención el 13 de octubre de 1307 se apresuraron a afeitársela.

Cosa muy natural, tanto el sello como el pendón han provocado elucubraciones extravagantes, que se acumulan en la dudosa bibliografía templaria. Por ejemplo, el incitador artículo titulado «Bajo el signo de Baussant» esconde una serie de consideraciones confusas, que recubren las rivalidades internas y externas (hay los blancos y los negros) de una asociación de defensa y animación de una pequeña localidad del Vaucluse que hubiera podido llamarse Clochemerle...[25]

Privilegios

El 29 de marzo de 1139, el papa Inocencio II publica la bula *Omne datum optimum,* texto fundamental calificado por Marion Melville de «gran carta de la orden del Temple». Accediendo a la petición de Roberto de Craon, el papa ha reunido en un mismo texto los privilegios, ventajas y exenciones obtenidos por los templarios. A los ojos del pontífice, los favores concedidos a la orden están justificados por su misión y la vocación de los templarios, monjes y soldados. Así lo afirma en el preámbulo del texto. Más adelante, el centenar de textos pontificios que, de 1139 a 1272, confirmaron y ampliaron los privilegios concedidos repitieron estas justificaciones.[26]

La bula de 1139 sustraía el Temple de la autoridad episcopal (en primer lugar, la del patriarca de Jerusalén) para colocarlo bajo la protección inmediata de la Santa Sede. «Declaramos que vuestra casa, con todas sus posesiones, adquiridas por la liberalidad de los príncipes, por limosnas o de cualquier otra manera justa, permanecerá bajo la tutela y la protección de la Santa Sede.» Esta posición de principio determina las consecuencias siguientes:

• La elección del maestre exclusivamente por los hermanos, sin intervención exterior.

• El refuerzo de la autoridad del maestre sobre los hermanos; le deben una obediencia absoluta y no pueden dejar la orden sin su acuerdo.

• «Que no le sea permitido a ninguna persona, eclesiástica o laica, cambiar los estatutos instituidos por vuestro maestre y vuestros hermanos y puestos recientemente por escrito; esos estatutos sólo pueden ser modificados por vuestro maestre, con el asentimiento de su capítulo.»

• El derecho para los templarios de tener sus propios sacerdotes. La bula formaliza en este aspecto una situación de hecho, puesto que había ya clérigos en la milicia del Temple. La significación de este privilegio está clara:

> Para que nada falte a la salvación de vuestras almas, podéis dotaros de clérigos y capellanes y tenerlos en vuestra Casa y en sus obediencias, aun sin el consentimiento del obispo de la diócesis, por la autoridad de la Santa Iglesia de Roma [...]. No están sujetos a nadie fuera del capítulo y deben obedecerte, mi querido hijo Roberto, como a su maestre y prelado.

El segundo privilegio importante reclamado por Roberto de Craon, la exención de los diezmos, fue concedido en parte por la bula, provocando la cólera del clérigo secular. Se adivina lo que estaba en juego. Todos los terrazgueros, explotantes de tierras, poseedores de bienes pagaban el diezmo a los clérigos seculares, a los sacerdotes, a los obispos. Cuando un fiel dona su bien al Temple, ¿a quién ha de ir a parar el diezmo? A los clé-rigos seculares, que siguen teniendo el alma del donador a su cargo, dicen los obispos; al Temple, que utiliza las rentas al servicio de la cristiandad, dicen los templarios. Y naturalmente, se niegan a pagar los diezmos por los bienes que les pertenecen. Desde el momento en que los templarios disponen de sus propios capellanes, su demanda adquiere un mayor peso.

Sin embargo, los capellanes sólo han sido instituidos para asegurar el servicio religioso de los templarios. En consecuencia, los campesinos, li-bres o siervos, que trabajan en las tierras adquiridas por las casas del Tem-ple –por donación, venta o intercambio– deben continuar pagando el diezmo al clero de su parroquia, salvo, claro está, si los clérigos han do-nado esos diezmos al Temple, en su totalidad o en parte, cosa por lo de-más bastante frecuente. Por ejemplo, el 27 de septiembre de 1138, el obis-po de Carcasona y los canónigos de la iglesia de Saint-Nazaire ceden al Temple el diezmo cobrado por un huerto y los animales que el Temple po-see en Cours, a condición, precisa el obispo, de «que vosotros y vuestros sucesores seáis rectos y fieles amigos de la iglesia de Sainte-Marie (de Cours) y de los clérigos que allí residen, y también de los clérigos de Saint-Étienne».[27]

La bula de 1139 resuelve en parte la cuestión a favor del Temple: «Prohibimos a todos forzaros a pagar diezmos; por el contrario, Nos os confirmamos en el disfrute de los diezmos que os sean cedidos con el con-sentimiento del obispo».

Incluso con este límite, el Temple gozaría de un privilegio que hasta entonces sólo poseía el Cister. La comparación no es fortuita. El papa Inocencio II debía mucho a san Bernardo, el cual manifestó durante toda su vida una fidelidad a toda prueba a la orden a la que tan poderosamente había ayudado.

Inocencio II completó estas disposiciones con otras dos bulas. Los templarios poseían ya el derecho de hacer cuestaciones, de solicitar li-mosnas y reservarse las ofrendas de cada iglesia una vez al año, lo que su-ponía una cantidad de menos aquel día para el titular. La bula *Milites Templi*, del 9 de febrero de 1143, permite además a los capellanes de la or-den celebrar misa una vez al año en las zonas en entredicho. La Iglesia abusaba de esta sanción, que consistía en suspender toda actividad reli-giosa (misas, sacramentos) en una localidad, una región, incluso un reino, para castigar los pecados de un señor, de una comunidad o de un rey. Na-turalmente, la celebración del culto en tales condiciones atraía una masa considerable de fieles y, por consiguiente, de limosnas y de ofrendas, en exclusivo provecho de los templarios, bajo la mirada indignada de los clérigos seculares del lugar que, muy a menudo, no tenían ninguna responsabilidad en la situación.

La bula *Militia Dei*, del 7 de abril de 1145, ampliaba una disposición de la bula de 1139 autorizando a la orden a poseer sus propias iglesias y sus propios cementerios. Y no sólo asistían a los oficios divinos de la iglesia del Temple los hermanos de la orden, sino también los feligreses de los alrededores, que acudían en familia, a expensas del titular de la parroquia próxima... Singular inversión de la situación, cuando se conoce la justificación dada para la presencia de capellanes en la orden: evitar a los hermanos el contacto con la «masa de perdición» del siglo.

Celestino II añadió a esto el privilegio de que los hermanos, sus vasallos y sus terrazgueros quedasen exentos de las sentencias de excomunión y entredicho pronunciadas por los obispos. A partir de entonces, sólo el papa podría excomulgarlos. ¿Privilegios exorbitantes? Es posible, pero el Temple los comparte con el Cister y las demás órdenes militares. El Hospital precedió incluso al Temple, puesto que, en 1113, Pascual II emancipó a la nueva orden de toda tutela que no fuese la del jefe de la cristiandad. Los hospitalarios obtuvieron después privilegios idénticos a los del Temple, pero tuvieron que esperar a 1154 para que se les concediese el derecho de tener sacerdotes.

En 1174, el rey de Aragón Alfonso II dona a la pequeña orden militar de Montjoie, recién creada, el castillo de Alfambara. En 1180, el papa Alejandro III reconoce Montjoie, le asegura la protección de la Santa Sede, la exime de diezmos, le da el derecho a celebrar un oficio anual en las zonas en entredicho y sustrae a los miembros de la nueva orden del poder de excomunión de los obispos.[28]

Estos privilegios ocasionan numerosos conflictos con los seculares, a veces violentos. No es nada nuevo. Las relaciones entre regulares (Cluny, Cister) y seculares han estado siempre envenenadas por las querellas en torno a los privilegios de los monjes. Tales conflictos presentan una violencia particular a nivel local, donde se entremezclan con todo tipo de disputas relativas a los bienes y rentas del Temple.

En este capítulo, no estudiaré más que los conflictos referentes a los privilegios concedidos por el papa. Algunos se relacionan con la limitación del sacerdocio de los capellanes del Temple. Beltrán, abad de Saint-Gilles, autoriza a los hospitalarios en 1157, a los templarios en 1169, a construir un oratorio. Fija sus dimensiones, limita el número de campanas a dos y precisa su peso. Por último, prohíbe celebrar el oficio divino para otras personas que las pertenecientes a la familia de las órdenes o a sus huéspedes.[29]

Pero el privilegio más escandaloso a los ojos de los seculares es el de la exención de los diezmos. Subrayemos que los litigios recaen más sobre la interpretación del privilegio, sobre sus límites, que sobre el privilegio en sí. Con mucha frecuencia, los propios clérigos seculares cedían los diezmos al Temple.

El conflicto entre la casa de Marlhes y el priorato de Saint-Laurent-en-Rue se renovó varias veces de 1270 a 1281. En cada ocasión, ambas partes llegaron a un acomodo, que consistía en una distribución geográfica, señalada en el suelo por mojones.[30] Cierto que los abusos fueron manifiestos, hasta el punto de que el papado se vio obligado a intervenir para limitar los apetitos de las órdenes militares y proteger un recurso esencial para los clérigos seculares.

No obstante, la crítica más virulenta emana del clero secular de Tierra Santa. Allí la competencia es muy fuerte. La implantación de las órdenes militares aumenta rápidamente en un territorio muy poco poblado y que, a partir de 1160, se encoge como una piel de zapa. Además, el clero secular de Jerusalén o de Antioquía se estima tan comprometido como las órdenes en el combate con el infiel, aunque empleen medios diferentes. Esto refuerza a sus ojos la injusticia de los privilegios.

Arzobispo e historiador, Guillermo de Tiro denuncia virulentamente las exorbitantes ventajas obtenidas por el Temple y el Hospital. Se repite con frecuencia que Guillermo no aprecia a los templarios, pero hay que decir que detesta tanto, si no más, a los hospitalarios. Y a propósito de estos últimos, lanza un ataque en regla contra los privilegios. Estamos en 1154:

> Raimundo, el maestre del Hospital [...] y sus hermanos [...] empiezan a querellarse con el patriarca y las demás iglesias a propósito del derecho de las parroquias y de los diezmos. Y cuando los prelados excomulgan a algunos de sus feligreses, lanzando el entredicho sobre ellos, apartando de la Iglesia a los perversos, los hospitalarios los reciben en sus iglesias para la celebración del servicio divino y todos los sacramentos y, después de la muerte, los entierran en sus cementerios [...]. En las iglesias que se les ha dado, instituyen a los sacerdotes en lugar del obispo, que tiene el derecho de presentación...[31]

Un incidente hizo estallar el conflicto y desencadenó la ira de Guillermo. Vecinos cercanos del Santo Sepulcro, los hospitalarios hostigaban desde hacía algún tiempo al casi centenario patriarca Foucher de Angulema. Cuando el anciano pronunciaba sus sermones en el atrio, los hospitalarios tocaban a vuelo las campanas de sus iglesias. Peor aún, un día penetraron en la basílica y soltaron una nube de flechas. Dado que las negociaciones amistosas resultaron vanas, el patriarca, acompañado por algunos de los obispos del reino de Jerusalén, marchó a quejarse al papa Adriano IV. Desembarcaron en Italia del Sur y se agotaron para llegar hasta el pontífice, para finalmente no ser escuchados por él, ocupado en su conflicto con el emperador. De todas maneras, estaba claro: Adriano IV no tenía el menor interés en disgustar a las órdenes militares.

Aunque sin resultado, esta diligencia supuso una señal. Unos años más tarde, Alejandro III intervenía para moderar a los templarios, enzarzados en un conflicto con los monjes de Tournus. En 1179, una parte del clero secular dirigió en el concilio de Letrán III un ataque frontal contra los privilegios o, más bien, contra los abusos de las órdenes militares. Los obispos de Tierra Santa encontraron aliados en Occidente, entre ellos Juan de Salisbury, autor de un célebre tratado político, el Polycraticus. El canon 9 del concilio satisfizo las reivindicaciones de los clérigos seculares de Oriente.[32]

Sin embargo, el papado mantuvo con constancia su protección a las órdenes militares y nunca atacó los privilegios concedidos. Todo lo más, trató de mantener las querellas con los clérigos seculares en límites aceptables, dispuesto a amonestar, severamente si fuese necesario, a los causantes de abusos, viniesen de donde viniesen. En 1246 y 1255, Gregorio IX tuvo que intervenir contra los obispos aragoneses, los cuales, despreciando los privilegios del Temple, habían excomulgado a miembros de la orden. En 1265, en cambio, Clemente IV amenaza a los templarios:

> Si la Iglesia levantase, aunque sólo fuera un instante, la mano que asegura vuestra protección frente a los prelados y los príncipes seculares, no podríais en ningún caso resistir a los asaltos de esos prelados y a la fuerza de los príncipes.[33]

Las órdenes militares están exentas de los impuestos que el papado percibe del clero (anatas, décimas). Esta fiscalidad se justifica por las necesidades de la cruzada. Por lo tanto, es normal que las órdenes escapen a ella. Y la bula *Quanto devotius divino* lo confirma en 1256. Sin embargo, hubo algunas excepciones: en 1247 y en 1264, el papado, en lucha contra el emperador Federico II de Hohenstaufen, luego contra su hijo Manfredo, apeló a los recursos financieros de los templarios. Pero el papa cede a veces esos impuestos a los poderes laicos, que se muestran mucho menos escrupulosos con respecto a los privilegios de las órdenes y, en 1297, Bonifacio VIII tiene que obligar a Jaime II de Aragón a respetar la exención de los templarios.[34]

Los privilegios garantizan la independencia de la orden; son también indispensables para el ejercicio de su misión. Lo mismo ocurre con el Hospital. Un año o dos antes de la detención de los templarios, cuando los Estados latinos de Oriente han desaparecido ya, el maestre del Hospital, Fulco de Villaret, responde al papa Clemente V, que le había pedido su opinión sobre las condiciones necesarias para el éxito de una nueva cruzada:

> Que sea ordenado deducir una décima para la cruzada de las rentas y beneficios, seculares o no, de todos los prelados y personas eclesiásticas de alguna dignidad, estatuto y oficio, de todos los religiosos y otros, a excepción de los templarios, hospitalarios y teutónicos.[35]

Finalmente, esos privilegios se discuten en su base. Las órdenes los defienden pulgada a pulgada, aceptando sin embargo los compromisos necesarios. Privilegios, protesta, transacción... Cuántas querellas se han desarrollado siguiendo este esquema. Saber hasta dónde se puede llegar para no propasarse... Esto vale lo mismo para el Temple que para sus adversarios.

3

El Temple,
una gran familia jerarquizada

A mediados del siglo XII, los principales caracteres «internos» del Temple están fijados. La regla y los privilegios han sido codificados; se ha definido su doble vocación, militar y religiosa, y el pueblo cristiano la ha comprendido, como testimonia la oleada de donaciones. Falta por presentar su organización y, para hacerlo, me apoyaré en los artículos de la regla añadidos en la segunda mitad del siglo XII y en el XIII, los *retraits* o complementos, que son con mucho los más explícitos sobre el tema.

El pueblo templario

«El caballo, como todo el mundo sabe, es la parte más importante del caballero» (Jean Giraudoux, *Ondine,* acto I, escena II). Profunda verdad que se aplica perfectamente al Temple. Tenemos la prueba en el hecho de que cuando un templario, por indisciplina, se sale de las filas durante la cabalgada, se le hace descabalgar y es enviado (a pie) al campamento, para que espere allí la sanción apropiada (artículo 163).

Pero el caballo es también el primer regalo en que piensa un templario cuando quiere recompensar a «un hombre bueno del siglo, amigo de la casa» (artículo 82), venido en cruzada y que permanece algún tiempo al servicio de los Estados latinos.

El caballo y el número de caballos atribuidos a cada uno constituyen el criterio fundamental de las estructuras jerárquicas de la orden. Y en primer lugar, separa entre los hermanos a los combatientes, que «sirven al Rey Soberano con caballos y con armas» (artículo 9), de los demás. En el seno de los combatientes, señala la diferencia entre los caballeros, que disponen de tres monturas, y los sargentos, que no tienen más que una.

El caballo establece asimismo de manera sutil la jerarquía de los dignatarios de la orden. Todos tienen derecho a cuatro monturas, cierto. Pero

el maestre de la orden posee además un caballo turcomano, caballo de
origen oriental, nervioso y frágil, pero incomparable en el combate. A él
se añaden dos o tres bestias de carga. El mariscal de la orden, responsable en particular de las operaciones militares, recibe la misma dotación.
En cambio al senescal, pese a ser el segundo dignatario, sólo se le adjudi-
ca, aparte los cuatro caballos, un palafrén, hermoso caballo de combate,
pero ligeramente menos cotizado que el turcomano. El comendador de la
ciudad de Jerusalén tiene únicamente tres animales, más un turcomano o
un «buen rocín». En cuanto a los dignatarios sargentos, no les corresponden más que dos caballos.

Las desigualdades no se detienen ahí. En tiempo de paz, los animales
del maestre son mejor alimentados que los demás. «Cuando los hermanos
del convento toman una medida de cebada para doce animales, los animales del maestre toman (una medida) para diez (animales)» (artículo 79). Sin embargo, esta jerarquía del caballo se borra en parte durante
las operaciones de guerra. En ese caso, todos los animales reciben el mismo alimento. Y el maestre del Temple puede conceder a todos, caballeros
y sargentos, una montura suplementaria.

Eso en cuanto a los dignatarios de la orden. Ahora bien, el conjunto
del pueblo templario está organizado del mismo modo. A decir verdad,
hay varios esquemas jerárquicos que se imbrican. Aparece, por ejemplo,
el esquema trifuncional de la sociedad feudal: los que combaten (caballeros y sargentos), los que oran (capellanes), los que trabajan (hermanos de
oficio); o el esquema de la organización conventual: los hermanos de convento por un lado (caballeros, sargentos y capellanes), los hermanos de
oficio por el otro, lo que se parece mucho a la distinción entre monjes y
conversos de los cistercienses. Añadiremos a esto la separación social entre noble y no noble, que coincide imperfectamente con una separación
casi profesional, caballero y sargento.

Los hermanos capellanes son sacerdotes, los únicos de la orden. Aseguran el servicio divino y la dirección de las almas.

En cuanto al orden de los combatientes, ha sido casi desde el principio
dividido en dos categorías, caballeros y sargentos o legos, categorías que
se distinguen por el caballo, el traje y las armas. Al comienzo, se exigía un
solo requisito para entrar en la orden: ser de condición libre. Pero se viene esencialmente al Temple para combatir al infiel con las armas. Y sólo
la clase de los caballeros, que aparece y se desarrolla casi al mismo tiempo que la organización feudal, está capacitada para hacerlo, ya que se ha
apropiado las técnicas y los medios del combate a caballo.

De ahí proviene la distinción entre caballeros y sargentos, sobre la cual no debemos equivocarnos. Los sargentos pueden batirse a caballo. Están colocados en ese caso bajo la autoridad del «turcoplier» (artículo 171). Sin embargo, no figuran en primera línea en el dispositivo de la batalla. Van armados más ligeramente, peor equipados, y están menos entrenados. Por consiguiente, su línea no tiene la potencia de choque, con frecuencia irresistible, de la primera.

Esas diferencias, que son fundamentalmente diferencias de riqueza, hubieran debido borrarse en una orden a la que se entra haciendo voto de pobreza. En la práctica, el foso se ensancha más aún y corresponde a una diferencia de clases muy marcada, que coincide con la vigente en la sociedad medieval. A mediados del siglo XIII, el postulante que se presenta para pedir su admisión en el Temple debe indicar si entra como caballero o como sargento. Para ser hermano caballero, se requieren dos condiciones: haber sido armado caballero con antelación y ser hijo de caballero o, al menos, descendiente de caballero por la línea masculina. Esto se convierte en un privilegio. Los complementos lo dicen claramente:

> Si fueseis siervo de un hombre y él os reclamase, se os devolvería a él [...]. Y si sois hermano caballero, no se os pregunta nada de eso, pero se os puede preguntar si sois hijo de caballero y de dama, y si sus padres son de linaje de caballero, y si sois de matrimonio legal (artículo 673).

La situación social en el siglo determina así el lugar en la jerarquía del Temple. La orden no actúa como instrumento de promoción social. Esta evolución no es exclusiva del Temple. Incluso resulta más espectacular en la orden de los hospitalarios, que al principio no hacía la distinción entre caballero y sargento. La introducen los estatutos de 1206, que ratifican su transformación de orden caritativa y militar. No obstante, los hospitalarios rechazan la diferencia de hábito. La orden de los caballeros teutónicos, que apareció a finales del siglo XIII, estableció desde el principio ambas categorías: hermanos caballeros y hermanos legos militares.[1]

Capellanes y combatientes constituyen la *societas* de la orden. Son los hermanos (*fratres*) del Temple, que han pronunciado los tres votos de pobreza, castidad y obediencia, verdaderos religiosos. Numerosos en Tierra Santa, en España, en el «frente», con ellos, sobre el terreno, se encuentran caballeros que se han asociado al Temple mediante una especie de contrato de duración determinada. Se les llama *milites ad terminum*. Se unen a la orden para combatir. Por lo tanto, suponiendo que hayan firmado su contrato en Occidente, no se retrasan y parten rápidamente hacia el lugar del combate. Comparten la vida de los hermanos y se someten a las obligaciones religiosas y disciplinarias de la orden. Al finalizar el contrato, el caballero «a plazo fijo» cede la mitad del precio de su caballo.

A retaguardia, en las encomiendas de Occidente, caballeros y sargentos, capellanes y *milites ad terminum* son menos numerosos. Cada encomienda debe contar como mínimo con cuatro hermanos. En las casas importantes hay más; la mayoría no llena el cupo. En teoría, tendría que haber un capellán por encomienda; en la práctica, como se observa en Aragón en el siglo XII, un capellán tiene con frecuencia a su cargo varios establecimientos.[2] Por último, en Occidente, los más numerosos son aquellos que, sin renunciar a su estado, sin pronunciar votos, se han vinculado a la orden de una forma u otra.

Algunos, para asegurar su salvación, se entregan en cuerpo y alma a la milicia. En la mayoría de los casos, añaden un don material al don de su persona. A veces, se reservan la posibilidad de pronunciar los votos en el momento elegido por ellos, como un tal Guilaberto, que pone como condición ser recibido el día en que «le venga la voluntad de vivir conforme a vuestra vida». ¿Se convierte entonces en hermano? Nada menos seguro, si se compara su caso con el de Jacobo de Chazaux, quien declara: «Y cuando quiera, podré entrar en la casa del Temple de Puy y recibir el pan y el agua como los demás donados de dicha casa».[3] Esos hombres que se entregan, que se dan, y que por eso mismo se llaman donados, ¿no formarán más bien la más amplia e imprecisa categoría de los *confratres,* los cofrades del Temple?[4] En 1137, Arnaldo de Gaure hace dación de su persona al Temple de Douzens, poniéndose en manos de los hermanos de la milicia. Entre ellos, se encuentra su hermano, Raimundo de Gaure, templario ya, por lo tanto. Tanto Arnaldo como Raimundo confirman al año siguiente su compromiso. En 1150, cuando Raimundo ha muerto ya, Arnaldo declara en una nueva acta que se da como cofrade de la milicia. Confía igualmente sus dos hijos al Temple, a fin de que sean alimentados y vestidos.[5] Incierto en este caso, el vocabulario resulta más claro en el de Íñigo Sánchez de Sporreto, de Huesca (Aragón). En 1207, hace una donación material a la orden; en 1214, dona su persona y, en 1215, sin duda tras la muerte de su mujer, pronuncia los votos.[6]

Dejando aparte el vocabulario, las cifras obtenidas en Aragón o en Navarra demuestran la importancia de esta clase: cuatrocientos cincuenta hombres de *confratres* entre 1131 y 1225 y, en la sola casa de Novillas, cincuenta y dos acuerdos de confraternidad concluidos a finales del siglo XII.[7]

Dentro de la aparente confusión de las actas de dación de sí mismo, se puede no obstante distinguir tres tipos, siguiendo en esto a Élisabeth Magnou:[8]

En la dación simple, un hombre entrega su persona al Temple a cambio de un beneficio espiritual. Bernardo Sesmon de Bezu dona su persona...

> ... a fin de que, terminada mi vida, la Santa Milicia me dé, o que, por consejo de los hermanos de dicha milicia, se ocupe de mi alma; y si la muerte viniera a sorprenderme mientras estoy ocupado en el siglo, que los hermanos me reciban y que, en un lugar oportuno, entierren mi cuerpo y me hagan participar en sus limosnas y beneficios.

La dación remunerada añade ventajas materiales a las ventajas espirituales, ya que el donado recibe una retribución vitalicia. En 1152, Raimundo de Rieux se da a la milicia a condición de que, mientras permanezca en la vida secular, ésta le entregue diez sextarios de *blad* (mezcla de cereales), seis sextarios de cebada y cuatro sextarios de trigo a cada cosecha.

La dación *per hominem,* en fin, concierne sobre todo a humildes campesinos, que, libres o no de origen, se dan como siervos al Temple:

> Guillermo Corda y su sobrino Raimundo se dan como hombres del Temple y se comprometen a servir a Dios y la milicia según sus medios, a pagar todos los años doce dineros de censo, a legar sus bienes a la milicia después de su muerte, a cambio de ser enterrados en el cementerio del Temple y de permanecer durante todas sus vidas bajo la protección del Temple.[9]

Hay que distinguirlos de los siervos cedidos al Temple, como si se tratase de una limosna material, por un poderoso, que dona una tierra y los hombres que trabajan en ella.

Formulada o no, la protección de bienes y personas queda asegurada tan pronto como alguien se vincula al Temple. Éste hace reinar la paz de Dios. El templario es el guardián de la paz.

Veamos ahora el caso de las mujeres y los niños. La regla prevé (artículo 69) que las parejas puedan asociarse al Temple, a condición de que lleven una vida honesta, de no residir en el convento, de no reclamar la capa blanca y de ceder sus bienes a su muerte. A excepción de este caso, no hay lugar para las mujeres en la orden (a diferencia de los hospitalarios, que las aceptan); a excepción también de las daciones *per hominem,* que se aplican a ambos sexos. «Que nunca sean recibidas en la casa del Temple las damas en calidad de hermanas.»

Del mismo modo, los templarios no aceptan sino a hombres hechos, en edad de manejar las armas.[10] No obstante, hay dos excepciones: Bernardo Faudelz se da al Temple y da también a su hijo, con la intención de garantizarle contra la adversidad. Se conocen cinco ejemplos de daciones de niños en Rouergue y en la encomienda de Vaours (Tarn) entre 1164 y 1183.[11] De los templarios interrogados en Lérida (Aragón) en 1310, uno ha entrado en la orden a los doce años, otro a los trece. Los conventos templarios debieron de acoger a hijos de caballeros, de nobles, venidos para perfeccionar su educación. Algunos de ellos pudieron después pronunciar los votos. En Lérida, la media de edad de los sargentos es de veintisiete años; la de los caballeros, de veinte solamente. ¿No se deberá esto a que han entrado en la orden más jóvenes, a pesar de los preceptos de la regla?[12]

La entrada en el Temple va unida a una práctica frecuente, sobre todo entre los *confratres:* la donación de las armas y el caballo. «Almerico y Guillermo Chabert de Barbairano se dan cuerpos y almas a la milicia; y cuando abandonen el siglo, dejarán caballos y armas.»[13] El abandono simboliza la renuncia al siglo.

Hermanos de convento, cofrades asociados a la actividad de la orden, algunos viviendo dentro de la encomienda, otros ejerciendo en ella una actividad de gestión o de cualquier otro tipo, personas de toda condición, libres o no, que, mediante una tradición *ad hominem,* mediante una pequeña donación, se han asegurado la protección del Temple, tanto en la tierra como en el cielo... Completaremos el cuadro de la familia templaria mencionado a aquellos, asalariados agrícolas, artesanos, transportistas, escribanos o notarios, que se limitan a trabajar para el Temple, que actúa como «patrono». Un acta de 1210, redactada en Velay, está suscrita por Pedro el carretero, Martín el zapatero, Esteban el pastor y Pedro el cocinero.[14] En Gardeny (Cataluña), el preceptor del convento remunera los servicios de notarios públicos o de sacerdotes de los alrededores para que redacten sus actas. Precisemos a este respecto que los templarios formaron a veces hombres capaces de hacerlo. Un centenar de las incluidas en el cartulario de la Selve, Rouergue, fueron escritas por un hermano templario.[15]

Sin embargo, no nos engañemos. Los grandes batallones de los que entran en el Temple y, más ampliamente, los que hacen donaciones al Temple, provienen de la pequeña y la mediana nobleza. En Vaours, el señor del país, el poderoso conde de Tolosa aparece naturalmente a la cabeza de los bienhechores, pero, detrás de él, los señores de Saint-Antonin se codean con los caballeros de Penn, los de Montaigut con los clérigos de los establecimientos religiosos de la región (que reclutan sus monjes en el mismo medio nobiliario). En Montsaunès, todos los comendadores conocidos son originarios de la aristocracia de Comminges, y todas las familias feudales del condado han contribuido a la expansión de la orden, a ejemplo del conde Dodon, entrado en el Temple en 1172. En Velay, las familias de la Roche-Lambert, de Faye, de Marmande, de Dalmas, todas ellas profundamente enraizadas en la región, han proporcionado preceptores, hermanos caballeros y hermanos capellanes. El caso del país de la Selve, Rouergue, es más revelador todavía. Los templarios se hallan presentes en él desde alrededor de 1140, y se ha creado una encomienda en 1148. Una distinción muy clara se establece entre las familias señoriales más poderosas, los «ricoshombres», que favorecen a los cistercienses, y los caballeros de la pequeña nobleza, que pueblan y enriquecen la casa del Temple. Los primeros están en relación constante con el Bajo Languedoc y sus ciudades, Béziers, Narbona. Conocen los lazos feudales y hacen redactar sus actas en latín. Los segundos, de no tan buena extracción, viven replegados sobre sí mismos y tienen una mentalidad prefeudal. Sus actas están redactadas en provenzal. Los abades cistercienses son extraños al país, mientras que todos los preceptores templarios han nacido en Rouergue.[16]

En Cataluña, el Temple mantiene lazos estrechos con las familias de la mediana nobleza, los condes de Urgell, por ejemplo los Torroja, uno de cuyos miembros, Arnaldo, llegó a ser maestre de la orden de 1180 a 1184, después de haber ejercido el maestrazgo de la provincia de Provenza-España, o los Moncada. En Inglaterra, la pequeña aristocracia proporciona lo esencial del reclutamiento, mientras que los templarios de Escocia provienen principalmente de la nobleza normanda que el rey David ha traído de Inglaterra.[17]

Las motivaciones invocadas por los que ofrecen su persona y hacen donaciones al Temple –ambas cosas van a la par– presentan algunos rasgos originales, además de las características tradicionales. Los estudiaré al mismo tiempo que el movimiento de las donaciones. Aquí me limitaré a la regla y algunas excepciones.

La regla, invocada de un extremo al otro de la cristiandad por los que dan y se dan, es la salvación del alma y la remisión de los pecados.

Las excepciones consisten en algunas «conversiones» dudosas, como la de un escocés, «Guillermo, hijo de Galfredo, que, prefiriendo la ociosidad al trabajo», cede al Temple, a título vitalicio, la tierra de Esperton (que pertenece al patrimonio de su mujer). A cambio de eso, vive tranquilamente en la casa del Temple del lugar.[18] ¿Y no fue un poco la vanidad lo que impulsó a Ricardo de Harcourt a hacer donación de Saint-Étienne de Renneville y entrar en el Temple, con lo que pudo inscribir sobre su lápida, situada en el coro de la iglesia, este magnífico epitafio: «Aquí yace el hermano Ricardo de Harcourt, caballero, del mando de la caballería del Temple, fundador de la casa de Saint-Étienne»?[19]

Se trata, sobre todo en el siglo XIII, de decisiones dependientes de la coyuntura política y religiosa del momento. Ciertos caballeros languedocianos, sospechosos de catarismo o temiendo simplemente que se les acusase de ello, entraron tal vez en el Temple por precaución. No contamos con hechos seguros, pero la cuestión debe ser planteada, aunque sólo sea porque, durante el proceso, se acusó a la orden de herejía.

Los conflictos entre Federico II y el papado –por no hablar del que opone ese mismo Federico al Temple– tuvieron consecuencias sobre el reclutamiento de la orden. En 1220, el papa reconoce a Federico II como emperador. Al hacerlo, abandona a aquellos que, en el reino de Sicilia, del que era dueño Federico, sostenían las tesis pontificias. Desorientados, los partidarios del papa se someten al rey, huyen o se esconden. «Y hubo algunos que se dirigieron al Temple.»[20]

Del examen detallado del reclutamiento en la orden del Temple y, más en general, del movimiento de las donaciones, se deduce claramente un hecho: el éxito prodigioso de la creación de Hugo de Payns da testimonio de su perfecta adaptación al medio social y mental que deseaba la Iglesia, la caballería de Occidente.

La recepción en la orden

Sigamos ahora al que ha llamado a la puerta de una de las casas del Temple y ha pedido ser admitido en ella. Dejemos de lado por el momento los absurdos, reales o inventados, que el acta de acusación redactada en 1308 ha incluido para culpabilizar a los hermanos. Seguiremos a Gerardo de Caux, quien, interrogado el 12 de enero de 1311, hizo en sustancia el relato siguiente.[21]

Gerardo fue recibido en la orden, al mismo tiempo que otros dos caballeros, el día de la fiesta de los apóstoles Pedro y Pablo, hace de eso doce o trece años, o sea, en 1298 o 1299. Era una mañana después de la misa, en la casa del Temple de Cahors. Gerardo había sido armado caballero cinco días antes. El hermano Guigue Ademaro, caballero, entonces maestre de la provincia, dirige la ceremonia en presencia de varios hermanos de la orden.

Gerardo es introducido con sus dos compañeros en una pequeña habitación cercana a la capilla. Dos hermanos se dirigen a él (artículo 657):

–¿Buscáis la compañía de la orden del Temple y queréis participar en sus obras espirituales y temporales? (artículo 658).

Gerardo responde afirmativamente. El hermano vuelve a tomar la palabra:

–Buscáis lo que es grande y no conocéis los duros preceptos que se observan en la orden. Nos veis con hermosos hábitos, con hermosas monturas, con gran lujo, pero no podéis conocer la vida austera de la orden; ya que, si queréis estar de este lado del mar, estaréis en el otro y recíprocamente, si deseáis dormir, tendréis que levantaros, y andar hambriento cuando hubierais deseado comer (artículo 661). ¿Soportaréis esto por el honor de Dios y la salvación de vuestra alma? (artículo 659).

–Sí –respondió Gerardo.

El hermano empieza entonces a formular preguntas:

–Deseamos saber si creéis en la fe católica, si estáis de acuerdo con la Iglesia de Roma, si habéis entrado en otra orden o estáis atado por los lazos del matrimonio. ¿Sois caballero y nacido de matrimonio legítimo? ¿Estáis excomulgado, por vuestra culpa o por otro motivo? ¿Habéis prometido algo o hecho un regalo a un hermano de la orden para ser admitido en ella? ¿No tenéis alguna dolencia oculta que haría imposible vuestro servicio en la casa o vuestra participación en el combate? ¿No estáis cargado de deudas? (artículos 658 y 669-673).

Gerardo responde que cree en la fe católica, que es libre, noble, nacido de matrimonio legítimo y que no sufre ninguno de los impedimentos nombrados.

Los dos hermanos se retiran, dejando a Gerardo y a sus dos compañeros para que recen en la capilla. Vuelven después y preguntan a los tres postulantes si persisten en su demanda. Se retiran por segunda vez, para informar al maestre de la voluntad claramente afirmada de los tres hombres. Luego les llevan ante el maestre, con la cabeza descubierta. Caen de rodillas, con las manos juntas (artículo 667), y hacen la petición siguiente:

–Señor, hemos venido ante vos, y ante los hermanos que están con vos, para pedir la compañía de la orden (artículo 660).

El hermano Guigue Ademaro les pide que confirmen las respuestas dadas anteriormente a las preguntas de los dos hermanos. Los postulantes juran sobre «cierto libro». A continuación, el maestre dice:

–Debéis jurar y prometer a Dios y a la Virgen que obedeceréis siempre al maestre del Temple, que observaréis la castidad, los buenos usos y las buenas costumbres de la orden, que viviréis sin propiedad, que sólo conservaréis lo que os haya dado vuestro superior, que haréis todo cuanto sea posible por conservar lo que se ha adquirido en el reino de Jerusalén y por conquistar lo que no se ha adquirido todavía, que no iréis nunca por vuestra voluntad allí donde se mata, pilla o deshereda injustamente a los cristianos. Y si os confían bienes del Temple, juráis guardarlos bien. Y no abandonaréis la orden, ni en la felicidad ni en la desgracia, sin el consentimiento de vuestros superiores (artículos 674-676).

Gerardo y sus dos compañeros juran. Guigue continúa entonces:

–Os recibimos, a vosotros, a vuestro padre y vuestra madre y a dos o tres amigos vuestros que deseéis que participen en la obra espiritual de la orden, del principio al fin (artículo 677).

Y dichas estas cosas, les pone la capa y les bendice y, para ello, el hermano capellán Raimundo de la Costa canta el salmo *Ecce quam bonum*..., recitando después la oración del Espíritu Santo. El maestre les levanta con sus propias manos, les besa en la boca y hace que el sacerdote y los caballeros presentes les besen en la boca de la misma manera (artículo 678).

Todos se sientan. El maestre enumera para los nuevos hermanos el código disciplinario de la orden, les describe las faltas que conducen a la pérdida de la casa o la pérdida del hábito (artículo 679); después pasa revista a las principales reglas de la vida cotidiana de los templarios: obligaciones religiosas (artículos 682, 684), conducta en la mesa (artículo 681), cuidado de los caballos y las armas, etc. Les recuerda «que deben llevar a la cintura unas pequeñas cuerdas», signo de que han de vivir en castidad, que les está prohibido el trato con mujeres. Y por último, concluye: «Id, Dios os hará mejor» (artículo 686).

Esta ceremonia no recuerda en nada una ceremonia iniciática, cargada de secretos. El futuro hermano pronuncia sus votos al entrar en la orden. La ceremonia resulta notable sobre todo por el hecho de que sigue punto por punto el ritual del homenaje feudal: la declaración de voluntad, las manos juntas, el arrodillarse, el maestre que, lo mismo que el señor, levanta al hermano, el beso en la boca, símbolo de paz, la entrega de la capa... Todo esto se encuentra ya en la ceremonia del vasallaje, cosa que no debe sorprendernos, ya que la orden del Temple fue concebida y creada por y para la aristocracia feudal de la Europa de los siglos XII y XIII.

Todos los templarios no soportaron hasta el fin el rigor de su compromiso. Hubo desertores, y los fiscales del Temple se sirvieron de ellos en 1307. ¿Fueron numerosos? Imposible precisarlo, pero se conocen muchos ejemplos, pertenecientes a todas las épocas. En el siglo XII, el príncipe armenio Mleh rompió su voto y se convirtió en enemigo declarado del

Temple. Se conoce el caso de un caballero que se pasó a los musulmanes, aunque sin apostasiar. Pero otros, para salvar la vida, ¿no se vieron obligados, según la fórmula consagrada, a «alzar el dedo y jurar la leÿ», es decir, adoptar la religión musulmana? Ese rumor se corrió, en efecto, en lo que se refiere a Ridefort, curiosamente perdonado por Saladino. Se sabe de cierto en lo que respecta a Lion le Casalier, el traidor que vendió a los templarios de Safed en 1268.[22] No significan más que excepciones. El número de cabezas templarias que ornamentaron las picas musulmanas después de Hattin, después de La Forbie, después de la caída de Safed e incluso en 1302, después del desastre de Ruad, lo demuestran.

En Occidente, las deserciones no son raras, y el Temple castiga severamente a los fugitivos que captura. Para ello, no vacila en pedir la ayuda de la justicia real, como en el caso de Guillermo de Monzón, buscado por la policía del rey de Aragón en 1282 a petición del Temple.

¿La reacción de la orden fue siempre tan severa? Interrogado en 1309, el templario escocés Roberto el Scot confiesa que ha sido recibido dos veces en la orden, la primera en Château-Pèlerin, en el reino de Jerusalén, la segunda, después de haber desertado y manifestado luego su arrepentimiento, en Nicosia, en la isla de Chipre.[23] ¿Esta mansedumbre fue la regla? ¿No se tratará más bien de una actitud tardía?

Los dignatarios del Temple

Naturalmente, los hermanos, los hermanos caballeros sobre todo, monopolizan las responsabilidades dentro de la orden.

El gobierno central tiene su sede en Jerusalén. La regla y las bulas pontificias prohíben toda transferencia. Pero una vez que Jerusalén cayó en manos de los musulmanes en 1187, hubo que acomodarse. La «casa presbiterial» se trasladó a Acre. Última plaza del reino, cayó también en 1291. La dirección de la orden se replegó entonces a Chipre. Por consiguiente, la sede ha permanecido siempre en Oriente. Para un templario, ultramar está en Occidente.

Correspondiendo al abad de los monasterios benedictinos, un maestre dirige el Temple. El título es nuevo. Será adoptado por las demás órdenes militares y, más adelante, por las órdenes mendicantes. Todos los hermanos deben obedecer al maestre, «y el maestre debe obedecer a su convento» (artículo 98). En efecto, la regla insiste en la necesidad de que el maestre pida consejo, de que consulte a los hermanos, reunidos en capítulo, antes de decidir. El maestre no goza de omnipotencia con respecto a su orden, cosa que no extraña en el siglo XII. De una parte, porque también en este aspecto hay una clara influencia cisterciense (el papel de consejero del capítulo es más importante que en Cluny). De otra parte, porque la organización del Temple está calcada de la organización feudal, que impone al vasallo el deber de aconsejar y al señor el deber de pedir consejo. Se trata de un lugar común y sería difícil que el Temple escapase a él. «En todas las cosas, el maestre actuará según el consejo del convento; debe pedir su opinión a la comunidad de los hermanos, y tomará la decisión sobre la cual la mayoría de los hermanos y él se pongan de acuerdo» (artículo 96). Otros artículos (36, 82, 87) confirman estas disposiciones. En general, el absolutismo no es una concepción medieval.

El consejo de los hermanos constituye, pues, un primer freno para la autoridad del maestre. El consejo de ciertos hermanos, ya que la regla establece matizaciones sutiles. Por ejemplo, el maestre está autorizado a prestar dinero, en interés del Temple, desde luego. Si la cantidad es inferior a mil besantes, necesita sólo el acuerdo de algunos de los hombres buenos de la casa. Si quiere prestar más, tendrá que obtener la aprobación de un número mayor de hermanos. Nombra a los dignatarios de las provincias de la orden, con el acuerdo del capítulo si se trata de las provincias más importantes. En cambio, decide solo en lo que se refiere a los «bailíos» de las circunscripciones secundarias. En resumen, con el capítulo, con algunos consejeros y a veces solo, el maestre interviene en todos los engranajes que permiten que la orden funcione: estado de los castillos, control de las relaciones con Occidente, material, caballos, dinero, traslado a Occidente de los enfermos y los viejos o, al contrario, traslado a Oriente de las tropas de refresco... Y para permitirle tomar, a pesar de todo, decisiones rápidas, pero que necesitan consejo, el maestre va siempre acompañado por dos caballeros como mínimo. Consejo, sí, pero también control.

Los poderes de iniciativa del maestre chocan también con otro freno: el poder de los demás dignatarios del Temple. En los estatutos jerárquicos de los años 1160-1170, los complementos del maestre van seguidos de disposiciones semejantes para el senescal, el mariscal, etcétera.

Segundo dignatario de la orden, el senescal reemplaza al maestre en todas las cuestiones en caso de ausencia de éste. Pero queda eclipsado por el mariscal, que, en todo tiempo, vela por la disciplina del convento, supervisa a los encargados de cuidar a los animales, el material y las armas, realiza las compras indispensables. Su papel es especialmente importante durante las campañas militares, ya que «todos los hermanos sargentos y toda la gente de armas se hallan a las órdenes del mariscal cuando están bajo las armas» (artículo 103). Jefe del estado mayor, expone su vida en el combate, puesto que, cuando se inicia la carga de la caballería pesada, él ocupa la «punta» (una imagen muy expresiva).

El comendador de la tierra (o del reino) de Jerusalén asume las funciones de tesorero de la orden. «Todos los haberes de la casa, de cualquier parte que procedan, más acá del mar o más allá del mar, deben ser entregados y dados en su mano» (artículo 111). Desde luego, no debe hacer nada con ellos mientras el maestre no los haya visto, pero, una vez cumplida esta formalidad, le incumbe la responsabilidad de su utilización. Se hace cargo del botín recogido en el curso de una campaña, a excepción de los animales y las armas, que corresponden al mariscal. Asegura las relaciones de Jerusalén con las casas templarias de Occidente, por mediación del comendador de la bóveda de Acre, que vigila todo el tráfico de la orden en el puerto. Como otra tarea importante, distribuye a los templarios entre las diferentes casas y fortalezas de la orden, en función de su capacidad de alojamiento y de las necesidades militares. Tiene directamente bajo su mando al pañero, intendente de la orden, que proporciona a los hermanos ropa y material de campaña (ropa de cama, tiendas, etcétera).

Mencionemos también al comendador de la ciudad de Jerusalén, responsable de la misión tradicional de protección a los peregrinos. Hablaré de él en el capítulo dedicado a esta actividad. Y hay que añadir algunas dignidades reservadas a los hermanos sargentos, como la de submariscal, que dirige el trabajo de los hermanos de oficio de la mariscalía, muy numerosos, la de gonfalonero, de comendador de la bóveda de Acre y, sobre todo, de «turcoplier», que dirige la caballería ligera de los turcoples o turcópolos, combatientes de reclutamiento exclusivamente local y que luchan al estilo turco, es decir a caballo y armados con un arco.

Tales dignatarios no pueden actuar en sus servicios sin el consentimiento del maestre. Éste tiene sobre todos la ventaja de ser omnicompetente. La voluntad, la personalidad del maestre ejercen un gran peso, tanto en el buen como en el mal sentido. El 1 de mayo de 1187, la batalla llamada de la Fuente del Berro se entabló en condiciones deplorables, dada la inferioridad numérica de los cristianos. La decisión se debió al maestre del Temple, Gerardo de Rideford, que no tuvo en cuenta la opinión desfavorable del maestre del Hospital, que se hallaba presente, ni la de Jacquelin de Mailly, a quien se ha tomado mucho tiempo por el mariscal del Temple, pero que era un simple caballero.

Al lado de este consejo informal de hombres prudentes, encargados de dar su opinión en el mismo momento, en cualquier situación, había el capítulo, los capítulos mejor dicho, institución regular de la orden: capítulo semanal de las encomiendas locales, capítulo anual de las provincias, capítulo general que reunía cada cinco años, en Tierra Santa, a los dignatarios de Siria-Palestina y de Occidente. Una máquina pesada y compleja... Por ejemplo, no cabía pensar siquiera en reunir un capítulo general para elegir al maestre. La situación de guerra casi permanente no permitía la espera. Sólo los templarios de Tierra Santa participaban en esta elección, al menos una ínfima minoría de ellos, designados por un procedimiento que, dejando aparte el sorteo, podía compararse al que se empleaba para elegir al dux de Venecia. Júzguese si no:

Una vez conocido el fallecimiento del maestre, y si las condiciones lo permitían, el mariscal convoca a los dignatarios de la orden. La convocatoria se dirige a todos los hermanos, ya sean de Oriente o de Occidente, pero los occidentales sólo participan si se encuentran ya en Oriente. En primer lugar, se designa un gran comendador, que dispone la reunión del capítulo. Éste nombra a un comendador de la elección, el cual elige a su vez un compañero. «Y estos dos hermanos deben elegir a otros dos hermanos, y serán cuatro. Y esos cuatro deben elegir a otros dos hermanos, y serán seis.» Y así hasta doce...

... en honor de los doce apóstoles. Y los doce hermanos elegirán al hermano capellán para ocupar el lugar de Jesucristo, el cual ha de esforzarse mucho por mantener a los hermanos en paz, en amor y en armonía; y serán trece hermanos. Y entre esos trece, debe haber ocho hermanos caballeros, cuatro sargentos y el hermano capellán. Y esos trece hermanos electores deben ser [...] de naciones distintas y de países distintos, para mantener la paz de la casa (artículo 211).

Los trece electores designan al nuevo maestre y le proclaman elegido ante el capítulo. En general, posee una larga experiencia de la orden. Ha ejercido funciones importantes tanto en Occidente como en Oriente. Los «hombres nuevos», como Trémelay y Ridefort, son raros; raros también los hombres procedentes de la nobleza de Tierra Santa, como Felipe de Naplusia.

La red templaria

El artículo 87 de los complementos precisa que el maestre, con el acuerdo del capítulo, designará «al comendador de la tierra de Trípoli y Antioquía, al de Francia e Inglaterra, de Poitou, de Aragón, de Portugal, de Apulia y de Hungría». Lista imprecisa, pero preciosa, ya que, por primera vez, tenemos una idea de la organización territorial del Temple.

Al salir de Marsella, Hugo de Payns ha dejado tras él representantes encargados de continuar el trabajo de propaganda y de reclutamiento que había comenzado. Uno de ellos, Pagano de Montdidier, fue nombrado «maestre de Francia»,[24] lo que debe entenderse en aquel momento como los territorios de la lengua de oil y de Inglaterra, que Pagano había visitado. La provincia de Inglaterra no se formó hasta más tarde, cuando las donaciones se hicieron allí más numerosas.

Del mismo modo, Hugo Rigaud y Raimundo Bernard, juntos o por separado, han recorrido la zona meridional, Portugal, León, Cataluña, Languedoc, Provenza. En 1143, Pedro de la Rovère ostenta el título de «maestre de la Provenza y de una parte de España», título que conserva aún en 1196 A. de Clermont (por España, hay que entender Aragón y Cataluña únicamente). Los dos primeros focos son Cataluña y el Bajo Languedoc, y la expansión se dirige hacia Provenza –la encomienda de Richerenches, cerca de Valréas, fue fundada en 1136– y hacia Italia. Algunas casas italianas continuarán dependiendo del maestrazgo de Provenza aun después de crearse la provincia de Lombardía. En el texto de la regla, la provincia de Aragón que se cita equivale a esta provincia de Provenza.

Más tarde, aumenta el número de provincias, en primer lugar porque los conjuntos demasiado vastos se dividen: una provincia de Inglaterra, con Irlanda y Escocia, se separa de Francia, pero ni Normandía ni Borgoña, que llevan a veces el nombre de provincia, se hacen independientes de la provincia de Francia.[25] El caso más significativo está constituido por la evolución de la gran provincia meridional. Se ha sugerido que los templarios, deseosos de hacerse comprender bien en los países donde reclutan sus bienhechores, organizaron sus posesiones siguiendo criterios lingüísticos. En el interior del área provenzal, las diferencias lingüísticas se tradujeron por la emancipación sucesiva del Poitou, que abarca todos los territorios situados al oeste del Garona (incluyendo, por lo tanto, Gascuña), y de una provincia Limousin-Auvernia a partir de los años 1180-1190 y, por último, por la separación, hacia 1240, de la Provenza, organizada en torno a la poderosa casa de Saint-Gilles-du-Gard, y de Aragón, con Cataluña y Rosellón. ¿No fue escrito por los templarios de esta zona lingüística el manuscrito de Barcelona de la regla, redactado hacia 1166?[26]

Esta política se correspondería bastante bien con lo que se sabe de los templarios en el plano cultural. Pocos de ellos conocen el latín; se expresan en su lengua vernácula.

Pero otras creaciones se deben a la extensión de las actividades de la orden. Tal es el caso de Alemania y Lombardía, en realidad Italia del Norte. Del mismo modo, en España, los progresos de la Reconquista determinaron, a partir de una provincia única, León-Castilla-Portugal, la formación de dos conjuntos: Portugal y León-Castilla. En el siglo XIV, la conquista de Chipre, la desviación de la cuarta cruzada hacia Constantinopla y la importancia creciente de la Pequeña Armenia (Cilicia) tuvieron como consecuencia la formación de nuevas provincias.

A la cabeza de estas circunscripciones aparece un maestre, a veces llamado Gran maestre, ministro, preceptor, procurador o comendador.[27] La variedad del vocabulario es fuente de confusión, que repercute en los escalones inferiores de las encomiendas, preceptorías, bailíos, incluso provincias mejor o peor jerarquizadas. La provincia de Francia, por ejemplo, comprende cinco preceptorías, a veces llamadas provincias: Normandía, Île-de-France, Picardía, Lorena-Champaña y Borgoña. A su cabeza, un preceptor, que hay que distinguir bien del maestre de Francia, su superior jerárquico. Sin embargo, un acta de 1258 presenta al hermano «Fulco de Saint-Michel, preceptor de la milicia del Temple en Francia, y el hermano Roberto, llamado Pavart, preceptor de la casa de la misma milicia en Normandía».[28]

Los poderes laicos ejercen a veces su presión sobre la designación de los dignatarios de estas provincias, sobre todo en Francia. Sin ceder demasiado, el maestre de la orden se esfuerza a pesar de todo por nombrar un hombre conocido en la provincia y agradable a los soberanos. Está en juego el interés del Temple.

Las relaciones entre las provincias occidentales de la orden y el centro jerosomilitano no son fáciles, como atestiguan los problemas planteados por la reunión de los capítulos generales. La cuestión se resolvió en el siglo XIV mediante el nombramiento de un «visitante de las partes más acá de los mares», teniente o representante del maestre y encargado de controlar el conjunto de las provincias occidentales.[29] Sin embargo, cuando la provincia de Provenza y de una parte de España se escindió, creándose una provincia de Aragón y Cataluña, ésta fue colocada directamente bajo la autoridad del maestre del Temple de Jerusalén. Da la impresión de que se hubiesen separado administrativamente las provincias «combatientes» (Tierra Santa y España) y las provincias «nutricias» de la orden.

La organización templaria básica está representada por la encomienda o casa. No hay que imaginarla, sin embargo, como un punto único. Se trata más bien de una circunscripción, con una casa madre, una capital, y dependencias separadas. Debido a esto, se tropieza con la misma confusión de vocabulario, agravada más aún por los modernos, apasionados por la historia templaria, que han transformado, dejándose llevar por la imaginación, un buen número de malas granjas en suntuosas encomiendas. ¿Cuántas había? A mediados del siglo XIII, el cronista inglés Mathieu Paris escribe: «Los templarios tienen 9.000 mansiones en la cristiandad, pero los hospitalarios tienen 19.000, además de los pagos y rentas diversas que cobran de sus hermanos...».[30] Suelen tomarse las cifras de Mathieu como seguras. No obstante, son realmente excesivas, a menos de bautizar con el nombre de encomienda el menor lote de viña, la menor dependencia perteneciente al Temple. En Inglaterra, T. Parker enumera unas cuarenta encomiendas en el momento de la disolución de la orden, diez de ellas en Yorkshire y cinco o seis en Lincolnshire. A. J. Forey cuenta treinta y dos en Aragón y Cataluña, más dos en Navarra. El condado de Provenza posee alrededor de cuarenta. Laurent Dailliez da la cifra de mil ciento setenta para la Francia actual.[31]

El Temple se esfuerza por obtener la distribución más regular posible de sus establecimientos, mediante una política de permutas y de compras. En Occidente, persigue dos objetivos: reclutar hombres y explotar al máximo sus dominios. Importa, pues, que haya una red muy cerrada de casas del Temple, de manera que los candidatos encuentren sin dificultad un convento y se evite una distancia demasiado grande entre el centro de explotación y sus dependencias.

La jerarquía de los establecimientos es muy laxa. En Douzens, el patrimonio templario se ha formado a partir de cuatro donaciones sucesivas: Douzens y Brucafel en 1133, Sainte-Marie-de-Cours en 1136, Saint-Jean-de-Carrière en 1153. A estas donaciones, se añadirán más tarde de otras. A partir de ellas, se organizan dos encomiendas hacia 1150-1160, situadas en el valle del Aude y distantes entre sí unos treinta kilómetros: Douzens y Carcasona (con Brucafel). La encomienda de Narbona se encuentra a cuarenta kilómetros río abajo de Douzens. Un poco más tarde, Cours y Saint-Jean-de-Carrière serán elevados al rango de encomiendas subordinadas. Isarn de Molières en 1162 y Pedro de Padern en 1169 son sus procuradores, sus comendadores o sus preceptores.[32]

En Aragón, los primeros conventos fueron creados al norte, en los Pirineos. A medida que avanzaba la conquista, los soberanos confiaron la defensa de las zonas recién ocupadas a los templarios. Las encomiendas del norte toman al principio a su cargo los bienes y castillos concedidos. Por ejemplo, en 1196, el de Alfambara, sede de la efímera orden de Montjoie, fue administrado directamente por el comendador de Novillas; después, en 1201, se nombró un comendador subordinado.[33]

La misma división en zonas existe también en Oriente, aunque por razones distintas. Las necesidades militares y estratégicas han impuesto la utilización de parajes precisos para la construcción de los castillos. Las órdenes militares poseen también casas en las ciudades, lo mismo que explotaciones rurales, pueblos. Se organizan con cuidado los vínculos entre Jerusalén y esos diversos establecimientos. Los templarios han trazado una especie de mapa de Tierra Santa, con etapas de una jornada de marcha, «terminando cada etapa ya sea en una encomienda, un casal del Temple, ya sea en un terreno de vivaque provisto de pozo», donde el destacamento templario pueda establecer su «albergue», su campamento.[34]

Dentro de esta división en zonas, hay ciertos lugares, ciertos ejes privilegiados. Es evidente en Tierra Santa: los Estados latinos se estiran en una estrecha faja de tierra entre el mar y el desierto. Las implantaciones militares de las órdenes jalonan de norte a sur la costa (Tortosa, Château-Pèlerin), y los valles del interior, el eje Oronte-Litani-Jordán (Safed). Los vados del Jordán y los pasos que cortan las montañas del Líbano son otros tantos puntos de fijación (el Châtelet en el Vado de Jacob; Crac de los Caballeros, perteneciente a los hospitalarios).

En España y Portugal, la «frontera» entre los reinos cristianos y los Estados musulmanes dicta la elección de los templarios, que se encargan de su defensa, en colaboración con los hospitalarios. Una carta del rey de Aragón, fechada en 1143, concede al Temple el quinto de las tierras conquistadas a los musulmanes. Más adelante, los soberanos españoles reducirán su esplendidez, y el rey de Aragón revocará la carta de 1143 (en 1233). A partir de entonces los dones serán proporcionales a la ayuda aportada. Tal fue la práctica en el reino de Valencia.[35]

En el resto de la cristiandad, los templarios dan preferencia a los ejes de circulación. Todos los años, peregrinos, cruzados, caballos, productos y dinero son encaminados por ruta terrestre o fluvial hacia los puertos del Mediterráneo, donde se embarcan hacia Siria-Palestina. No tiene nada de extraño, por lo tanto, que se encuentren numerosas casas en los caminos que unen Flandes a Champaña,[36] ni se debe al azar el que, en la primera lista de provincias de la orden, incluida en la regla hacia 1160, figure una provincia de Hungría, por la que pasan forzosamente las rutas seguidas por los cruzados que prefieren no hacer el Santo Pasaje por mar. Subrayemos también la importancia de las donaciones en Liguria, Ventimiglia, Albenga, Savona y la región del gran puerto de Génova. En Italia del Norte, está comprobada la existencia de la casa de Milán desde 1134, pero el papel motor en la implantación de las encomiendas corresponde al convento de Plasencia, fundado antes de 1160. Desde allí, los establecimientos de los templarios siguen las rutas del valle del Po (Bolonia) y luego las rutas costeras de la Romaña y la Italia del Sur. También las rutas que descienden desde los puertos alpinos hacia Génova o Venecia están bien provistas de encomiendas templarias.[37]

Las grandes rutas de las peregrinaciones occidentales atraen también las implantaciones templarias, especialmente los «caminos de Santiago». Presentes muy pronto en ambas vertientes de los Pirineos, hospitalarios y templarios construyen refugios al pie de los puertos. Capellanes y sirvientes se ocupan de un sector de montaña. Hacia Luz y Gavarnie, los templarios vuelven a su misión de proteger a los peregrinos.[38] La importancia de la encomienda de Saint-Gilles-du-Gard procede de que es una de las últimas etapas antes de Marsella para los peregrinos de Jerusalén; se debe también al hecho de que se encuentra en el punto de partida de la ruta languedociana hacia Compostela, ruta que se incluye en una región en la que existe una densa red templaria. En Bretaña, las casas de Nantes y de la Île-aux-Moines están establecidas en el punto de embarque de los peregrinos hacia Santiago.[39]

Esta red se forma por difusión a partir de algunos centros importantes, en la mayoría de los casos siguiendo las vías de comunicación. Los templarios de Dax, por ejemplo, progresan a lo largo del torrente de Pau.[40] Se conoce bien el caso de Provenza. La encomienda de Richerenches, fundada en 1136, se expandió hasta Orange, Roaix y sobre todo Saint-Gilles (hacia 1138) y Arles (1138-1140). Significan para el Temple otros tantos centros de irradiación. Saint-Gilles dirige una decena de encomiendas subordinadas. Richerenches y Arles constituyen el punto de partida de una progresión de la orden hacia el este, siguiendo dos ejes paralelos: el primero, desde Richerenches, conduce a Sisteron, Digne, Entrevaux, Rigaud; el segundo une Arles con Aix, Lorgues, Ruou y los puertos de Toulon e Hyères. Los dos ejes se unen en el condado de Niza, donde se localizan importantes encomiendas: Biot, Grasse, Niza.[41]

Estas fundaciones sucesivas determinan un remodelado incesante de la organización general de las encomiendas templarias. El establecimiento de Tiveret, en el Hérault, aparece en un mapa de 1184 como importante y próspero. Se hallaba entonces unido a la encomienda de Lodève, subordinada a su vez a la de Saint-Eulalie-du-Lazarc. Pero la prosperidad dura poco. Tiveret declina, y los templarios unen la casa a Pézenas.[42] La división en zonas y la flexibilidad de la organización favorecen la realización de los objetivos del Temple: la movilización rápida de los recursos materiales y humanos de la orden en socorro de Tierra Santa. A partir de mediados de siglo, tendremos la prueba en el papel que los caballeros del Temple desempeñan en la segunda cruzada.

TERCERA PARTE
Un ejército en campaña

1

El marco de la segunda cruzada

La caída del condado de Edesa

Durante los años que siguen a la primera cruzada, los latinos consolidan sus posiciones. La conquista de las ciudades costeras acaba prácticamente con la toma de Tiro en 1124. Sólo resisten todavía Ascalón y su guarnición egipcia. Ascalón está situada en el extremo sur. Hacia el interior, los francos controlan el umbral del desierto. Las grandes ciudades musulmanas, Alepo, Hama, Damasco, se encuentran muy próximas. La dinámica de la cruzada, la unión que reina casi siempre entre los Estados francos, la autoridad de esos dos notables reyes que fueron Balduino I y Balduino II explican tales éxitos. Los latinos se ven también favorecidos por la desunión del mundo musulmán. Los emires de Mosul, Alepo, Chaizar, Homs y Damasco piensan más en la autonomía de sus principados que en la reconquista de los Estados latinos. Y si se presenta el caso, no vacilan en aliarse con ellos en contra de un emir rival.

De los cuatro Estados nacidos de la cruzada, sólo el condado de Edesa se adentra sobre el alto Éufrates. El conde Jocelín II no es el jefe incompetente que describe Guillermo de Tiro. Se le ha reprochado el abandonar la austera Edesa por la risueña Turbessel. En realidad, esta agradable fortaleza está más próxima a Alepo, donde acecha el peligro musulmán, y más cerca también de Antioquía, de donde puede venir el socorro.[1] Lástima que Jocelín no se entienda con el príncipe Raimundo de Antioquía, ya que ha surgido en la Siria del Norte musulmana un adversario de primera magnitud, Zengi, atabeg de Mosul.

Zengi ha conseguido la unidad de la Siria del Norte. Ahora vuelve sus ambiciones hacia Damasco. El rey de Jerusalén, Fulco, ha comprendido perfectamente la táctica sutil que consiste en aprovechar las divisiones del mundo musulmán. En 1139, los francos salvan a la gran ciudad de caer en manos de Zengi, aliándose con Damasco. Espectáculo insólito, Unur, el amo de Damasco, visita al rey Fulco en Acre.

Sin embargo, se produce un acontecimiento grave. Casi por casualidad, al regreso de una incursión contra un pequeño potentado musulmán del este de Asia Menor, Zengi viene a sitiar Edesa, entonces mal defendida. Raimundo de Antioquía espera los refuerzos de Jerusalén para ponerse en movimiento. Demasiado tarde. El día de Nochebuena, después de un mes de sitio, la ciudad cae en manos de Zengi, lo mismo que la mayor parte del condado. El golpe es duro y provoca una viva emoción en Occidente, aunque la muerte de Zengi, acaecida en 1146, concede un respiro a los francos.

El 1 de diciembre de 1145, el papa Eugenio III publica bulas de cruzada. A fin de evitar los errores de los «Pasajes» precedentes, piensa que la cruzada debe ser exclusivamente francesa, estar formada sólo por combatientes y no tener más que un jefe, el rey de Francia Luis VII, que por lo demás ha manifestado su voluntad de ir a Jerusalén. Esto explica sin duda la presencia de un gran contingente de templarios entre las tropas que se disponen a marchar a Tierra Santa. Los dirige Everardo des Barres, caballero de Île-de-France, maestre de la milicia en Francia. ¿Figuran entre ellos caballeros de las casas templarias de Aragón? La cronología hace difícil esta interpretación, ya que los templarios de España están entonces ocupados en el sitio de Tortosa y la toma de Almería.[2]

San Bernardo inicia la predicación de la cruzada en Vézelay, en Pascua de 1146. Omnipresente en Occidente durante el año que sigue, sobrepasa las directivas del papa y convence no sólo al emperador germánico, Conrado III, lo que planteará inevitablemente un problema de mando, sino también a una multitud de no combatientes. El espíritu de cruzada, al que san Bernardo permanece fiel, se impone sobre la eficacia.

El 27 de abril de 1147, ciento treinta caballeros del Temple se reúnen en capítulo en París, en torno al maestre de Francia, Everardo des Barres, y el papa Eugenio III. Fue sin duda en esta ocasión cuando se concedió a los templarios el porte permanente de la cruz.[3] Con toda probabilidad, prepararon en ese capítulo su partida a la cruzada.

El contingente alemán es el primero en ponerse en marcha, por la ruta de Hungría y de Bizancio. Se ha ensanchado ahora el foso entre los griegos, hartos de las exacciones de tan extraños «peregrinos», y los latinos, que acusan a los bizantinos de perfidia y de traición. Los franceses siguen la misma ruta. Al llegar cerca de Andrinópolis, les atacan «elementos incontrolados», cumanos y pechenegos, pueblos a sueldo de Bizancio. Hay que ir a negociar el pasaje en Constantinopla. Everardo des Barres figura entre los embajadores. Por fin, en junio de 1147, Luis VII y su ejército

San Bernando predica la cruzada en Vézelay, el 31 de marzo de 1146, en presencia del rey de Francia, Luis VII.

cruzan el Bósforo. Apenas han llegado a Nicea, caen sobre los restos de la cruzada alemana, aplastada por los turcos selyúcidas en Dorilea, en el mismo lugar en que, cincuenta años antes, la primera cruzada se había abierto paso hacia Tierra Santa. Conrado regresa a Constantinopla, desde donde llegará al reino de Jerusalén por mar, un poco más tarde.

En las montañas de Asia Menor, bajo la protección del Temple

Luis VII penetra en las montañas de Asia Menor, sin grandes reservas de víveres, sin guías seguros, en medio de una población hostil. Acosado por los turcos, el ejército avanza lentamente y se debilita día a día. En las montañas de Cadmos, el jefe de la vanguardia, Godofredo de Rancogne, avanza con mayor rapidez y, olvidando las consignas, queda cortado del grueso de la tropa, estorbada por el bagaje y los no combatientes. Inconscientemente, entrega el ejército a las tropas devastadoras de los turcos. La confusión se hace total. El rey admira en esta ocasión la abnegación y la disciplina del contingente templario. Eudes de Deud, monje de Saint-Denis (y futuro abad), que sigue la cruzada como capellán de Luis VII, nos ha dejado un relato de primera mano de estos acontecimientos: «El maestre del Temple, el señor Everardo des Barres, hombre respetable por su carácter religioso y modelo de valor para los caballeros», se resistía a los turcos...

> ... con la ayuda de sus hermanos, atendiendo con prudencia y valor a la defensa de lo que les pertenecía y protegiendo así con todo su poder y vigor lo que pertenecía a los demás. El rey, por su parte, se complacía en verles actuar y en imitarles, y quería que todo el ejército se aplicase a seguir su ejemplo, sabiendo que si el hambre debilita las fuerzas de los hombres, sólo la unidad de intención y de valor puede sostener a los débiles. Se resolvió, pues, de común acuerdo, en esta situación peligrosa, que todos se unirían en una fraternidad mutua con los hermanos del Temple, comprometiéndose sobre su fe pobres y ricos a no abandonar el campo y a obedecer en todo a los maestres que les fuesen designados. Reconocieron, por lo tanto, como maestre a un tal Gilberto...[4]

Gilberto distribuyó a los caballeros en grupos de cincuenta, colocando cada uno de sus grupos bajo la autoridad de un templario. Atribuyó a cada uno un lugar preciso, con orden de no flaquear bajo las flechas y de no abandonar las filas, salvo si él lo mandase.

Caballeros y peones, que, a imagen de este Godofredo de Rancogne, «mensajero de muerte y de daños», sólo hacían lo que les parecía, se someten a la disciplina férrea de esos profesionales de la guerra que son los templarios. Así encuadrada, la columna, compacta, protegida en los flancos por los escudos triangulares de los peones, cruza intacta las montañas hasta la ciudad costera de Adalia (la actual Antalia). Más aún, gracias a algunas salidas rápidas de uno u otro grupo de cincuenta hombres, que obedecían ciegamente al «maestre», los cruzados lograron infligir graves pérdidas a sus adversarios.

El lector habrá observado la expresión utilizada por Eudes de Deuil:

La segunda cruzada (1147-1148)

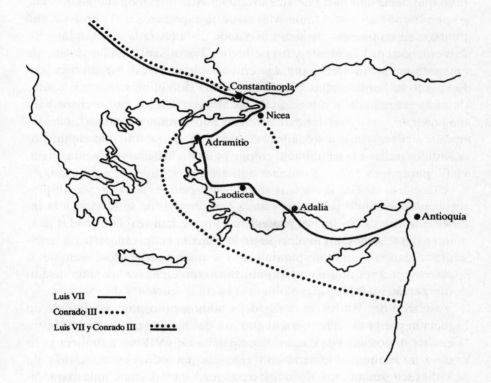

Luis VII ————
Conrado III • • • •
Luis VII y Conrado III •••••

«todos se unirían en una fraternidad mutua con los hermanos del Temple». Algo más adelante, repite la misma idea: «Con ayuda de nuestra asociación fraternal, pusimos al enemigo en fuga cuatro veces». De forma que todo ocurre como si el ejército entero, sin distinción de rango ni de clase, hubiese entrado en la gran familia de los *confratres,* los cofrades del Temple, aquellos que, sin pronunciar votos, se ponen bajo la autoridad de los templarios y participan en los duros combates, pero también en la gloria de la milicia de Jerusalén. No cabe la menor duda de que los cruzados, maltratados por los turcos, piensan que Dios les castiga por sus pecados. Al aceptar la disciplina del Temple, al que se han unido voluntariamente (acaso por juramento), hacen penitencia. Acuden para la remisión de sus pecados a la intercesión de los pobres caballeros de Cristo y a su maestre, Everardo des Barres, «respetable por su carácter religioso», nos dice Eudes de Deuil. Por el plazo de unos días, se han convertido todos en caballeros de Cristo.

Unos días tan sólo. La cruzada terminó lamentablemente. Luis VII tuvo que dejar una parte de su ejército en Adalia, donde fue aniquilada, y se embarcó hacia Antioquía. Más tarde, la expedición a Damasco acabó también en un fracaso. No se obtuvo nada de la cruzada, salvo amargura. Los cruzados de Occidente y los latinos de Tierra Santa habían dejado de comprenderse. En Occidente, las críticas fueron vivas. Ni siquiera san Bernardo se libró de ellas, puesto que había sido el principal predicador de esta «cruzada de la salvación de las almas».[5] Cierto que le correspondía parte de la responsabilidad, al lanzar a los caminos multitudes incontroladas. ¿Peregrinos o soldados? A partir de ahora, hay que elegir. Los orientales piden a la cristiandad colonos y soldados; ella se obstina en enviarle peregrinos. Sólo las órdenes militares constituyen la excepción.

Una cierta idea de la cruzada se ha desvanecido tras lanzar sus últimos resplandores, dando paso al realismo. Los templarios se sitúan en la intersección exacta. Su fe y su profesionalismo se han revelado en las pendientes del Cadmos. La evolución no se efectúa sin problemas. La lancinante cuestión continúa planteada: ¿«monje y soldado», «monje o soldado»? ¿La respuesta que dio san Bernardo en el *De laude* ha dejado de ser pertinente? Hay que plantearse la cuestión.

Everardo des Barres, el héroe del Cadmos, preceptor del Temple en Francia desde 1143, es nombrado maestre del Temple en enero de 1149, a la muerte de Roberto de Craon. Acompaña a Luis VII hasta Francia, pero regresa a Oriente, reclamado con urgencia por su senescal, Andrés de Montbard. Permanece todavía dos o tres años en Palestina, puesto que figura entre los firmantes de un acta de 1152, mediante la cual el obispo de Tortosa entrega el castillo de la ciudad a los templarios.[6] En ese momento, renuncia a su cargo de maestre y regresa a Francia. En Clairvaux, la abadía de san Bernardo, toma el hábito cisterciense, blanco como la capa del Temple. Y en Clairvaux morirá, en 1174 o 1176.

«Esta Jerusalén aliada a la Jerusalén celeste [...] es Clairvaux.»[7]

2
Misiones tradicionales y combates en Tierra Santa (1130-1152)

Una presencia discreta

Antes de esta cruzada, no se ha hablado apenas de los templarios. Los Estados latinos, a excepción de Edesa, se hallan en su apogeo en los años 1135-1140 y no carecen de combatientes. A pesar de las aportaciones de Occidente, los templarios son todavía poco numerosos y quedan sumergidos por la masa de peregrinos y soldados, que continúa afluyendo. Los templarios han adquirido su primera posición importante, el castillo de Baghras –que los latinos llaman Gastón–, al norte del principado de Antioquía, en contacto con la Cilicia armenia. Lo han conseguido muy pronto, entre 1131 y 1138. Es el primer ejemplo de un tipo de donación –la marca fronteriza– que se multiplicará a partir de mediados del siglo XII en los Estados latinos del norte, Trípoli y Antioquía. Subrayemos también que la implantación va más dirigida contra Bizancio y sus protegidos armenios que contra los musulmanes.[1]

Los templarios se muestran mucho más activos, mucho más comprometidos en la Península Ibérica. Lo cual suscita un problema. Roberto de Craon ha venido varias veces a Occidente para organizar las relaciones entre las casas de Oriente y Occidente y llenar los vacíos causados en las filas templarias de Oriente. Pero resulta difícil retirar de España combatientes de la Reconquista. Más aún, el papa Eugenio III ha pedido en 1146 que se refuerce la milicia en España.[2] Contradicción, que el Temple ha captado, entre la misión de defender el sepulcro de Cristo y el combate contra los musulmanes en España.[3]

Los cronistas señalan de tarde en tarde la participación de templarios en los combates mantenidos en Siria-Palestina. El 5 de diciembre de 1129, fracasan, con grandes pérdidas, en su ataque contra Damasco, en el curso de una campaña que permite a los francos apoderarse de Bamas. Diez años más tarde, Guillermo de Tiro señala la intervención de la guarnición

de Jerusalén contra los saqueadores beduinos y turcomanos en la pequeña ciudad de Tecua, a orillas del mar Muerto.[4] De nuevo, sufren una derrota, si bien sin consecuencias.

Esta última operación entra por completo en el marco de la primera
misión del Temple: la defensa de los peregrinos. Los caballeros de Cristo
no se contentan con ocupar, «tanto en tiempo de guerra como en tiempo
de tregua», según la expresión de Olivier el Escolástico,[5] la Torre del Des-
filadero, que vigila el paso que han de tomar casi necesariamente los peregrinos que se dirigen a Jerusalén. Tienen también que patrullar a lo largo de los caminos que llevan a Belén, Jericó, el Jordán y otros lugares
donde está demostrada la presencia de Cristo.

Un detalle anecdótico, pero lleno de significación, demuestra esta
prioridad. El artículo 55 de la regla de la orden prohíbe a los hermanos la
caza, el placer caballeresco por excelencia. Pero el artículo 56 precisa:

> Hay una cosa que debéis considerar como una deuda, lo mismo que
> hizo Jesucristo: defender la tierra contra los incrédulos paganos que
> son los enemigos del Hijo de la Virgen María. La prohibición de cazar,
> que hemos dicho antes, no se refiere al león, porque éste encuentra y
> busca a quien pueda devorar, con las manos alzadas contra todos, y to-
> das las manos alzadas contra él.

Dicho artículo hace referencia al Génesis (16, 12) y a la primera epístola de san Pedro (5, 8): «Vuestro adversario, el diablo, como león ru-
giente, anda rondando y busca a quien devorar».

Sólo puede comprenderse en relación con la realidad de Siria-Palestina. Hay leones en la región y resultan tan peligrosos para los peregrinos como los bandidos. Usamah ibn-Munquidh, notable musulmán de
Chaizar, muy mezclado en las cuestiones políticas de mediados del siglo XII y que se jacta de la amistad de los templarios, cuenta que los leones se esconden entre los matorrales y en las cuevas y que atacan en grupo a los viajeros, como cierto caballero franco, temido de los musulmanes,
que fue devorado por un león en el camino de Apamea a Antioquía.[6]

Misión de protección a los peregrinos; misión de acogida también, que
no se limita a Tierra Santa. En Europa, las casas templarias de los puertos de embarque hacia Oriente, lo mismo que las que jalonan las rutas de
peregrinación a Santiago de Compostela y Roma, están obligadas a alo-
jar a los peregrinos.

Naturalmente, la misión reviste una importancia particular en Jerusalén y se ha creado para ella una organización especial, bajo la direc-

ción de uno de los principales dignatarios de la orden, el comendador de la ciudad de Jerusalén, que sigue inmediatamente al comendador de la tierra en jerarquía jerosomilitana y que tiene derecho a las mejores monturas. Es en primer lugar el intendente de la casa más fuerte de la orden, la «casa presbiterial». Además, dispone de una fuerza permanente de intervención, formada por diez caballeros (a los que se añaden sargentos, escuderos, valets de armas, arqueros) para escoltar a los peregrinos. Cuando los hermanos entran en operaciones militares de envergadura, el comendador de la ciudad tiene que albergar bajo su tienda a los heridos y los enfermos y preocuparse de curarlos. En consecuencia, ha de «llevar una tienda redonda, y también animales de carga, y víveres, y recoger a los peregrinos en los animales de carga si fuese necesario» (artículo 121).

La protección de la segunda cruzada en las ásperas montañas de Asia Menor puede, pues, considerarse como la primera acción militar de importancia de los templarios. Les ha valido los elogios del rey Luis VII, al que han salvado desde el punto de vista militar y sacado de apuros desde el financiero. Y el «*lobby* templario» de Occidente, cuyas personalidades más destacadas son los tres grandes abades Suger (Saint-Denis), san Bernardo (Cister) y Pedro el Venerable (Cluny), han asegurado su renombre.[7] No obstante, su actividad en Palestina durante los años 1148-1153 provoca «movimientos diversos», que debemos analizar a fondo.

Los casos de Damasco y Ascalón

Luis VII llega a Antioquía a principios de la primavera de 1148, acompañado de su mujer, Leonor de Aquitania. El príncipe Raimundo de Antioquía, tío de la reina, desea empujar a los cruzados contra Alepo, que se encuentra en manos del más temible de los hijos de Zengi, Nur al-Din, el principal adversario de los latinos de Oriente. Y en efecto, se piensa en una operación de este tipo. Sin embargo, no se llevará a cabo. Luis VII abandona bruscamente Antioquía en julio de 1148. Por muy rey que sea, Luis VII es también un «cruzado normal», que aspira sobre todo a recogerse ante el sepulcro de Cristo. Ahora bien, éste se encuentra en Jerusalén, no en Antioquía, y mucho menos en Edesa. Y además, más vale luchar por Damasco, cuyo disfrute promete imprudentemente Luis VII al conde de Flandes, Felipe de Alsacia, en lugar de recuperar Edesa, insignificante capital de un principado perdido, poblado para colmo de armenios. Una última razón, de orden privado, confirma al rey en su decisión. Leonor, su mujer, no le soporta ya y da a entender que va a separarse de él. Tal vez se conduce ya con su bello tío Raimundo de Antioquía como si la separación fuese cosa hecha. De ahí el abandono repentino de esta ciudad. El rey se lleva a Leonor por la fuerza y se dirige a Jerusalén, donde vuelve a encontrar a Conrado III, venido por mar desde Constantinopla.[8]

Cruzados franceses y alemanes, caballeros del reino de Jerusalén, templarios y hospitalarios pondrán sitio juntos a Damasco..., con gran alegría del emir de Alepo, Nur al-Din, que se precipita en socorro de su rival de Damasco, Unur. A fines del mes de julio de 1148, a consecuencia de oscuras maniobras y tras una campaña de intoxicación inteligentemente llevada (sí, pero ¿por quién?), los cruzados levantan el cerco. El fracaso suscita una oleada de acusaciones contra los responsables del mismo, oleada que alcanzará a los templarios.

Para comprenderlo, hay que presentar el problema de Damasco. Tres fuerzas se reparten el Oriente musulmán: el califato fatimita de Egipto, de tendencia chiíta, que controla aún Ascalón; los emiratos de Alepo y Mosul en Siria del Norte, que están en manos de los hijos de Zengi; por último, entre los dos, Damasco, que trata de conservar su independencia. A ejemplo de su padre, Nur al-Din desarrolla la ideología de la guerra santa (la *djihad*) para unir el mundo musulmán contra los francos. Los dirigentes latinos han comprendido la necesidad de una diplomacia hábil, proponiéndose como objetivo mantener la desunión del adversario. La clave de esta política es la alianza con Damasco, que se ha manifestado claramente unos años antes con la visita de Unur a Acre.

Ahora bien, en 1148, un jefe musulmán de la región de Haurán, queriendo liberarse de la tutela damascena, ofrece su alianza a los francos contra Damasco. La toma de una ciudad como ésta resulta tentadora. Los dirigentes latinos están divididos, y la minoría del rey Balduino III y la regencia de su madre complican aún más las cosas. Ceden, sin embargo, ante la presión del pueblo, que acusa a los barones de estar a sueldo de Damasco. Y en ese momento, llegan los cruzados occidentales. No les importan en absoluto las sutilezas diplomáticas y han venido a pelear, en Damasco o donde sea. El sitio de Damasco provoca el acercamiento inmediato de Unur y Nur al-Din. Pero esto no le interesa al primero, que se las arregla, una vez que los francos han levantado el sitio (y es muy posible que él haya intervenido en esta decisión), para hacer saber al emir de Alepo que ya no tiene necesidad de él. Aun así, la política de alianza entre Jerusalén y Damasco ha recibido un golpe muy duro. ¿Quién fue el responsable de este lamentable asunto?

Se acusó a los francos instalados en Siria –a los que se llama los *poulains*– y a las órdenes militares de haberse dejado comprar. Los cronistas y publicistas alemanes, mohínos por los infortunios de Conrado III, se mostraron severos. Juan de Wurzburgo criticó la predicación de san Bernardo e involucró a los templarios en la cuestión de Damasco. Gerloh de Reichersberg ataca la cruzada, los Estados latinos, los *poulains* y los hospitalarios, cuyo orgullo fue una de las causas del fracaso.[9] Cuando Juan de Wurzburgo visita, un poco más tarde, el templo de Salomón, escribe:

> Esta casa del Temple mantiene un gran número de caballeros para defender la tierra cristiana; pero, según se dice –no sé si esto será cierto o falso–, son sospechosos de traición, que estuvo bien demostrada por su conducta en Damasco con respecto al rey Conrado.[10]

Por su parte, Ernoul afirma que las órdenes militares se dejaron corromper. Ni Guillermo de Tiro ni su traductor ponen en duda la lealtad de las órdenes. De creer al primero, la responsabilidad de la traición corresponde a ciertos barones de Tierra Santa, que se niega a citar para evitar que la vergüenza recaiga sobre sus honorables familias. Guillermo es un *poulain*, en general poco favorable a los cruzados, que vienen a estropearlo todo, y hostil a las órdenes, por lo menos a sus privilegios. Pero no incrimina ni a los unos ni a las otras. Cierto que no se encontraba entonces en el lugar...[11]

¿Qué se proponían los «traidores» en caso de haberlos? ¿Mantener a toda costa la alianza con Damasco? ¿Sentían celos del conde de Flandes, a quien Luis VII había prometido la ciudad? H. E. Mayer encara el problema de otra manera:[12] ¿quién tomó la decisión absurda de atacar Damasco? El consejo celebrado en Acre el 24 de junio de 1148 fue precedido por otro, más restringido, puesto que sólo Conrado III, el patriarca y los templarios asistieron a él. La decisión se tomó ese día. Se explica por el hecho de que el joven rey Balduino III está en conflicto con su madre, la reina Melisenda. Quiere un gran éxito para escapar a su tutela. Pero entonces, ¿cómo explicar la actitud del Temple? Por sus divisiones en ese momento. La reina cuenta con algunos amigos en la orden: el senescal Andrés de Montbard, pariente de san Bernardo, o Felipe de Naplusia.[13] Partido del rey contra partido de la reina. Esta división afecta poco más o menos a todos los grupos y durará hasta la toma de Ascalón, en 1153.

Ascalón está entonces medio sitiada, pero a distancia. De 1136 a 1143, se han construido tres castillos al norte y al este de la plaza: Bethgibelín, confiado a los hospitalarios; Ibelín, encomendado a un noble de origen italiano, Balián, fundador de la familia más poderosa de Tierra Santa, y Blanchegarde. Tienen como función impedir las correrías de los ascalonitas contra Jerusalén. Curiosamente, no se ha invitado a los templarios a formar parte en esta operación de defensa.

Tras el fracaso de Damasco, Balduino III decide terminar con Ascalón. Hay que completar el cerco de la ciudad y separarla de su retaguardia egipcia. En el mar, se encarga de ello una flota mandada por Gerardo de Sidón; en tierra, el rey hace reparar el castillo de Gaza, al sur de Ascalón, y lo confía a los templarios. Al hacerlo así, se asegura su apoyo o, por lo menos, su neutralidad benévola frente a su madre.[14]

El sitio de Ascalón, extraordinariamene bien defendido, fue largo. La ciudad estuvo a punto de caer el 16 de agosto de 1153, en circunstancias en que sobresalieron los templarios. Los francos habían construido una gran torre de asedio. Los ascalonitas intentaron incendiarla, pero el viento, cambiando de dirección empujó las llamas hacia las murallas. Se abrió una brecha. Los templarios fueron los primeros en acudir al lugar para aprovechar lo que parecía ser obra de Dios. Siguiendo a su maestre, Bernardo de Trémelay, cuarenta de ellos se precipitaron al interior de la ciudad. De creer a Guillermo de Tiro, otros templarios impidieron el acceso a la ciudad al resto de los combatientes, porque querían apropiarse del botín sin tener que compartirlo. Una ceguera estúpida, ya que los defensores de Ascalón se impusieron muy pronto, rechazaron y mataron a los cuarenta templarios y, por desafío, colgaron sus cuerpos en las murallas. La mayoría de los historiadores han aceptado el relato y la explicación de Guillermo de Tiro: el orgullo y la avaricia, rasgos característicos de los templarios, fueron la causa del fracaso.

Sin embargo, esta versión de los hechos es discutible, en primer lugar porque resultaba imposible apoderarse de una ciudad tan bien defendida como Ascalón con cuarenta hombres, y hasta el más temerario de los templarios lo sabía. En segundo lugar, hay que tener en cuenta la reacción de los francos al ver los cuarenta cadáveres balanceándose en las murallas. Les invadió el furor y el deseo de venganza. Por lo tanto, parece más verosímil que sólo cuarenta templarios lograran penetrar por la brecha y que la resistencia de las tropas de Ascalón les inmovilizara inmediatamente.[15]

De todas maneras, los templarios tienen sobre todos los demás una superioridad reconocida tanto en Oriente como en Occidente: su capacidad de moverse con rapidez. Cabe muy bien en lo posible que hayan querido ser los primeros en apoderarse de la ciudad. ¿Por qué? ¿Por el botín? Se ha sugerido que Bernardo de Trémelay, caballero natural del Franco Condado, cuyos antecedentes en el Temple se desconocían casi por completo, venía de la guarnición de Gaza. Las caravanas musulmanas de Siria a

Egipto eran una presa fácil desde esta plaza, y tal vez los templarios le tomaron cierto gusto al pillaje.[16]

Formularé, no obstante, otra hipótesis: el deseo de formar, a partir de Gaza y Ascalón, una marca fronteriza casi autónoma, a ejemplo de las que se habían constituido en Siria del Norte (Baghras, Tortosa, Marqab).[17] Balduino III cortó por lo sano esas eventuales ambiciones cediendo Ascalón a su hermano Amalrico. A diferencia de los príncipes de Antioquía y de Trípoli, la dinastía de Jerusalén disponía aún de medios suficientes para resistirse a la presión de las órdenes.

Por último, hay que volver al conflicto entre Balduino III y su madre y a la división que dicho conflicto provocó con toda seguridad dentro de la orden. Cuando Everardo des Barres renunció a sus funciones, a finales de 1152, su sucesor debió de haber sido el senescal de la orden, Andrés de Montbard. Sin embargo, estaba en demasiado buenas relaciones con Melisenda, y los templarios, por prudencia, prefirieron a Bernardo de Trémelay, un «hombre nuevo»,[18] a quien el rey no tenía nada que reprochar. ¿Intentó tal vez llevar a cabo una hazaña brillante, en su deseo de imponerse dentro de la orden?

Fuera como fuese, Ascalón se rindió el 22 de agosto. Se concedió tres días a sus habitantes para evacuarla con armas y bagajes. Una escolta real los condujo hasta la frontera egipcia. Las buenas maneras se impusieron. Triunfaron también en el Temple: Montbard, Naplusia y los demás recuperaron muy pronto la gracia real (lo que no fue el caso de todos los partidarios de la reina). Andrés de Montbard sucedió a Trémelay como maestre de la orden en 1153.

3

La guerra permanente (1153-1180)

Latinos y musulmanes en la segunda mitad del siglo XII

La caída de Ascalón afirma la seguridad de la parte meridional del reino y abre la ruta de Egipto para los francos. Un año más tarde, Nur al-Din se apodera de Damasco. A partir de ahora, en toda la frontera oriental, desde Antioquía hasta Aqaba, los francos no tienen más que un enemigo. Guillermo de Tiro no se equivoca al considerar la importancia del acontecimiento, que «fue fatal para los cristianos, en el sentido de que sustituyó un hombre carente de poderío por un adversario formidable».[1] La situación geopolítica del Oriente Próximo se ha modificado totalmente en unos años.

En 1146, la atención se centraba sobre Alepo, Edesa, Antioquía. La historia parecía balbucear; se recomenzaba la primera cruzada. Luis VII y Conrado III, lo mismo que Godofredo de Bouillon y Raimundo de Tolosa cincuenta años antes, se enviscaban en las intrigas bizantinas, antes de enlodazarse en las montañas de Asia Menor. Pero en 1148, ambos se encuentran ya en Damasco. A partir de 1154, la puesta del juego se desplaza y se fija para largos años en Egipto. Todavía en 1306 (los Estados latinos han dejado de existir), Jacobo de Molay, maestre del Temple, y Fulco de Villaret, Gran maestre del Hospital, consultados por el papa sobre el objetivo de una nueva cruzada, responden: Egipto.[2]

En 1154, Egipto es fatimita. En El Cairo reina un califa chiíta, por consiguiente herético a los ojos de los sunnitas del califato de Bagdad. Nur al-Din, que acaba de unificar Siria, va a volverse ahora hacia Egipto. Se propone un objetivo religioso, poner fin a la herejía chiíta, y un objetivo político, unificar de una vez el mundo musulmán, para terminar después con el infiel: los cristianos de los Estados latinos.

Los latinos han apresurado la unificación de Siria con sus torpezas. Ahora, han de emplear todas sus fuerzas para evitar la unión sirio-egipcia.

En esta coyuntura, las órdenes militares disponen de un margen de maniobra estrecho. Son las depositarias de la idea de cruzada y de la idea de guerra permanente contra el infiel, por lo cual adoptan una actitud agresiva con respecto a este último. Están siempre disponibles para efectuar una incursión aquí, para participar allá en una campaña. Pero su experiencia de las cosas de Tierra Santa, su competencia militar, su conocimiento del adversario les aconsejan la prudencia. Las conquistas no significan nada si no se conservan. Ahora bien, el reino de Jerusalén, por no poner más que ese ejemplo, no puede sostener más que a seiscientos caballeros; las órdenes militares reúnen otros tantos. Si se toma en cuenta a los sargentos y a los auxiliares de todo tipo, se obtiene un hermoso ejército de combate. Sin embargo, no basta para la defensa. Por lo tanto, si bien no hay otros límites para los objetivos militares que la capacidad de dirigir victoriosamente a esas tropas, hay un límite evidente para los objetivos políticos: la escasez de la población franca, que sin duda no sobrepasó nunca las ciento cincuenta mil personas. Los Estados latinos tienen que adaptar sin cesar sus objetivos a los medios humanos de que disponen en permanencia, y no sólo a los medios militares que reúnan ocasionalmente, con la llegada de una cruzada, por ejemplo.

Esto lo saben las órdenes militares. Los latinos de Tierra Santa, los colonos, a quienes los textos de la época llaman los *poulains,* también. Pero el cruzado que acaba de desembarcar de Occidente no quiere saberlo. Ha venido para luchar contra el infiel y no para firmar treguas. No se priva de tratar de capitulador, incluso de traidor, al *poulain* de Palestina que acepta componendas con el infiel. La prudencia de que dan pruebas las órdenes en ciertos casos les valen las mismas acusaciones. Durante el sitio de Damasco, por ejemplo.

Por eso no se puede aceptar el esquema tradicional que hace de las órdenes militares las aliadas naturales de los cruzados occidentales contra los latinos de Oriente.[3] Básicamente, por tres razones como mínimo.

En primer lugar, las órdenes no son homogéneas. Entre ellas se encuentran permanentemente *poulains* y cruzados. Sus pérdidas humanas, las del Temple sobre todo, son considerables, y tienen que colmar los huecos llamando a Siria-Palestina a los hermanos caballeros y los hermanos sargentos de sus casas de Occidente. Éstos llegan con la mentalidad del cruzado normal. Aunque atenuados por la disciplina y la fidelidad a la orden, surgen los conflictos. Por ejemplo, la política egipcia de Gilberto de Assailly, Gran maestre del Hospital, provoca en 1168 una crisis grave en su orden. Y lo mismo que ocurrió con la de Trémelay en 1152, no todos los hermanos aceptan la elección de Ridefort como maestre del Temple.

En segundo lugar, existen también conflictos entre las dos órdenes militares. Ya veremos en un capítulo posterior cómo deben apreciarse sus relaciones. Recordemos de momento que son rivales, no enemigas.

En tercer lugar, después de la muerte del rey Amalrico en 1174, los problemas dinásticos, las minorías de los reyes y las regencias debilitan la autoridad real y originan divisiones profundas en las clases dirigentes del Estado, divisiones que no se reducen a una oposición entre *poulains* y cruzados.

El rasgo más señalado de la vida política y militar de los Estados latinos en esta segunda mitad del siglo XII es la intervención cada vez más acentuada de las órdenes militares. Más allá quizá de lo que desearían; más allá, en todo caso, de lo que su vocación les exige. Pero era inevitable.[4]

Una participación acrecentada en las operaciones militares

En países en que la población movilizable se estanca, incluso disminuye, en una cristiandad que tiende a hablar de la cruzada, más bien que a hacerla, las órdenes militares pueden proporcionar y renovar constantemente hombres, medios, dinero. La parte que toman en las campañas militares aumenta y, síntoma que no engaña, los escritos históricos de la época hablan cada vez más de ellas. Se señalan sus actos de valor o de temeridad; se cifran sus pérdidas; se menciona la muerte en el combate o la captura de algunos dignatarios de la orden. Los maestres Beltrán de Blanquefort en 1157, Eudes de Saint-Amand en 1179-1180, Gerardo de Ridefort en 1187 fueron hechos prisioneros tras combates desafortunados.

Las fuerzas militares de los Estados latinos no pueden batirse en dos frentes sino a costa de una gran movilidad y de una utilización perfecta de los contingentes de cruzados. En 1176, Felipe de Flandes prestará su ayuda a los Estados del Norte. El rey de Jerusalén le proporciona cien caballeros y dos mil sargentos. El Gran maestre del Hospital y «la mayor parte de los templarios del reino»[5] le acompañan. De manera que, precisa Ernoul, no quedarán más de «quinientos caballeros, tanto del Temple, como del Hospital, como del siglo, en el reino». Creando una diversión, el sucesor de Nur al-Din, Saladino, ataca al sur, por la parte de Gaza. Los templarios no pueden alinear más que ochenta caballeros al lado de los del reino. Observemos que, dejando aparte al Gran maestre, los hospitalarios parecen curiosamente ausentes de los combates en los años 1176-1180, al menos en los textos. Sin embargo, en noviembre de 1177, en

Hontgisard, gracias a su cohesión y a la rapidez de ejecución de la famosa carga de caballería pesada, consiguen infligir al emir una derrota completa. Inmediatamente después, las tropas reales y los templarios suben hacia el norte para reforzar la frontera del Jordán en Galilea. Edifican en el Vado de Jacob, por debajo de Safed, el castillo del Châtelet, cuya defensa se confía a los templarios. En 1179, Saladino ataca en esta región, derrota a las tropas reales en Beaufort (ocasión en que fue hecho prisionero el maestre del Temple) y se apodera, tras cinco días de sitio, del castillo recién edificado.[6]

La vida de los hermanos del Temple en Oriente está rimada, pues, por esas incursiones, esas marchas, esas batallas, y por las treguas más o menos respetadas. Las agotadoras operaciones hacen daño y cuestan caras. Un historiador musulmán cuenta que, en el Vado de Jacob, se capturó dentro del castillo a ochenta caballeros, en su mayoría templarios, con sus escuderos y *valets* de armas, quince comandantes con cincuenta hombres cada uno (se trata probablemente de tropas locales alistadas por el Temple, artesanos, herreros, carpinteros, canteros, albañiles) y cien prisioneros musulmanes.[7] Mil hombres, la mayoría de ellos asesinados en el mismo lugar. Añadamos que los templarios hechos prisioneros en Beaufort fueron todos ejecutados, a excepción del maestre Eudes de Saint-Amand, que murió en prisión.

Las campañas militares más importantes de este período son las llevadas a cabo en Egipto por el rey Amalrico I, entre 1163 y 1168. En Egipto, el poder se halla en plena descomposición. El puesto clave de visir es objeto de ásperas disputas, y cada competidor, para obtenerlo o para conservarlo, busca apoyos en el extranjero, ya sea en los francos de Jerusalén o en los musulmanes de Damasco. En posesión entonces de las riendas del poder, el visir Chawar se ha convertido en un maestro en el arte del doble juego. De 1163 a 1167, las tres expediciones dirigidas por Amalrico se han desarrollado siguiendo el mismo esquema. El objetivo es Bilbeis, la antigua Pelusa, llave del delta. En cada una de las ocasiones, los latinos responden a la invitación de un clan egipcio y chocan con otro, sostenido por los sirios. Por lo demás, Nur al-Din ha encargado de la defensa de Egipto a dos hombres de valía, Chirkuh y Saladino. Como no se produce nada decisivo, la expedición concluye en un acuerdo. Las «fuerzas extranjeras» francas y sirias abandonan el país a cambio de un tributo.

Sin embargo, en 1167, los francos consiguen una ventaja segura. Acuden llamados por el visir Chawar, que quiere desembarazarse de Chirkuh. En el Alto Egipto y en Alejandría, sitiada por los latinos y defendida por Saladino, se desarrollan combates confusos. La situación se estanca. Hasta que se llega a un acuerdo: se levanta el sitio, Saladino abandona el lugar y los francos pueden dejar una guarnición en El Cairo, con la misión de controlar la ejecución de los acuerdos concluidos con Chawar y proteger a los funcionarios francos que recogen los tributos prometidos por el visir. Negocia el tratado una delegación dirigida por Hugo de Cesarea y un dignatario importante del Temple, Godofredo Fouchier, cuyo papel fue sin duda esencial.[8] Se impone en Egipto una especie de protectorado franco, lo que constituye un objetivo político y militar razonable, sobre el cual pudo llegarse a un amplio consenso en el reino. El Temple ha participado en todas estas expediciones egipcias. Según se dice, perdió seiscientos caballeros y doce mil sargentos, cifras que parecen exageradas.[9]

No obstante, al año siguiente, el Temple se niega categóricamente a participar en la nueva campaña decidida contra Egipto so pretexto de que Chawar sabotea la aplicación del acuerdo del año 1167. Cansados del doble juego de Chawar, que piensa, dicen, en llamar a Chirkuh, se forma en Jerusalén un partido dispuesto a todo, que tiene a su cabeza a Milón de Plancy, senescal del reino, y Gilberto de Assailly, Gran maestre del Hospital. Dicho partido se propone como objetivo aprovechar las infracciones, reales o supuestas, de Chawar contra el acuerdo de El Cairo para someter totalmente Egipto. Mostrándose en esta cuestión más hábil político, el maestre del Temple, Beltrán de Blanquefort, rechaza la idea de que los latinos tomen la iniciativa de una ruptura de los tratados, ya que esto determinaría sin la menor duda la intervención masiva de los sirios. Por una vez, Guillermo de Tiro, que ha dedicado su historia al rey Amalrico, aprueba a los templarios.

> El maestre del Temple y los demás hermanos no quisieron mezclarse en este asunto y dijeron que no seguirían al rey en esta guerra [...]. Es muy posible que se dieran cuenta de que el rey no tenía buenas razones que invocar para hacer la guerra a los egipcios, contra las conveniencias que habían sido confirmadas por su juramento.[10]

Blanquefort, fiel a la palabra dada, defiende un tratado negociado, entre otros, por el templario Fouchier.

La actitud del Temple se explica por otra razón. La meta asignada a la campaña de Egipto de 1168 no es ya el establecimiento de un protectorado, sino la conquista total del país. Lo confirma un acuerdo firmado entre el rey Amalrico y Gilberto de Assailly el 11 de octubre de 1168. A cambio de su participación militar, se concede al Hospital Bilbeis y su territorio, además de bienes y rentas importantes en una decena de ciudades repartidas por todo Egipto.[11] Un objetivo nada realista, teniendo en cuenta la escasez en medios humanos de los latinos. Además, el Temple está sólidamente instalado en Gaza, puede esperar la posesión de Ascalón, y la frontera egipcia supone para él un coto de caza en el que no quiere enfrentarse a la competencia del Hospital.

Se ha aventurado un último motivo: las ciudades italianas de Pisa y Venecia hacen un comercio fructuoso con Alejandría. Salvo en 1167, sólo han sostenido de boquilla, sin emplear su flota, las acciones francas en Egipto. Los templarios mantienen unas relaciones excelentes con estas ciudades y, por lo tanto, adoptan ahora la misma actitud. De acuerdo. Pero ¿por qué sí en 1168, y no en 1163-1167?[12]

El rey Amalrico, de ordinario más comedido, sigue los consejos de su amigo Assailly. La expedición termina en un fracaso. Su único resultado fue que Saladino entrase triunfalmente en El Cairo, se deshiciese de Chawar, ocupase su lugar como visir y, por último, restableciese la ortodoxia sunnita. El califato fatimita ha llegado a su término. Saladino actúa en principio en nombre de Nur al-Din; por consiguiente, en principio también, se ha realizado la unión sirio-egipcia. En realidad, Nur al-Din y Saladino acaban por ser rivales. La unidad del mundo musulmán no será un hecho hasta después de la muerte de Nur al-Din, ocurrida en 1174, y lo será en provecho de Saladino. Entre los musulmanes, afloran sin cesar las disensiones, que sin duda retrasaron el final de los latinos.

La lección de 1168 es amarga. Por primera vez, una orden militar, el Hospital, ha pesado de manera decisiva en una decisión política. Y por primera vez, una orden, el Temple, ha negado su apoyo al rey de Jerusalén.

Un papel político creciente

En 1148, una vez que Luis VII se reúne en Acre con el emperador Conrado III, se celebra un consejo para preparar el ataque contra Damasco. Los maestres del Temple y del Hospital asisten a él. Cada vez que llega un contingente de cruzados importante, consejos de guerra de este género agrupan en torno al rey y los jefes cruzados a los principales dignatarios laicos y eclesiásticos del reino, incluidos los jefes de las dos órdenes, para determinar un objetivo militar compatible con los intereses generales de los Estados latinos. Lo mismo sucede con ocasión de la llegada del conde de Nevers en 1168 y con la del conde Felipe de Flandes en 1176. Se trata de campañas militares, y la presencia de las órdenes se impone.

Pero los dos maestres se convierten en miembros de derecho del consejo para todas las decisiones políticas de importancia. En 1177, el consejo ofrece ante ellos la regencia al conde de Flandes, puesto que el rey Balduino IV es menor de edad. Salvo excepción –Assailly en 1168, Ridefort en 1185-1187–, los maestres de las órdenes ejercen una influencia moderadora en el gobierno del reino, puesto que...

... los establecimientos latinos en Oriente son su razón de ser. Ocurra lo que ocurra, cualquiera que sea la aspereza de sus querellas con el gobierno o entre ellos, no pueden abandonar el país, como los cruzados o los mercaderes italianos. Les interesa que las disputas se solucionen.[13]

En consecuencia, se recurre a los dignatarios de las órdenes como árbitros en las querellas locales. En 1181, Bohemundo III de Antioquía repudia a su mujer, lo que desencadena un violento conflicto con el patriarca de Antioquía, que le excomulga. Al prolongarse, tal conflicto debilita a los latinos. El rey de Jerusalén se inquieta. Envía, pues, una misión de conciliación formada por cuatro personas, entre ellas los maestres del Temple y el Hospital.[14]

Cuando Rinaldo de Châtillon, señor del Crac de Moab, desobedece abiertamente a su rey en 1186, cuando el rey Guido de Lusiñán se decide en 1187 a negociar con su adversario, el conde Raimundo de Trípoli, se solicita la intervención de los maestres de las órdenes, que acceden a la petición. A veces, no se dirigen directamente a ellos, sino que se pide la mediación del papa, que les designa como árbitros.

En fin, son excelentes diplomáticos y embajadores. Everardo des Barres negocia con el emperador bizantino Manuel I el paso de la segunda cruzada por Constantinopla; Godofredo Fouchier es uno de los artífices del tratado con Egipto en 1167; Felipe de Naplusia, que acaba de renunciar al maestrazgo del Temple, representa al reino en Constantinopla en 1171. En 1184, el rey Balduino IV, que se enfrenta en Jafa a la rebelión de Guido de Lusiñán, despide furioso a los maestres de las órdenes, que han venido a interceder por él, y les envía a Occidente en busca de ayuda y socorro.

Las relaciones de las órdenes con el clero secular de Tierra Santa están dominadas por la cuestión de las exenciones y privilegios concedidos por el papa y cuya interpretación suscita conflictos. Aunque más complejas, las relaciones conflictivas entre las órdenes y los poderes laicos son de la misma naturaleza. Las órdenes tienen tendencia a ganar autonomía con respecto al rey de Jerusalén y con respecto al príncipe de Antioquía. La evolución sigue un ritmo diferente en los Estados del Norte y en Jerusalén.

En Antioquía y en Trípoli, se les han concedido vastos territorios en las marcas fronterizas, siguiendo unas modalidades que adquirieron en seguida valor de reglas: cesión de todos los derechos del príncipe; derecho para los hombres de la marca de comerciar libremente en todas partes; compromiso del conde o del príncipe de no concluir treguas con los musulmanes sin el acuerdo de las órdenes (más tarde, el príncipe de Antioquía aceptará incluso que los hospitalarios no estén obligados a respetar las treguas que él haya establecido); participación en el botín durante las operaciones militares únicamente en el caso de que el príncipe se halle presente.[15]

En Trípoli, el Hospital reúne así en torno al célebre Crac de los Caballeros una marca que ocupa casi la mitad del condado. Limita con los emiratos de Homs y Hama y con el territorio de la secta de los asesinos. Un poco más tarde, el Temple constituye una marca más reducida alrededor de la ciudad de Tortosa, ciudad que se le concede en 1152. En las fronteras de Antioquía y la Cilicia armenia, los templarios poseen Baghras y su región desde los años 1131-1138; en 1186, los hospitalarios reciben Marqab, que linda con el condado de Trípoli. Desde allí, vigilan el territorio de los asesinos al norte, lo mismo que lo vigilan desde el Crac al sur.[16]

Estas concesiones exorbitantes, puesto que convierten a las órdenes en potencias autónomas, libres de fijar su política exterior, son el resultado de la incapacidad en que se encuentran los Estados del Norte de asegurar su propia defensa. La concesión de los territorios se lleva a cabo en muchos casos después de una derrota y hay que reconquistarlos parcialmente.

La situación no es la misma en Jerusalén, donde la autoridad real se ejerce aún plenamente y dispone de medios para asegurar su defensa, con ayuda de las órdenes. Las tentativas de crear una marca próxima a Egipto no dan resultado. Las relaciones entre las órdenes y el rey no pueden ser de potencia a potencia, como sucede en el norte. La autoridad real acaba por imponerse, como ilustran muy bien los tres incidentes graves que oponen el rey Amalrico al Temple.

En 1165, Nur al-Din se apodera por traición de las grutas fortificadas de Tyron, cerca de Sidón, consideradas como inexpugnables. Después va a sitiar un castillo templario próximo. Al acudir rápidamente en socorro de éste, Amalrico comprueba que la guarnición se ha rendido sin ofrecer una resistencia seria. Airado, el rey hace colgar a doce templarios. No se sabe que el maestre del Temple haya reaccionado.

Segundo conflicto en 1168, a propósito de Egipto. El fracaso de la expedición da la razón al Temple y, en consecuencia, las cosas no van más lejos.

En 1173, se produce el célebre incidente con la secta de los asesinos. Unas palabras para situar ésta. La secta chiíta de los ismailitas se divide en una rama persa, con base en al-Alamut, al sur del mar Caspio, y una rama siria, instalada en la montaña de los Asesinos. Un jefe que goza de una gran autoridad, el «Viejo de la Montaña», dirige esta secta mística, cuyos miembros más puros y más leales, los *fidai,* reciben el nombre de asesinos porque se drogan con hachís para llevar a cabo ciertas operaciones. La palabra hizo fortuna y tomó su sentido actual, ya que el método favorito del Viejo y de los fieles fanatizados que le obedecían consistía en el asesinato terrorista.

Los asesinos combaten sobre todo a los sunnitas de Siria y Persia, por lo tanto pueden convertirse en «aliados objetivos» de los latinos, aunque hayan ejecutado a Raimundo II de Trípoli en 1152. ¿Les condujo esto a querer convertirse al cristianismo? Por lo menos, así lo afirma Guillermo de Tiro. En este campo, nuestro arzobispo tiene tendencia a tomar sus deseos por realidades. Ya había acusado a los templarios de haber vendido a Egipto en 1154, por afán de lucro, a un favorito del califa, Nasr, culpable de complot y refugiado en los dominios de los templarios. Según Guillermo, deseaba convertirse. Los templarios no se dejaron engañar, según parece.[18] Del mismo modo, conviene acoger con reservas su relato concerniente a la conversión de los asesinos. Veamos lo que en sustancia nos dice Guillermo: el Viejo se pone en contacto con el rey Amalrico, que ejerce la tutela del condado de Trípoli en ausencia de Raimundo III, hecho prisionero. Anuncia su intención de convertirse, él y su secta, a condición de que los templarios de Tortosa renuncien al tributo de dos mil besantes que reciben de él. Se negocia. Con gran entusiasmo, se llega a un acuerdo entre el rey y los enviados del Viejo. Al volver a su montaña, éstos caen en una emboscada tendida por los templarios de Trípoli. Furor del Viejo y cólera del rey, que envía dos barones al maestre del Temple, Eudes de Saint-Amand, entonces en Sidón, para pedir el castigo del culpable, un templario orgulloso, altanero (pero esta imagen se convierte en estereotipo en los cronistas) y tuerto, Gualterio du Mesnil. Saint-Amand afirma que ya le ha sancionado y que va a enviarle a Roma, y prohíbe a los dos barones, y por consiguiente al rey, tocar a la orden y a sus miembros. El rey Amalrico no está conforme. Corre a Sidón, penetra en la casa del Temple y se apodera por la fuerza de Gualterio, al que encarcela en Tiro para decidir sobre su suerte, sin ocuparse más de los privilegios de la orden. ¿Qué pensaba hacer del culpable? Se ignora, puesto que Amalrico murió en junio de 1174, sin haber tomado ninguna decisión.[19]

Guillermo de Tiro, y otros muchos después de él, vuelven al tema de la codicia. Admitámoslo. Pero la conversión de los asesinos era totalmente ilusoria. No hay que olvidar que actúan dentro del Islam. Cuando el jefe de la rama persa quiso alzarse al rango de Dios viviente y romper con el Islam, ese gesto condenó a muerte a la secta dentro de la región. Un error que el jefe de la secta en Siria no cometerá. Su proyecto de alianza con los cristianos se reduce a una argucia táctica y, después de todo, tal vez los templarios y algunos otros se dieron cuenta.

Poco importa. El caso demuestra que, dentro del reino, existía un poder fuerte, capaz de imponerse a las órdenes militares. De ahí a prescindir de ellas... No. Se ha dicho que Amalrico, irritado por la actitud de los templarios y, más en general, consciente de los peligros que hacía correr al reino la existencia de esas órdenes ricas e independientes, tenía el proyecto de abolirlas. No dejemos que el árbol nos oculte el bosque. Que la animosidad personal entre el rey Amalrico y el maestre de entonces, Eudes de Saint-Amand, que debía de ser, como dicen de manera muy gráfica los textos de la época, un poco «puntilloso», no esconda la profunda solidaridad entre las órdenes y la monarquía jerosolimitana. ¿Suprimir las órdenes militares? ¿En la segunda mitad del siglo XII? Imposible. El papado no lo hubiera permitido nunca, todo el mundo lo sabía.

4

Gerardo de Ridefort, el genio malo del Temple

Unas órdenes militares poderosas y una realeza fuerte: tal es la mejor combinación para salvaguardar los Estados latinos. Por desgracia, en 1174, a la muerte de Amalrico, el poder real se derrumba. El joven y notable Balduino IV padece lepra. Su muerte inicia una crisis política que la acción de Gerardo de Ridefort, el genio malo del Temple, transforma en catástrofe.

La guerra en Oriente hacia 1180

Para comprender el aspecto militar de la crisis, hay que analizar con cuidado los métodos de combate de los latinos, incluidas las órdenes militares.[1]

Cuando llegan a Oriente con la primera cruzada, los occidentales conocen ya el combate a caballo. El herraje de los caballos, la silla, los estribos dan al caballero una seguridad que multiplica su potencia de choque cuando carga. Conocen también la arquería.[2] Pero hasta entonces sólo han entablado combates de escasa amplitud. En Oriente, chocan con un adversario que da preferencia a la movilidad y al combate a distancia. Al caballero pesado de los latinos se opone el arquero montado de los ejércitos orientales. Nubes de flechas contra la carga de la caballería, tal es la oposición de partida.

El caballero franco lleva una cota de malla hecha de anillas metálicas o de placas aplicadas a una tela o a cuero. En el curso del siglo XII, la cota es reemplazada por el jubete, más flexible, más ligero, verdadera malla de pequeñas anillas de hierro. Tanto una como el otro le cubren de la cabeza a las rodillas. Una túnica de tela recubre la armadura para proteger al caballero de los ardores del sol. El yelmo o casco es cilíndrico o redondo. Un nasal protege la nariz, y una serie de placas al nivel del cuello completan su equipo. Los frescos de la capilla de Cressac, en Charente, o las estatuas yacentes de Temple Church, en Londres, los representan así. El caballero se protege con un escudo triangular, primero grande y alargado, luego más reducido y más manejable. Carga sirviéndose de una larga lanza.

En el combate, los caballeros se agrupan en lanzas, banderas, batallas; cargan por oleadas, por regla general tres. La primera debe deshacer las filas adversarias, la segunda completa el trabajo y la tercera constituye la defensa. Los caballeros del Temple se agrupan en escuadrones, que dirigen los comendadores de los caballeros, todos ellos bajo las órdenes del mariscal del Temple. Cada uno tiene determinado su lugar y no debe apartarse de él (artículos 161-163).

A este caballero pesado se enfrenta el caballero ligero de los ejércitos musulmanes (turcos, debería decirse). Desde mediados del siglo XI, los turcos selyúcidas forman la oficialidad militar y política del califato de Bagdad. Ana Comneno, hija del emperador bizantino Alejo Comneno, describe así la táctica de los turcos: «Como armas de combate, no se sirven en absoluto de lanzas, como aquellos a los que se llama celtas, sino que rodean completamente al enemigo, le arrojan flechas y se defienden a distancia».[3]

Sin embargo, no esquematicemos. El mundo musulmán es diverso y, por ejemplo, los ejércitos del califato fatimita de Egipto combaten más bien como los cruzados que como los turcos. Al contacto unos con otros, guerreros francos y guerreros turcos han aprendido a conocerse y han modificado sus técnicas de combate y sus tácticas.

La primera innovación se refiere a la intervención forzosa, junto a los caballeros, de una infantería formada por arqueros, ballesteros y piqueros. Los caballeros franceses de Crécy y de Poitiers han olvidado lo que sus homólogos del siglo XII aprendieron en los campos de batalla de Palestina y Egipto. Raras veces la caballería entabla sola un combate. La infantería prepara la carga de la caballería. Constituye también una muralla protectora para ésta.

Cuando están formados y distribuidos en columna, los peones tienen orden de defender el ejército disparando flechas, a fin de que los caballeros puedan resistir más fácilmente al enemigo. Los caballeros deben ser protegidos por los peones contra las flechas del enemigo, y los peones, apoyados por las lanzas de los caballeros contra las infiltraciones del adversario. Así, mediante su ayuda mutua, ambos quedan protegidos y a salvo.[4]

La segunda innovación ha sido subestimada. Se trata de la creación de una caballería ligera, que combate al estilo turco. Son los turcoples, reclutados entre la población cristiana indígena.[5] Los *retraits* o complementos dedican algunos de sus artículos a estos hombres y su jefe, el turcoplier (artículos 169-172), lo que demuestra que los templarios han adoptado la nueva forma de combate a mediados del siglo XII. El turcoplier dirige también a los hermanos sargentos durante el combate. Los historiadores de la época, que sólo tienen ojos para las bellas cargas de los caballeros, apenas si se interesan por el empleo de estas tropas, que son, sin embargo, más que auxiliares. Las órdenes militares las reclutan como mercenarias, puesto que sus medios financieros se lo permiten. El acuerdo firmado entre Amalrico y los hospitalarios en 1168 prevé que «los hermanos y su maestre deben llevar a esta expedición quinientos caballeros y otros tantos turcoples, bien armados, que han de presentar en Larris [*el-Arish*] para la revista pasada ante el mariscal y el condestable».[6]

Cada uno de los dos adversarios se esfuerza por imponer su método de combate. La carga de la caballería pesada desplegada resulta irresistible en un terreno amplio y descubierto. Dadas las condiciones climáticas de Oriente Próximo, el buen terreno es también aquel en que abundan los manantiales. El caballero, pesadamente armado, se fatiga pronto. Tiene sed, y su montura más que él todavía. Por lo tanto, hay que prever altos frecuentes. Esto explica la elección de Saforia, bien provista de manantiales, para la reunión de los ejércitos del reino.

Para que la carga no encuentre el vacío ante ella, hay que imponer el combate a un adversario cuya táctica ordinaria consiste en eludirlo. Las nubes de flechas de los turcos desmoralizan a los latinos; la huida simulada rompe su cohesión. Los ejércitos de los cruzados tienen que respetar tres imperativos: no dejar que se rompan sus filas; no dejarse separar del grueso de las tropas; no dejar que se separen peones y caballeros. Protegidos por los peones, estoicos bajo las flechas, los caballeros han de esperar, a veces durante largas horas, el momento oportuno para que su carga destruya al adversario. Sólo un comandante de valía reconocida puede dominar todos esos datos. En 1170, en Darón, Amalrico tropieza con un ejército musulmán muy superior en número. Reagrupa entonces a sus caballeros y sus peones sobre un túmulo y resiste durante toda la jornada, sin dejarse arrastrar a ningún movimiento desordenado. A la noche, Saladino evacua el campo de batalla; aquel día, no hubo carga. En 1177, Balduino IV, con una pequeña tropa, apoyada por ochenta templarios, se lanza sobre el grueso del ejército de Saladino. Al ver que éste no se encuentra todavía formado en orden de batalla, Balduino dispone inmedia-

Interior de la iglesia del Temple en Londres. En primer término pueden verse diversas efigies de cruzados.

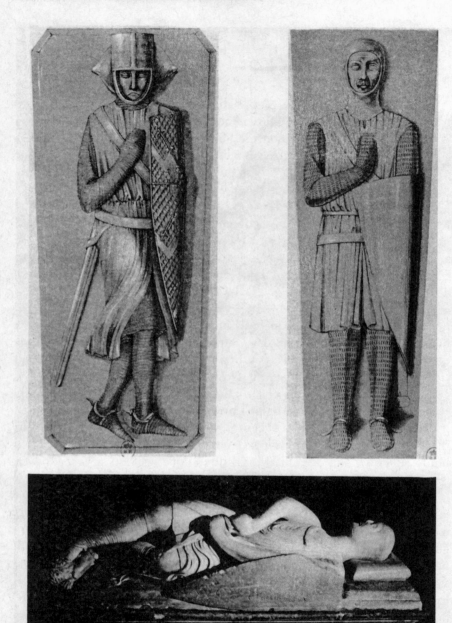

Efigies de cruzados. Durante mucho tiempo, se ha identificado la efigie superior derecha, de la iglesia del Temple en Londres, como correspondiente a Geoffrey de Mandeville, muerto en 1144. Claramente posterior, data de comienzos del siglo XIII.

tamente sus líneas de caballeros y lanza una carga devastadora. Fue la victoria de Montgisard.[7]

En 1179, por el contrario...

> ... el rey Balduino el Leproso combatió a Saladino, sultán de Egipto, en un lugar llamado Margeleón, y el rey fue derrotado lo mismo que su gente, a saber, Eudes de Saint-Amand, maestre del Temple, y Balduino de Ibelín y varios caballeros. Y yo creo que esto sucedió porque confiaron más en su fuerza que en la virtud de la santa cruz que habían dejado en Tabaria.[8]

En realidad, se lanzó la carga demasiado pronto. Las tropas de Saladino emprendieron la fuga, pero los peones se desbandaron para entregarse al saqueo, y los caballeros rompieron su cohesión para seguir a los fugitivos. Saladino recuperó el dominio de sus tropas y contraatacó sin dificultad.

Los desplazamientos del ejército son peligrosos. A ese respecto, los templarios, respetando los mismos imperativos que durante la batalla, han ideado el desplazamiento en columna, eficaz contra el acoso de la arquería montada. La prueba se obtuvo durante la segunda cruzada. Anticipemos un poco sobre la tercera. Después de la reconquista de Acre, en 1191, el ejército parte hacia el sur bajo la dirección del rey de Inglaterra, Ricardo Corazón de León. Hospitalarios y templarios se turnan en la vanguardia y la retaguardia. En el centro, va el grueso de la tropa, con los carros, el material y las provisiones. Constituye el vientre blando de la columna, flanqueado por la infantería, que lo protege con sus escudos. Las tropas de Saladino acosan sistemáticamente la retaguardia, para obligarla a ponerse en posición de combate y, por lo tanto, a detenerse y a aislarse del resto del ejército. Un día, pasada ya Cesarea, «la hueste estaba más cerrada de lo que había estado en ninguna otra ocasión. La retaguardia había sido confiada a los templarios que, al llegar la noche, se golpeaban el pecho, pues habían perdido tantos caballos que quedaron desalentados». Otro día, el Hospital ocupa la retaguardia. Empujados por los turcos, los hermanos se impacientan: «San Jorge, ¿permitiréis que nos destruyan así? ¿Los cristianos han de perecer ahora sin entablar batalla?». Es Guarnerio de Naplusia, Gran maestre de la orden, el que así habla. Va al encuentro del rey y le dice: «Señor, es un gran deshonor y vergüenza para nosotros vernos maltratados así, ya que estamos perdiendo todos nuestros caballos». Y el rey le responde: «Paciencia, hermoso señor, un hombre no puede estar en todas partes a la vez». Se prepara con cuidado una carga. «Si hubiesen seguido el plan, hubieran destruido a todos los turcos; pero fracasaron por culpa de dos hombres, que no pudieron evitar el cargar... Uno de ellos era un caballero, el mariscal del Hospital.»[9]

Sin embargo, según advierten todos los observadores, las órdenes militares eran disciplinadas. En su relato de la tercera cruzada, Ambrosio se lamenta con frecuencia de la indisciplina de los «peregrinos», pero nunca, salvo en esta ocasión, de la indisciplina de las órdenes. En realidad, el Temple tiene más que temer de la desmesura, de la temeridad de sus jefes que de esos casos de desobediencia individual, raros al fin y al cabo. Por su impulsividad, Eudes de Saint-Amand fue responsable de muchos fracasos durante el maestrazgo (1171-1179). ¿Y qué decir de Gerardo de Ridefort que, cegado por el odio, acumuló los errores tácticos en 1187?

Crisis política en Jerusalén

En 1180, después de las derrotas aplastantes del año anterior, se convinieron treguas con Saladino. El abatimiento y el derrotismo se apoderaron de los latinos. «El corazón de sus habitantes estaba encadenado por el miedo», dice un historiador árabe. Y Guillermo de Tiro señala que, al norte, «los caballeros del Temple que vivían en esta región se encerraron también en sus castillos, esperando verse sitiados en cualquier instante».[10]

El reino va a la deriva. Las treguas se rompen apenas concluidas, por la iniciativa de aventureros como Rinaldo de Châtillon. Las operaciones militares, nunca decisivas, minan la resistencia y la moral de los francos. Se produce entonces una grave crisis política, en la que se compromete por completo la orden.

El rey Balduino está leproso y, a pesar de todo su valor, sólo puede gobernar de manera intermitente. El resto del tiempo, abandona el reino a los hombres que se hallan en situación de dirigirlo. Son dos. En primer lugar, Raimundo III, conde de Trípoli y señor de Tiberíades, un *poulain* apreciado por todos los barones de Tierra Santa y una gran parte del clero. Ha pasado diez años en las prisiones musulmanas, y el Hospital ha pagado el rescate que le permitió quedar libre en 1174. Ha ejercido la regencia del reino de 1174 a 1176. En este año, Balduino, llegado a la mayoría de edad, toma el poder, apoyándose en otra camarilla, cuyo abanderado es Guido de Lusiñán.

Frente al partido de los barones, el partido de la corte, formado, no por recién llegados, por cruzados que acaban de desembarcar, como se ha dicho, sino por gente que se ha conquistado una situación gracias a protecciones, intrigas o matrimonios. No se trata de herederos. Rinaldo de Châ-tillon lleva treinta años en Siria (durante diez ha sido, por su matrimonio, príncipe de Antioquía) y en Palestina. Prisionero durante dieciséis años, se ha situado bien en el reino, obteniendo la señoría meridional del Crac de Moab y de Ultra Jordán. Guido de Lusiñán, llegado poco antes de Poi-tou, se ha casado con Sibila, hermana de Balduino IV y madre del here-dero del trono, Balduino V.[11]

A partir de 1183, el rey cambia de actitud. La hostilidad de la nobleza frente a Lusiñán, los fracasos de éste, conducen a Balduino a volverse de nuevo hacia Raimundo. La pugna de intereses de ambos grupos se centra sobre el problema de la sucesión de Balduino IV. Éste se siente morir, y su heredero no tiene más que cinco años. Se abre, pues, la perspectiva de una larga regencia. ¿En provecho de su hermana Sibila, y por lo tanto de Lusiñán, o en provecho de Raimundo? Y si Balduino muere siendo aún niño, ¿quién le sucederá? Para evitar a Lusiñán, Balduino hace que la Alta Corte del reino, formada por los barones y los obispos, adopte una solución dinástica que remite la elección del futuro rey a una comisión compuesta por el papa, el emperador y los reyes de Francia e Inglaterra.

Balduino IV muere en 1185; Balduino V, su sucesor, en 1186. El parti-do de Lusiñán maniobra con habilidad contra Raimundo de Trípoli y, gra-cias a un verdadero golpe de Estado, hace anular las disposiciones suce-sorias tomadas por Balduino IV. El 20 de julio de 1186, Sibila y Guido son coronados en el Santo Sepulcro por el patriarca, que pertenece a su ca-marilla. El maestre del Temple, Gerardo de Ridefort, representó un papel decisivo en ese golpe de Estado.

Natural de Flandes, ha llegado a Tierra Santa durante el reinado de Amalrico I. Jactancioso y alborotador, verdadero aventurero, le llaman el «caballero errante». Entra al servicio de Raimundo de Trípoli como ca-ballero asalariado, es decir, que ha recibido un feudo en forma de renta, un feudo de «soldada». Está legítimamente deseoso de situarse, y su se-ñor le promete la mano de la primera rica heredera disponible. Debió de haber sido Lucía, heredera del feudo de Botrón. Pero escaso de dinero, el conde de Trípoli no sabe resistirse a las promesas, muy atractivas, de un rico pisano. Y olvida la suya. Ofendido, Ridefort albergará contra él des-de entonces un odio mortal. Gerardo abandona Trípoli y reaparece algo más tarde en Jerusalén como mariscal del reino. Después, tras una enfer-medad de la que se cura en el Temple, pronuncia los tres votos y entra en la orden. Su ascensión es rápida, puesto que se le nombra pronto senescal (en 1183, firma un acta con este título). El maestre del Temple, Arnaldo de Torroja, muere en Verona a finales de 1184, durante una embajada a las cortes europeas. A principios de 1185, el capítulo de la orden designa a Gerardo para sucederle.

M. Melville ha emitido la hipótesis de una reticencia por parte de algunos de los hermanos respecto a Ridefort. Por su orgullo y su arribismo, Ridefort les recuerda al penúltimo maestre, Eudes de Saint-Amand. Entre los dos, ha habido el maestrazgo de Arnaldo de Torroja, hombre procedente de las encomiendas de Occidente, preceptor en España, formado en la orden y con la garantía de una cierta moderación. ¿Los partidarios de la tradición de la orden contra los perros rabiosos? ¿Y por qué no? Sólo que la elección era secreta.[12]

Ridefort se lanza entonces con pasión en las intrigas políticas del momento, y será el principal artífice del éxito de Guido de Lusiñán. Adormeciendo la desconfianza de Raimundo, los templarios han trasladado el féretro del niño Balduino V desde Acre a Jerusalén, donde se celebrará el entierro y donde se halla reunido todo el partido de Lusiñán. Raimundo de Trípoli y sus partidarios están en Naplusia. Raimundo prohíbe en vano a Sibila que se haga coronar. En vano le pide que se mantenga fiel a la solución dinástica dispuesta por su hermano. El patriarca de Jerusalén y Ridefort apremian, por el contrario, para que se lleve a cabo la coronación de la reina, «a pesar de los barones de la tierra, el patriarca por amor a la madre de la reina, y el maestre del Temple por el odio que siente contra el conde de Trípoli», nos dice Ernoul.[13] La corona real está depositada en el tesoro del Santo Sepulcro. Sólo disponen de las llaves el patriarca y los maestres del Temple y el Hospital. Este último, Roger des Moulins, se niega a entregar las suyas y se retira al vasto hospital de San Juan, muy próximo. Ridefort y Rinaldo de Châtillon le persiguen hasta allí. Harto ya, Roger des Moulins acaba por ceder y tira las llaves al patio. ¿Compartían todos los hospitalarios su actitud hostil a Lusiñán? Nada menos seguro.[14]

La coronación del 20 de julio llena de alegría a Ridefort, que, según se dice, pronunció las palabras siguientes: «Esta corona compensa bien el matrimonio de Botrón».[15] Poco a poco, los barones reunidos en Naplusia se resignan. Raimundo de Trípoli rechaza el hecho consumado y se retira a Tiberíades. Temiendo un ataque de Lusiñán, sella un acuerdo con Saladino. Es más que una tregua. Cierto que este tipo de acuerdo no supone ninguna novedad en el Oriente latino. Cierto también que las amenazas eran reales. Consultado por Guido de Lusiñán, Ridefort le ha aconsejado que vaya a desalojar a Raimundo de Tiberíades. Pero en la grave situación en que se encontraba entonces el reino, tal acuerdo con Saladino podía considerarse como una traición.[16]

De todas maneras, la presión de los barones obliga al rey a negociar con Raimundo para intentar restablecer la unión, ya que Saladino pasa a la ofensiva en 1187.

Hattin

A comienzos de año, Rinaldo de Châtillon se ha apoderado, a pesar de las treguas, de una gran caravana musulmana. Saladino exige reparación al rey. Éste ordena a Rinaldo que restituya el botín. Rinaldo se niega con altivez. Saladino no esperaba más que eso. Moviliza y galvaniza el mundo musulmán y, en la primavera, reúne el más formidable ejército jamás reclutado por los musulmanes.

A pesar de sus divisiones, el reino de Jerusalén reacciona. Guido de Lusiñán envía una delegación a Raimundo. Gerardo de Ridefort y Roger des Moulins forman parte de ella. Por el camino, tropiezan con un destacamento musulmán que Raimundo está obligado a dejar pasar por su territorio de Tiberíades en virtud de la tregua acordada tan imprudentemente. Gerardo de Ridefort lo considera como la prueba evidente de la traición del conde. En el acto, moviliza a los ochenta templarios del castillo vecino de la Fève y, con la decena de hospitalarios presentes y cuarenta caballeros de Nazaret, decide atacar, a pesar de una inferioridad numérica abrumadora. Rechaza con desprecio la opinión del maestre del Hospital y de un caballero del Temple, Jacquelin de Mailly, partidarios de eludir el combate.[17] Naturalmente, el 1 de mayo, en el lugar llamado la Fuente del Berro, los cristianos son aniquilados. Sólo –o casi– consigue escapar Ridefort. A partir de entonces, los acontecimientos se precipitan. Guido y Raimundo se reconcilian, al menos en apariencia.

Siguiendo el consejo de Ridefort, el rey convoca todas las fuerzas del reino. Ciudades y fortalezas se vacían de sus guarniciones. Ridefort se ofrece a contribuir al pago de esas tropas con la parte del tesoro del rey de Inglaterra, Enrique II, confiada a los cuidados del Temple. En efecto, para expiar el asesinato de Becket, Enrique II ha hecho voto de cruzada y ha enviado a Tierra Santa cantidades importantes de dinero, que han sido entregadas a los hospitalarios y los templarios con prohibición formal de tocarlas antes de su llegada. En caso contrario, el rey se reembolsará con los bienes de las órdenes en Inglaterra. Ni siquiera la embajada enviada a Occidente en 1184, convencida de que Enrique II no tomará nunca el camino de Jerusalén, ha logrado obtener de él que

Grabado del siglo XIX que representa la muerte de Jacquelin de Mailly, mariscal del Temple según la tradición (en realidad, simple caballero), durante la batalla de la Fuente del Berro, imprudentemente entablada por el maestre del Temple, Gerardo de Ridefort, el 1 de mayo de 1187.

abandone el tesoro. «Queremos un príncipe con necesidad de dinero, no un dinero con necesidad de príncipe», se dice que declaró el patriarca de Jerusalén.

A pesar de esto, Ridefort abre los cofres y puede pagar así de cuatro a cinco mil peones.[18]

Saladino ha puesto sitio a Tiberíades, que defiende Esquiva, la mujer de Raimundo. Éste se encuentra en Saforia, donde efectúa su concentración todo el ejército del reino. Su opinión se impone: no abandonar el lugar, donde abundan los manantiales; no buscar el combate; esperar a que el ejército de Saladino se desbande, ya que no puede permanecer mucho tiempo movilizado. Sin embargo, durante la noche, Ridefort acude a ver al rey, atiza su desconfianza contra Raimundo, el «traidor», y excita su vanidad, demostrándole que sólo una victoria militar le asegurará definitivamente el trono. «El rey no se atrevió a contradecirle, pues le quería y le temía a la vez, ya que fue él quien le hizo rey y le entregó el tesoro del rey de Inglaterra.»[19] Para lograr una victoria, hay que moverse y obligar a Saladino a levantar el sitio de Tiberíades.

En la mañana del 3 de julio, el ejército recibe con sorpresa la orden de ponerse en camino. Durante todo el día, por un desierto árido, bajo un cielo de plomo, muertos de sed hombres y caballos, la columna avanza con una lentitud desesperante, hostigada por las flechas. Fatigados por las pesadas armaduras, que no pueden quitarse, los caballeros, y con ellos los peones, tienen que acampar a medio camino, sin lograr alcanzar siquiera las fuentes, poco alejadas, de Kafr Hattin, a pesar de un cambio de itinerario aconsejado por Raimundo. El calvario continúa al día siguiente. Los arqueros francos, que van a pie, están en posición de inferioridad con respecto a los arqueros montados del adversario; los turcoples, esencialmente pertenecientes a las órdenes militares, no logran alejar a estos últimos. Las cargas del Temple, que asegura la retaguardia, fracasan por falta de apoyo.

Cuando los musulmanes incendian los matorrales, aprovechando una brisa favorable para los latinos, se produce lo irreparable. Los peones se desbandan, arrojan sus armas y se rinden o van a refugiarse en la cima de la montaña de los Cuernos de Hattin. Al quedarse sin protección, la caballería sufre pérdidas enormes. Los caballos caen heridos por las flechas o muertos a hachazos. Desmontados, abrumados de cansancio y de sed, los caballeros se refugian en la cumbre, cerca de la tienda del rey, que se ha conseguido levantar junto a la «verdadera cruz», transportada hasta allí. Cargas desesperadas permiten a algunos caballeros franquear las filas musulmanas. Raimundo de Trípoli se encuentra entre ellos. Los demás son hechos prisioneros.[20]

Quince mil hombres por lo menos quedan en manos de Saladino, que escoge entre ellos. Vende a los peones como esclavos. Rinaldo de Châtillon, el «enemigo público número uno», es ejecutado en presencia de Saladino, quizá por su propia mano. Doscientos treinta templarios y hospitalarios –se desconoce el número correspondiente a cada orden– son entregados a los verdugos, conforme a la costumbre inaugurada en Banias en 1157. En cambio Saladino perdona la vida al rey, a los barones de Tierra Santa y a... Ridefort.

La actitud de Saladino es interesante. Justifica así la ejecución de los templarios y hospitalarios: «Quiero purificar la tierra de estas dos órdenes inmundas, cuyas prácticas carecen de utilidad, que no renunciarán nunca a su hostilidad y no darán ningún rendimiento como esclavos».[21] Su postura me recuerda la del Viejo de la Montaña, el jefe de los asesinos de Siria, que juzgaba inútil perder el tiempo haciendo desaparecer a los maestres de las órdenes militares, ya que se elegía a otro en seguida, sin que esto perjudicase la cohesión de la orden.[22]

Los musulmanes distinguen muy bien las órdenes militares, a las que ven como bloques soldados por la disciplina y un fanatismo esencialmente antimusulmán, de los *poulains* de Palestina, cuyo deseo de «levantinizarse» han percibido sin dificultad.[23] Las órdenes militares, renovadas sin cesar por el aporte de hermanos desde Occidente, son inadmisibles. El templario no se asienta, por definición. «Si queréis estar en Acre, se os enviará a la tierra de Trípoli [...] o se os enviará a Apulia», se dice al aspirante a templario durante su recepción (artículo 661).

A partir de estas consideraciones, haré tres observaciones de alcance más general.

En primer lugar, conviene justipreciar los relatos de fraternización entre templarios y musulmanes. Ya se conoce el texto de Usama, publicado con frecuencia y muy extendido, en que se jacta de la amistad de los templarios. El breve párrafo siguiente basta para demostrar los límites de la comprensión entre templario y musulmán:

Vi a uno de los templarios reunirse con el emir Muin al-Din cuando éste estaba en el Domo de la Roca. «¿Quieres ver a Dios niño?», le preguntó. «Sí, desde luego», respondió Muin al-Din. El templario [...] nos mostró la imagen de María con el Mesías (¡la salvación esté con él!) en su regazo. «He aquí a Dios niño», dijo el templario. ¡Que Alá se eleve muy alto por encima de lo que dicen los impíos![24]

La alta política exige a veces que se tengan algunas amabilidades con el infiel, pero no hasta el punto de renunciar a la Virgen María. Usama, que no cesa de mandar a todos los francos al infierno, no alberga tampoco la menor intención de ir más allá de la cortesía.

En segundo lugar, todas las elucubraciones sobre un pretendido sincretismo con la religión musulmana, la doctrina esotérica de los asesinos, etcétera, en una palabra, todas las tentativas para demostrar que los templarios no eran cristianos, o que no lo eran ya, quedan reducidas a poca cosa. Los templarios son cristianos, y cristianos fanáticos. Los musulmanes lo perciben así.

En tercer lugar, Ridefort representa quizás ese cristianismo agresivo, exacerbado, que debía de estar más extendido de lo que se cree dentro de la orden y que explica sin duda su elección a la cabeza del Temple. El análisis que G. Duby hace de la batalla, juicio de Dios, partida de ajedrez en que se juega de golpe toda la puesta, coincide con esta observación de D. Seward: en la batalla de la Fuente del Berro, Ridefort pudo creer en el juicio de Dios y acordarse de Judas Macabeo. «El número importa poco para vencer cuando la fuerza viene de Dios.»[25]

Dicho esto, se trata de un hombre excesivo. Su odio contra Raimundo de Trípoli es enfermizo; su influencia sobre Guido de Lusiñán, desmesurada; su conducta en el combate, también. No olvidemos que ha entrado en el Temple después de una enfermedad. El relato de su muerte, hecho por Ambrosio, deja planear serias dudas sobre su curación. Y no padecía una simple enfermedad de amor...

Epílogo

En los meses que siguen a Hattin, Saladino se apodera de todo el reino. Plazas fuertes y ciudades, privadas de defensores, caen sin oposición. Renunciando a Trípoli y Antioquía, despreciando algunos castillos que resisten todavía, Saladino quiere tomar Jerusalén, lo que será el signo patente del triunfo de la guerra santa. Antes de ponerle sitio, neutraliza Ascalón. Hace venir de Damasco a Guido de Lusiñán y Gerardo de Ridefort, para que ordenen a las guarniciones reales y templarias de los alrededores que se rindan. Tal vez sea ése el motivo de la extraña clemencia de Saladino: servirse de ellos para acelerar con menos riesgo la conquista de las plazas. En octubre, tras unos días de sitio, Jerusalén se rinde. Todos los habitantes quedarán libres, con tal de que se pague un rescate por ellos. El Hospital utiliza su parte del tesoro de Enrique II; el patriarca se niega a separarse de la suya; el Temple da dinero; los burgueses regatean. Todos se sienten avergonzados.[26] Los que pueden pagar el rescate forman tres grupos. Dirigidos por los últimos defensores de la ciudad, Balián de Ibelín y los comendadores del Temple y del Hospital, se dirigen a Tiro, donde se están reuniendo todos los refugiados del reino. Al abrigo de sus fuertes y murallas, reforzada por la llegada de un contingente de cruzados bajo el mando del enérgico Conrado de Montferrat (Bonifacio, su padre, es uno de los prisioneros de Hattin), Tiro resiste y, a finales de diciembre de 1187, después de dos meses de sitio infructuoso, Saladino se retira. El reino no ha muerto.

Saladino liberó a Lusiñán y Ridefort, a sabiendas de que así sembraba la discordia en el campo latino, dividido en cuanto a las responsabilidades de ambos hombres en el desastre. Ridefort volvió a ponerse a la cabeza del Temple. Expulsado de Tiro, lo mismo que Guido, siguió a éste en su loca pero fructífera empresa de la reconquista de Acre. Fue allí donde murió, el 4 de octubre de 1190, durante un combate. Pero dejemos hablar a Ambrosio: «En esta empresa fue muerto el maestre del Temple, el que dice esta buena palabra, que había aprendido en buena escuela», precisa sarcástico nuestro cronista.

> Todos, cobardes y valerosos, le decían durante el ataque: «Marchaos, señor, marchaos». (Y hubiera podido hacerlo de haberlo deseado.) «No quiera Dios –les respondió– que se me vuelva a ver nunca en otra parte y que se pueda reprochar al Temple que se me ha encontrado fugitivo.» Y no lo hizo. Allí murió, ya que un número demasiado grande de turcos se abalanzó sobre él.[27]

Tres años antes, en octubre de 1187, cuando Saladino entró en la Ciudad Santa, procedió de inmediato a la purificación de los lugares sagrados del Islam. Se retiró la cruz de oro que coronaba la Cúpula de la Roca y se destruyó el altar colocado sobre ésta. El templo de Salomón volvió a ser la mezquita al-Aqsa. Se demolió el muro que ocultaba el *mirhab*, el nicho que indica la dirección de La Meca. Saladino hizo instalar en la gran sala, transformada de nuevo en sala de oración, un *minbar* (especie de púlpito) cuya construcción había sido ordenada por Nur al-Din en 1169 con destino a la mezquita de al-Aqsa, cuando Jerusalén fuese reconquistada.[28] El *Harran,* el antiguo monte del Temple, fue purificado con agua de rosas. El primer viernes después de la reconquista de la ciudad, el *qadi* de Damasco dirigió la oración en presencia de Saladino y explicó la significación de Jerusalén para los musulmanes. El templo de Salomón y el templo del Señor no volvían a ser simplemente la mezquita al-Aqsa y la mezquita de Omar, sino que se convertían de nuevo en lugares santos, todavía más caros al corazón de los musulmanes.

Los francos recuperaron Jerusalén de 1229 a 1244, gracias a un trata-do. El *Harran* no les fue devuelto. Hubo que esperar a 1243 para que los templarios recuperasen, de hecho tan sólo simbólicamente, su antigua casa presbiterial. La nueva había sido transferida a Acre y allí permane-ció hasta el fin del reino de Jerusalén.[29]

CUARTA PARTE
El apoyo logístico en Occidente

Año 1187: los Estados latinos, es decir, lo que queda de ellos, Tiro, Trípoli, Antioquía, se vuelven una vez más hacia Occidente. Un Occidente estupefacto y que se interroga. ¿Qué utilidad tiene la cruzada? ¿Para qué sirven los Estados latinos? No obstante, se moviliza una vez más y emprende la tercera cruzada.

Las órdenes militares han sufrido pérdidas muy duras, sobre todo el Temple. Sin embargo, pueden dirigirse a sus casas de Occidente y llenar los huecos.

> Vos que sois señor de vos mismo debéis haceros siervo de otro. Pues apenas si haréis nunca lo que queráis, pues si queréis estar en tierra más acá del mar, se os reclamará al otro lado; o si queréis estar en Acre, se os enviará a Trípoli, o a Antioquía, o a Armenia...

Tal es la regla (artículo 661).

No se puede comprender el funcionamiento de la orden, evaluar su riqueza, juzgar de su poder sin analizar su infraestructura europea. Aprovechemos la catástrofe de 1187 y dejemos el frente, reducido a unas cuantas plazas, para visitar la retaguardia. Vayamos a una cualquiera de las encomiendas del Temple o, como se le llamaba comúnmente, una «casa». A la vez convento, explotación de tipo señorial y centro de una red de relaciones y clientelas, se encuentran en ellas hombres diversos, con condiciones, estatutos, funciones diferentes. Pero todos son hermanos u hombres del templario. La encomienda alberga y protege la gran familia del Temple.

1

El patrimonio territorial

El movimiento de las donaciones

Todos los que entran en el Temple, todos los que se asocian con él hacen donaciones materiales. Y más allá del círculo familiar, clérigos y laicos les imitan. Las órdenes militares disfrutaron, después de Cluny y el Cister, antes que las órdenes mendicantes, de admiración de los fieles. Cuestión de moda, cierto. Pero, en el caso de las órdenes militares, fue una moda duradera.

¿Qué se da? De todo. O de casi todo.

Enrique II, rey de Inglaterra, cede un tramo de río para construir un molino, o una casa en Saint-Vaubourg, cerca de Rouen, que ha pertenecido a su abuelo. El rey de Aragón dona el castillo de Monzón. En marzo de 1306, Godofredo de Bar concede en feudo el dominio de Doncourt-aux-Bois. Arnaldo de Aspet, caballero, con el acuerdo de sus dos hijos, hace don a los hermanos de la casa de Montsaunès, en Comminges, de la ciudad y los habitantes de Canens, de su territorio, de la señoría alta, mediana y baja. En 1147, Roger de Béziers abandona...

... su dominio llamado Campagne, situado en el condado de Razès, a orillas del río Aude, que lo divide por la mitad [...], con todos sus habitantes, hombres, mujeres y niños, sus casas, censos, costumbres, sus *condominas* y tierras laborables, sus prados, pastizales, carrascales, sus cultivos y eriales, sus aguas y acueductos, con todos los molinos y derechos de maquila, las pesquerías con entradas y salidas. Los hermanos del Temple no me deberán sobre su dominio ni rentas, ni laudos, ni derecho de peaje y de pasaje.

En 1154, el obispo de Bayeux dona al Temple la iglesia de Saintinges. En Champaña, el conde le cede los derechos y provechos remunerativos sobre las actividades comerciales de Provins: el peaje de la lana y del hilo en 1164, el de los animales de carnicería en 1214, las tasas sobre las pieles en 1243 (la ciudad cuenta entonces con ciento veinticinco fábricas de curtidos). En Italia, modestos habitantes de Sabona legan módicas sumas de dinero: cinco sueldos, seis sueldos... En la región tolosana, los fieles constituyen rentas anuales de doce denarios, acompañadas de un don más importante a la muerte del testador: veinte sueldos, cien sueldos, un caballo, camisas y bragas, una capa, armas... Para mantener a un caballero en Tierra Santa, el conde Enrique de Bar constituye una renta de quince libras sobre los peajes de Bar-sur-Aube; el acta se firma en Acre, en octubre de 1190, puesto que el conde participa en la tercera cruzada. El señor de Noyers, cruzado también, recuerda el celo de los templarios en el servicio de Cristo e insiste sobre la necesidad de ayudarles. Les cede una renta de sesenta sueldos, que se tomará del bosque de Hervaux, cerca de Avalion; y confía a los hospitalarios el hospital de Arbonne. En 1167, en Douzens, Raimundo de Rieux dona una mujer y su hija, con su descendencia, mientras que Pons de Molières hace don de Guillermo, pastor, y de sus sobrinos, «y de todo lo que tengo sobre ellos».[1]

Precisamente en Douzens, el ejemplo de las donaciones de la familia de Barbaira, o Barbairano, resulta impresionante y pone bien de manifiesto el lazo estrecho entre los legados piadosos y la entrada en la orden.

Su nombre proviene de una parroquia situada a orillas del Aude, aguas arriba de Douzens. El 11 de abril de 1133, los coseñores del castillo y el territorio de Douzens hacen donación de ella a Hugo Rigaud, representante del Temple. Son tres: Bernardo de Canet, su mujer y su hijo: Almerico de Barbairano, hijo de Beatriz, su mujer Galburgis y su hijo Almerico el Joven, con sus tres hermanos, Guillermo Chaubert, Arnaldo y Raimundo Ermengaud; Pedro Raimundo de Barbairano y su mujer Mabille, y el hermano de ésta, Arnaldo de Barbairano. Dos ramas, pues, dentro de la familia de Barbairano, cuyos lazos no conocemos, aunque sabemos que son estrechos, puesto que sus nombres aparecen mezclados como testigos al pie de numerosas actas.

Además de este primer elemento de la encomienda templaria de Douzens, Almerico y su hermano Guillermo Chaubert hacen donación de su persona, con armas y caballo. Entre los suscriptores del texto, figuran un Pedro Roger, un Berenguer y un Hugo de Barbairano. Siguen otros dones, de menor importancia: en 1136; en 1139, en Saint-Jean-de-Carrière, de parte de Raimundo Ermengaud, acta suscrita por sus tres hermanos; y sobre todo en 1143, fecha en la que Arnaldo, el hermano de Mabille, completa la donación hecha en 1133.

Bienhechores del Temple:
Las dos ramas de la familia de Barbairano

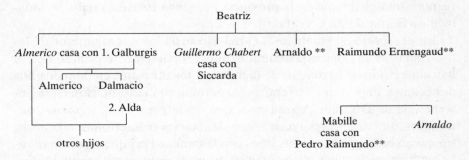

Almerico: donado. Arnaldo**: hermano.

El 2 de junio de 1153, la familia destaca por una nueva liberalidad, la de la iglesia de Saint-Jean-de-Carrière, uno de los tres elementos importantes de la encomienda, con Douzen y Brucafel. Una vez más, Almerico de Barbairano, casado en segundas nupcias con Alda, es el autor de esta donación, con sus hijos del primer matrimonio, Almerico y Dalmacio, y sus hermanos, Guillermo Chaubert, Arnaldo y «Raimundo Ermengaud, nuestro hermano por la carne y hermano de la milicia del Temple por el espíritu». Peitavine, hija de Pedro Raimundo, el jefe de la otra rama del linaje, confirma la donación.

Unos días más tarde, el 11 de junio, Pedro Raimundo redacta su testamento. Atribuye tierras y dinero a sus dos hijas, a su hijo, que «es muy pequeño», y a su sobrino Guillermo Siger de Barbairano. Después, hace dación de sí mismo al Temple. Almerico y Guillermo Chaubert, verosímilmente sus primos, son citados en el testamento, que está firmado por cuatro templarios.

Convertido en hermano de la orden, Pedro Raimundo recibe limosnas, en 1159, en nombre de ésta. El 10 de noviembre de 1158, había firmado el acta por la cual su cuñado Arnaldo de Barbairano hacía dación al Temple de su persona y de su posteridad.

En cuanto a los cuatro hermanos de la otra rama, entran uno tras otro en la orden, como donados o como hermanos. Raimundo Ermengaud, al que acabamos de mencionar, es quizás el más joven de los cuatro y no debió de casarse nunca. Almerico y Guillermo Chaubert hacen dación de su persona en 1133. Casados, tienen hijos y continúan viviendo en el siglo. Arnaldo entra como hermano del Temple antes de 1143, año en que Raimundo Sachet cede a Arnaldo y sus hermanos de la milicia del Temple una parcela de tierra. Y el 31 de octubre de 1145, con Pedro de la Rovère, maestre del Temple en la provincia Provenza-España, recibe la donación de Bernardo de la Porta.

En el espacio de veinte años (1133-1153), de los seis miembros de las dos ramas de la familia Barbairano, muy probablemente primas, tres se han convertido en hermanos de la milicia y los otros tres en donados. Sus donaciones, importantes y renovadas, permitieron la formación de la encomienda de Douzens. Añadiremos que, en la generación siguiente, numerosos Barbairano aparecen como donatarios o suscriptores de actas, sin que puedan precisarse sus lazos con la familia. Hay que tener en cuenta también las familias aliadas por matrimonio a los Barbairano: los Canet, coseñores de Douzens en 1133, o los Roquénégade, cuya hija Alazais es, en 1169, la mujer de un Arnaldo de Barbairano.[2]

Las donaciones se clasifican en tres categorías: donaciones *pro anima,* que recaen sobre bienes importantes, con mucha frecuencia origen de una encomienda, como la de Jalés en Vivarais o la de Brucafel, cerca de Douzens, o bien sobre parcelas ínfimas. El donatario no pone ninguna condición e invoca la salvación de su alma. Las donaciones *in extremis,* hechas muy a menudo por peregrinos precavidos, a ejemplo de ese Achard de la región de Cluny al que ya nos hemos referido (primera parte, capítulo l), son poco numerosas, ya que pronto las reemplaza el legado testamentario.

En cambio, las donaciones remuneradas están muy extendidas. Por lo demás, se distinguen muy difícilmente de la venta. El beneficiario de la donación, siempre una iglesia, concede al donatario una *caritas,* una caridad, digamos una contradonación. Dos ejemplos: Raimundo Hugo de Aigues-Vives dona un hombre, su descendencia y sus bienes contra una limosna de ciento veinte sueldos. Guillermo Mantelin, su mujer y sus dos hijos «dan y venden» al Temple diferentes parcelas de tierra y, «por esa donación y venta, nos daréis un caballo».[3]

La entrega de esta remuneración facilita el acto de donación, ya que asegura al autor de ésta lo suficiente para vivir. El beneficiario de la donación sale por regla general ganando, pues la contradonación es de un valor inferior. La remuneración –y ahí reside su mérito principal– consolida la donación, la pone al abrigo del arrepentimiento del donatario y de la vindicta de los herederos. Aunque... En 1197, Guillermo de Bergadón dona al Temple propiedades en el alto Llobregat (Cataluña). Muere entre 1192 y 1196. Su hermano se niega a cumplir el voto del difunto y, en 1199, vende el vizcondado de Bergadón, comprendidos los bienes legados al Temple, al rey de Aragón Pedro II. El Temple no entrará en posesión de ese legado hasta 1231.[4]

A pesar de esas dificultades, apreciemos la importancia del movimiento de donación en la constitución del patrimonio del Temple. En Douzens, la mitad de las trescientas actas incluidas en el cartulario corresponden a donaciones. En Montsaunès, el cartulario presenta cuarenta donaciones *pro anima* y cuarenta y cuatro donaciones remuneradas.[5]

Las donaciones en España presentan características particulares, ya que están vinculadas a la participación de la orden en la Reconquista. Debido a eso, las donaciones reales son las más importantes. Más que en ninguna parte, se ceden al Temple castillos: Grañana, Monzón al principio, Miravet, Tomar en Portugal, Peñíscola en Valencia. Las donaciones recaen también sobre vastos territorios... todavía por conquistar. Implican que los templarios han de colonizar y revalorizar esas tierras. Tales caracteres se aproximan a los que se dan en Siria-Palestina y se explican por la lucha permanente contra los infieles.[6]

¿Por qué se hacen donaciones? Por la salvación del alma y la remisión de los pecados. La irlandesa Matilde de Lacy dona cuatrocientos acres de tierra «por la salvación de mi alma y de las almas de mi padre y de mi madre y de todos mis antepasados, y de todos mis sucesores, y la de David, barón de Naas, mi difunto marido».[7] En el cartulario de Douzens, las fórmulas al estilo de lo siguiente: «Por el amor de Dios, la remisión de mis pecados y la salvación de mi alma y la de mis padres» son legión. Más inquieto parece ese catalán que hace una donación «porque temo los terrores del infierno y deseo alcanzar las alegrías del paraíso». La esperanza de obtener ventajas espirituales, oraciones, misas, impulsa a la generosidad. Ciertos donatarios se muestran a veces ambiciosos. Pedro Comel hace donación de su castillo de Frescano, en Aragón, pero exige que el Temple mantenga diez sacerdotes para decir misas. Ser enterrado en un cementerio del Temple, revestido de la capa blanca con la cruz roja, está muy cotizado. Se trata de la recepción llamada *ad succurrendum*. Se esperan también ventajas materiales: rentas, mantenimiento y protección para toda la vida. Eudes de Grancay, ya de edad, entra en la orden en 1185, en la casa de Bures, muy próxima a su castillo, para pasar en ella el resto de sus días. En ella muere y es enterrado en 1197.[8]

Más originales son los motivos expuestos que se relacionan con la cruzada, con la lucha contra el infiel. Manifiestan la voluntad de dar al Temple los medios de llevar a cabo su misión o de alentarlo en el cumplimiento de ésta. Recordemos el ejemplo de Lauretta, citado al final de la primera parte de este libro. Pagano de Bures, fundador de la casa a la que se ha retirado Eudes de Grancay, hace su donación «a los soldados de Cristo que combaten en la orden del Temple». Las donaciones hechas en vísperas de partir en peregrinación o en cruzada son del mismo orden. Pedro de Cadenet, al embarcarse hacia Tierra Santa en 1185, hace una donación a los templarios de Marsella. En 1134, Guillermo Pierre, al salir hacia Jerusalén, entrega a Dios y a los hermanos un alodio. Desde el puerto de la Tourette, en Agde, el vizconde Roger I de Carcasona, que se dispone a embarcarse hacia Oriente, confirma su donación del terreno de Campagne-sur-Aude.[9]

El combate en Tierra Santa no se libra únicamente con las armas. Algunos de los donatarios recuerdan a los templarios el deber de asistencia a los peregrinos y, más en general, a los pobres. Numerosos asilos han sido fundados por fieles piadosos. Y como no siempre tienen medios para sostenerlos, confían su cuidado a las órdenes religiosas, el Hospital, claro está, pero también el Temple. Jean Richard ha encontrado varios ejemplos en Borgoña. Añadiremos un ejemplo italiano: Guglielmo de Morez y su hijo conceden al Temple una casa y tierras en Vico, con el encargo de fundar en ellas un hospital.[10] Ejemplo revelador de la manera compleja en que se percibe al Temple en Occidente. Tan pronto se impone el carácter religioso de la orden como su carácter militar.

La concentración del patrimonio: permutas, compras, ventas

Los templarios trataron muy pronto de reunir en conjuntos coherentes esas donaciones de naturaleza diversa, de superficie variable (cuando se trata de tierras), donaciones que están, además, dispersas desde el punto de vista geográfico.

Permutas, compras y ventas permiten ensanchar un terreno, hacer desaparecer un enclave, desembarazarse de una dependencia sin interés. El cartulario de Douzens incluye sesenta y ocho actas de venta y permuta. El 80 % de las actas de venta recaen sobre bienes modestos, sobre derechos de escaso valor. En Velay, P. Vial ha trazado el cuadro de las donaciones, permutas y compras que permitieron al Temple del Puy incrementar su dominio de Chantoin. En 1170, el vizconde de Polignac, Pons, ha cedido «todos sus derechos sobre la masía de Chantoing». Es el punto de partida. Entre 1190 y 1209, se cuentan catorce compras, ocho donaciones y tres permutas. Nueve compras, dos donaciones y una permuta se refieren a rentas, diezmos o derechos no precisados; cuatro compras y cin-

**Proceso de concentración de tierras en provecho del Temple
en Brucafel (1156-1157)**

1. Situación inicial:

    R.P. Ricsendis Picca
    P.M. Pica-Mil
    Hospital Hospital de Carcasona
             Propiedades del Temple

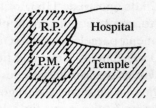

2. 9 de febrero de 1156: Bernardo
    Pica-Mil y su mujer Guillemette
    venden una viña al Temple en un
    lugar llamado «Daval».

3. 17 de diciembre de 1156: Raimundo de Torena cede la garantía y los
    derechos que tiene sobre una viña que ha pertenecido a Pica-Mil, junto
    al camino de Vitrac.

4. 28 de octubre de 1157: Ricsendis
    Picca y su hija venden al Temple
    una parcela que poseen en medio
    de las viñas de éste, en el terre-
    no de Brucafel, junto al camino
    de Vitrac.

*(Las actas dan fe en cada ocasión del nombre de los propietarios de las
parcelas lindantes con la donada o vendida al Temple.)*

co donaciones se refieren a tierras. Además, se obtienen dos tierras a cambio de rentas. Por último, el Temple consigue de Hugo Pelester y de Pons
Comarc que renuncien a sus pretensiones sobre la casa de Chantoin. El
primero lo hace a cambio de una indemnización de doce sueldos; el segundo, «liberalmente». Este lento y paciente trabajo de concentración de
bienes se acelera a veces. En 1110, se observan cuatro donaciones y compras.[11]

Las numerosas y precisas indicaciones del cartulario de Douzens nos
permiten seguir la constitución y la concentración del patrimonio templario en la localidad de Brucafel, en los alrededores de Carcasona. El

1 de abril de 1133, Roger de Béziers, vizconde de Carcasona, dona «su Villa de Brucafel con todo lo que depende de ella, hombres, mujeres, tierras, prados, viñas, censos y costumbres...». Entre 1142 y 1183, diez compras y cinco donaciones (cuatro de ellas remuneradas) completan la finca inicial: parcelas de tierra, viñas sobre todo. En siete de las diez compras, el Temple poseía ya terrenos lindantes con esas parcelas por uno, dos, e incluso tres lados.

La preocupación por la racionalización es manifiesta. Los templarios hacen desaparecer los enclaves que «agujerean» sus propiedades. He intentado representar gráficamente ese proceso a partir de cuatro actas de los años 1156-1157 (véase p. 155). En dos casos, los templarios permutan tierras (un terreno para construir, una tierra de labor) contra otras, una de ellas «lindante con nuestro manso»; la otra, una viña, situada en medio de las viñas de la orden.

El Temple trata también de adquirir los derechos de terceros sobre las tierras que le han sido cedidas. En tres casos, obtiene esos derechos indemnizando a su dueño con una parcela de viña, cuya cuarta (el cuarto del producto de la vendimia) continúa recibiendo, por lo demás.

Por último, se deshace de la administración de los terrazgos aislados. El 29 de agosto de 1163, los templarios dan en usufructo una tierra a Gilberto, con la condición de plantar en ella una viña. Se trata sólo de una pequeña parcela, en contacto con las tierras de la orden. El 18 de enero de 1165, dan en censo una tierra alejada de su dominio.[12]

Un proceso idéntico se ha señalado en Cataluña y Aragón, especialmente en torno a Zaragoza. El Temple representa a veces el papel de buen apóstol y pone fin a las querellas que oponen a dos propietarios comprando el objeto del litigio.[13] La proporción entre las compras y las donaciones varía de unas regiones a otras. En Huesca, las primeras superan ampliamente a las segundas. En España, las donaciones reales se centran sobre todo en los castillos. Al Temple le interesa disponer lo más pronto posible –por compra, en consecuencia– de un patrimonio agrícola suficiente para subvenir a las necesidades de la guarnición del castillo. También en Prusia los templarios adquieren por compra sus dominios más importantes: las tierras de Bahn, Kunsken y Lietzen, en los límites de Polonia con Pomerania.[14] Las actas que se conservan en cuanto a la región de Albenga (Liguria), numerosas, revelan una predominancia de las compras sobre las donaciones en la segunda mitad del siglo XII.[15]

Las permutas, las ventas, las compras, pero también las donaciones, no son siempre el resultado de una iniciativa espontánea de sus autores. Los templarios fuerzan a veces la mano de un pequeño señor, de un heredero. P. Vial lo sugiere con relación a Velay. En la lejana Prusia, la «buena voluntad de los que heredan a los donatarios de la tierra de Bahn ha sido un poco forzada».[16] A la inversa, otros establecimientos religiosos ejercen presiones para impedir las donaciones o las ventas a las órdenes militares. La abadía de Silvanès, en Rouergue, protege su zona de influencia contra toda injerencia de las demás órdenes, prohibiendo a los propietarios del suelo hacer donaciones o vender bienes al Temple o al Hospital.[17]

Presiones, sí, pero también abusos manifiestos y violencias físicas. Un notable texto escocés lo revela sin disimulos. Se refiere a acontecimientos anteriores a 1298. Guillermo de Halkeston ha dispuesto del patrimonio de su mujer, Cristiana, cediéndolo al Temple durante toda su vida. Se estipula que, cuando él muera, Cristiana recuperará su bien, la tierra de Esperton. Sin embargo, los templarios se niegan a devolvérsela. Peor aún, el maestre del Temple en Inglaterra, Brian de Jay, pretende expulsarla, lo mismo que a su hijo Ricardo, de la casa que su difunto marido le ha dejado a pesar de todo para vivir. Ella se resiste, y Brian ordena a sus hombres que echen la puerta abajo. Al aferrarse Cristiana desesperadamente a la puerta, uno de los hombres del Temple le corta un dedo con su daga. Así logra Brian de Jay apoderarse de la casa. Cristiana, una vez curada, lleva el asunto ante el rey de Escocia, Juan Bailliol, que le restituye sus derechos mediante cartas solemnes. Pero al reiniciarse la guerra con Inglaterra, los disturbios agitan de nuevo Escocia, y los tribunales de justicia suspenden sus actividades. Los templarios aprovechan la ocasión para expulsar una vez más por la fuerza a Cristiana. Estamos en 1298. El 18 de julio, Brian de Jay, que manda los arqueros galeses por cuenta del rey de Inglaterra, hace un alto en Ballantrodach, la principal encomienda del Temple en Escocia. Avisado de su presencia, Ricardo le visita para abogar por la causa de su madre. Brian le acoge bien y, a cambio de vagas promesas, pide que les guíe, a él y a sus arqueros, hacia el campo de batalla de Falkirk. Al día siguiente, cuando se dirigía de nuevo a reunirse con el maestre del Temple para cumplir su promesa, Ricardo es asesinado. La tierra quedó en manos del Temple. El 22 de julio, Brian de Jay sucumbió en la batalla de Falkirk, víctima de su impetuosidad y su temeridad.

El caso fue evocado durante el proceso de los templarios escoceses en 1309. Un testigo les acusó de apropiarse de los bienes de sus vecinos por cualquier medio, lícito o ilícito. Pero no se mencionó el asesinato de Ricardo de Esperton.[18]

Aunque pocas veces alcanzan tal grado de violencia, los casos de este tipo debieron de ser lo bastante numerosos para suscitar la idea de la avaricia, de la dureza de los templarios. No obstante, conviene tener en cuenta la cronología. El movimiento de las donaciones se debilita en el curso del siglo XIII. Jacobo de Molay lo dice así, precisando también que los poderes laicos y eclesiásticos cercenan los privilegios y ventajas de las órdenes militares, pese a que sus necesidades en Oriente no han disminuido.[19]

Sin embargo, el Temple, como las demás órdenes monásticas, disponía de toda una gama de medios discretos para conseguir sus fines. Las órdenes monásticas, por ejemplo, representaban en el campo el papel de banco agrícola y hacían préstamos sobre los que exigían frecuentemente como garantía tierras o derechos. No cabe duda de que la garantía se elegía de común acuerdo entre ambas partes.

La explotación del patrimonio: las rentas del Temple

Los templarios pasaban por ricos. Mathieu Paris exagera esta riqueza por las necesidades de su causa. Los templarios poseían numerosas casas y dominios considerables, pero los inventarios establecidos en el momento de su detención no revelaron ningún lujo ostentoso. No importa. Los templarios eran verdaderamente ricos, y su riqueza resultaba visible por el hecho de ser móvil. De manera regular, al ritmo de los barcos de Marsella o de Bari, los templarios transferían al Oriente hombres, caballos, víveres, armas y dinero.

La necesidad de financiar la guerra santa, el mantenimiento de las fortalezas y las guarniciones de España y de Siria-Palestina obligaban a los establecimientos de Occidente a obtener buenas ganancias. Paradójicamente, el Temple y el Hospital practicaban en Occidente una política colonial. Para ellos, las tierras de ultramar estaban en Europa. La parte extraída de las rentas de Occidente, conocida con el nombre de *responsio*, representaba cerca del tercio de lo que producían las explotaciones de las órdenes militares.

El sistema dio a la explotación del patrimonio templario ciertas características nuevas con respecto a las de los señores laicos y eclesiásticos de su vecindad. Estos últimos tienen en general un horizonte geográfico limitado, mientras que el comendador del Temple, lo mismo que el del Hospital, piensa en Jerusalén.

Como ya he dicho, los templarios respetaron las peculiaridades de cada región y produjeron lo que se daba mejor en ellas.

En Baugy (Calvados), el equipo de la encomienda comprende tres arados, servidos por tres labradores. La explotación asocia una rica cerealicultura (trigo, centeno, cebada y avena) al cultivo de las leguminosas y a la ganadería. En las encomiendas de la región de Abbeville, las tierras arables dedicadas a los cereales están en mayoría. Se ha calculado que representaban 215 hectáreas en Grandselve y 380 en Aitmont. Los templarios de Midlands y Essex venden su grano al extranjero a partir de los puertos de la costa este.[20]

En Douzens, el Temple se dedica al cultivo de la viña. El 18 de julio de 1167, por ejemplo, concede a los hermanos Bels una tierra para plantar vides en ella; pero el acta precisa que, si el rendimiento es insuficiente, la parcela será convertida en tierra de labor, con una renta del octavo de la cosecha.[21] Creada entre 1140 y 1154, la encomienda de Sainte-Eulalie-du-Larzac reúne, además de la casa matriz, cinco establecimientos, entre ellos La Cavalerie y Millau. Los templarios extienden allí el cultivo de los cereales en el fondo de las colinas, y sobre todo la ganadería: bovinos para las labores; caballos, para los cuales el Larzac supuso al parecer un lugar de cría privilegiado; ovinos, criados por su lana, las pieles y la leche (el rebaño de La Cavalerie se elevaba a mil setecientas cabezas). La ganadería alcanza también gran importancia en Champaña –Payns tiene un rebaño de ochocientas cincuenta cabezas– y en Comminges. El 10 de mayo de 1170, el papa Alejandro III dirige al obispo del lugar una bula en la que declara que toma bajo su protección el ganado de los templarios. En esta región, la ganadería es trashumante. En 1176, el conde de Comminges, Dodón, entra en el Temple y cede a la orden sus derechos sobre las «montañas» (la cañada del ganado) del Couserans. Los rebaños de Miravet y de Monzón, en Aragón, pasan de las mil cabezas. Sin alcanzar el grado de especialización de los cistercienses, los templarios crían ovejas en Inglaterra por su lana, que comercializan en Boston y Southampton.[22]

En Italia del Sur, los templarios cultivan la vid en el «barrio del Temple» de Foggia; en la misma región, explotan olivares y huertos; poseen salinas en Siponte. En la región de las colinas de Tuscio, en cambio, cerca de Viterbo, en Castell'Araldo, donde poseen un *palazzo*, en San Savinio, donde un pueblo fortificado se apiña junto a un castillo, se imponen la ganadería y la cerealicultura.[23]

Cierto que toda encomienda se propone en primer lugar bastarse a sí misma. En todas ellas se cultivan cereales y se crían cerdos. Casi todas se esfuerzan por producir vino. Los templarios británicos no tienen esta posibilidad. Deben importar el vino del Poitou, cargándolo en La Rochelle, en su barco, *La Templière*.[24] Sólo el excedente toma el camino de Tierra Santa. Sin embargo, las necesidades de ésta orientan la producción. La cría del caballo y, por lo tanto, el cultivo de la avena, se imponen tanto en las explotaciones templarias de Baugy como en los montes de Arrée en

Bretaña, tanto en Payns (Champaña), como en el Larzac, por no hablar de España, cuyos caballos son muy buscados.

Estos productos proceden de reservas explotadas de manera directa, pero también de deducciones a título de rentas sobre los terrazgos de los campesinos. El 21 de enero de 1160, Pedro de Saint-Jean, hermano de la casa del Temple de Douzens, entrega a Alazais y a sus hijos un manso en censo, con un molino, en el terreno de Villalier, a orillas del Orbieu. La mujer tendrá que pagar al año, además de un censo poco elevado, de doce denarios, una parte de la cosecha de la explotación, la «cuarta» (la cuarta parte de la cosecha) de la viña, las labores, los huertos y los prados, además del quinto de las tierras que sean roturadas, el tercio del manso de Villalier y la cuarta del producto de los molinos.[25]

Aparte de las rentas debidas a título del señorío territorial, los campesinos pagan igualmente numerosos derechos y usos derivados del señorío banal: diversos tipos de peajes y tasas, derechos de mercado, derechos banales sobre los hornos, los lagares, los molinos, etcétera. En Biot, el Temple obtiene recursos importantes del uso de los herbajes, en forma de pagos en especie: trigo, comuña, avena, habas, vinos, quesos.[26] Las rentas obtenidas de los derechos banales son muy apreciadas. El Temple guarda un pan de cada veinte que se cuecen en los hornos que se le han concedido en Valencia.[27] En Douzens, los templarios reciben o compran molinos. Por último, si bien los diezmos les causan muchas preocupaciones con respecto al clero secular, no se deciden sin embargo a cederlos, tan interesante es su provecho.

El Temple siente preferencia por las rentas regulares. Su actitud en materia de concesiones lo confirma. Por ejemplo, en Aragón, para ganarse a sus terrazgueros o para atraer campesinos a las zonas que desea colonizar, el Temple renuncia a las «exacciones» y a los «malos usos», pero conserva los diezmos, los derechos banales y las primicias de las cosechas. Se observan también otras tendencias, tanto en España como en Inglaterra: la transformación de las rentas consistentes en un tanto de la cosecha en rentas fijas (lo que no sucede en Douzens, al menos durante el siglo XII) y la transformación de las rentas en especie en rentas en dinero. Se observa también en la región de Niza: de los seiscientos treinta y siete terrazgueros de Puget-Théniers que deben una renta, trescientos ochenta y tres la pagan en dinero, veintiuno en especies y doscientos trece en especies y en dinero.[28]

La conversión de las prestaciones de trabajo en rentas parece general, incluso en Inglaterra, donde el trabajo forzado resistió mejor que en ningún otro lugar. Por lo demás, este género de evolución no presenta ninguna originalidad, ya que se observa en todas partes, sobre todo durante el siglo XIII. Quizás haya sido más precoz y más sistemática en las casas del Temple, ya que, además de la simplificación administrativa que supone, corresponde a la necesidad de hacerse con *responsiones* para Oriente, movilizando rápidamente los recursos de la orden. Es más fácil transferir los recursos a Oriente en metálico que en especies. Las forzosas relaciones entre la casa del Temple del «frente» y la «retaguardia» fomentan, pues, el desarrollo de una economía comercial. Se comprende el interés del Temple por ferias y mercados y por los privilegios que le permiten importar o exportar sin pagar derechos.[29]

Las rentas que el Temple obtiene de la explotación de sus propiedades agrícolas resulta difícil de traducir en cifras, salvo en Inglaterra, donde disponemos de un documento único en la historia del Temple: la encuesta ordenada en 1185 por Godofredo Fitz-Stephen, maestre de la provincia de Inglaterra.[30] Como medida de precaución frente a las recriminaciones del clero secular, manda que se establezca un catálogo preciso de los bienes y las rentas de su orden. Se pueden comparar los resultados de esta encuesta con los inventarios realizados después de la incautación de 1308 y con los de un inventario efectuado en 1338 por los hospitalarios, que han heredado la mayor parte de los bienes del Temple. En 1185, la renta anual de las encomiendas inglesas se eleva a ochocientas cincuenta y siete libras. Ahora bien, la cantidad está calculada por lo bajo, ya que no incluye la renta obtenida de las reservas. En 1308, alcanza las cuatro mil trescientas cincuenta y una libras. Hay grandes diferencias entre una encomienda y otra: trescientas veinticinco libras en Temple Bruer (Lincolnshire), mientras que Duxford (Cambridgeshire) no «pesa» más que veintidós libras. El inventario hecho en Irlanda en 1308 da setecientas dieciseis libras de renta.[31] Para otros lugares, contamos con cifras fragmentarias: mil cuatrocientas veintisiete libras para las veintidós casas del ex Temple en el bailío de Mâcon en 1333, o sea, la mitad de las rentas del Hospital en la misma circunscripción. En el condado de Borgoña (el Franco Condado), la enumeración de los feudos y las rentas señala más de cuatro mil libras de renta en 1295.[32]

Situémonos al nivel más modesto de una encomienda. Los derechos de uso de los herbajes de Biot proporcionan setenta libras, setecientos cuatro sextarios de trigo candeal, doscientos ochenta y ocho de avena, doscientos sesenta y cuatro de trigo-comuña y veintiocho de habas.[33]

Aunque parciales, estas indicaciones no dejan ninguna duda: el Temple obtenía rentas sustanciales de sus propiedades rurales. Nos gustaría conocer mejor su evolución. Las premisas de la crisis que se abatió sobre

Europa en el siglo XIV se dejan sentir ya a finales del XIII. ¿En qué medida afectó a las rentas del Temple? A. J. Forey nos da algunas indicaciones con respecto a Cataluña. Comprueba una disminución de las rentas a finales de siglo. Uno de los motivos de este fenómeno consiste en el número creciente de retrasos e impagos. En Gardeny, entre 1290 y 1309, veintiocho actas entre cincuenta y dos se refieren a atrasos no pagados. Los terrazgueros son incapaces de hacer frente a sus obligaciones. El peso creciente de la fiscalidad real, que entra en competencia con las deducciones señoriales, no lo explica todo. La crisis ha hecho su aparición.[34]

Los templarios, ¿conservadores o innovadores? Los medios de explotación

La encomienda se presenta bajo formas diversas: granjas explotadas directamente; señoría con reserva en explotación directa y terrazgos campesinos sometidos a rentas y servicios. Los templarios prefieren en general la explotación directa, ya que, sin participar en el trabajo agrícola, quieren seguir de cerca la evolución de la producción en sus dominios. No son «rentistas del suelo», según la célebre fórmula de Marc Bloch, que definía así a los señores del siglo XIII. En los Estados de la corona de Aragón, conservaron hasta el final reservas importantes.[35]

Sin embargo, los templarios no tienen ideas preconcebidas sobre la materia y no vacilan en abandonar la explotación directa por el arrendamiento cuando les conviene. Se advierte en Inglaterra una tendencia en este sentido a finales del siglo XIII.[36] Una tierra aislada como la de Calatayud, situada a ciento cuarenta kilómetros de la encomienda de Villel, es concedida en arriendo a dos judíos en 1255, a cambio de ciento veinte morabetinos. En 1290, se da en arriendo la casa templaria de Camon, en el torrente de Pau.[37] La dificultad para encontrar mano de obra ha podido empujar a veces a los templarios a adoptar este sistema, que les libera de la responsabilidad de la administración.

Los templarios emplean en sus reservas un personal permanente, que vienen a completar en la época de los grandes trabajos personas sometidas a la prestación de servicios y luego, cada vez en mayor cantidad, un personal asalariado. Las veinticinco personas censadas en Baugy, desde los labradores hasta el guardián de los potros, cubren poco más o menos toda la gama de las actividades agrícolas de la encomienda. La condición jurídica de las personas empleadas varía según las regiones. Son libres en Normandía o Picardía, regiones que no conocieron la servidumbre; siervas en el Languedoc, donde ésta es importante. Se ha dicho que la entrada en el Temple comportaba la liberación. En Douzens no son raras las donaciones de siervos y en ninguna de las actas del cartulario se encuentran indicios de manumisión.[38] No obstante, los templarios han incluido siempre a sus siervos entre los «hombres del Temple», que se benefician de los privilegios y las exenciones de la orden.

En España, tanto el Temple como el Hospital utilizan regularmente los servicios de esclavos moros, comprados o prisioneros de guerra. Los inventarios hechos en 1289 en quince encomiendas de Aragón muestran que cada casa del Temple empleaba por término medio veinte esclavos (la cifra asciende a cuarenta y nueve en Monzón).

El Temple se vio obligado a poner en práctica en la península Ibérica una política de poblamiento, puesto que recibía territorios asolados, cuando no estaban todavía sin conquistar. Concede, por lo tanto, cartas de poblamiento, que dan a los campesinos que desean instalarse en ellos un cierto número de derechos: en el Ebro a partir de 1130, en la zona de Lérida en 1151, en el Bajo Ebro, en el sur de Aragón y el reino de Valencia en el siglo XIII. El sistema no da siempre resultado. En Villastar, en la frontera del reino de Valencia, se publica en 1264 una primera carta para veinte campesinos cristianos, que se comprometen a permanecer allí por lo menos tres años antes de vender el lote que se les entrega. Pasados los tres años, no se quedan más que cuatro. El Temple se dirige entonces, en 1267, a los sarracenos que habían abandonado el lugar a consecuencia de la conquista cristiana y les concede también una carta. Por último, en 1271, una tercera carta instala allí a diecisiete campesinos cristianos.

De modo que los templarios no vacilan en incitar a los musulmanes a regresar a esta zona difícil. Se trata de una práctica general en España, utilizada asimismo por los poderes laicos. No se emplean ya esclavos. En 1234, los templarios, al aceptar la rendición de Chivert, prometen a los musulmanes que, si regresan antes de un año y un día, les reinstalarán en su tierra y sus casas. Y así sucedió, puesto que se llegó a un acuerdo con ellos para precisar las condiciones de su estancia: libertad de culto, exención de todo servicio militar, de rentas y de pagos durante dos años. En 1243, el Temple hace construir un muro para proteger el barrio moro. En esta ocasión, los musulmanes juran a su señor, el Temple, que observarán la carta «como unos fieles y leales súbditos deben hacerlo».

El 8 de julio de 1231, el rey Jaime el Conquistador, que acaba de apoderarse de las islas Baleares, permite a los templarios instalar en el territorio de Inca a treinta familias de siervos sarracenos. Templarios y hospitalarios colonizarán sistemáticamente sus dominios de las Baleares de esta manera, hasta el punto de atraerse la censura del papa Gregorio IX en 1240.[39]

Naturalmente, para no quedarse sin mano de obra en sus propiedades ya explotadas, los templarios hacen lo que han hecho todos los señores en un caso semejante: conceder las mismas ventajas. Cartas en este sentido fueron otorgadas a las comunidades rurales, muy vivaces en España. Consultan a sus representantes («universidad» en Cataluña, «concejo» en Aragón) sobre la elección de ciertos agentes, oficiales de justicia y administradores.[40] Al norte de los Pirineos, el Temple ha sabido hacer las concesiones necesarias para responder a la voluntad de emancipación de los burgos y las ciudades. En 1288, el burgo de Montsaunès recibe una carta de consulado, es decir, la autonomía municipal.[41]

Para resolver estos problemas de repoblación, los templarios encontraron soluciones originales. En Bretaña, en la región de los montes de Arrée y del Menez Hom, utilizaron, conjuntamente con los cistercienses y los hospitalarios, una forma de arriendo muy particular, la *quévaise*. Estas regiones, pobres y baldías, carecen de hombres y de señores. No es cuestión aquí de explotación directa. Mediante el arriendo a *quévaise,* el Temple cede a un cultivador el disfrute individual de un lote, contra un pago anual en dinero, pagos en especie y algunos trabajos fijos, además del disfrute colectivo del terreno comunal, a cambio del pago de una parte de la cosecha. Este lote se transmite en línea directa, en provecho del más joven de los hijos. En los montes de Arrée, se concede así una casa con huerta contra un pago anual de cinco sueldos, una gallina y diversas obligaciones de trabajo y el disfrute colectivo de los campos contra un impuesto de tres gavillas por cada veinte recogidas. Este tipo de arriendo une a las comunidades rurales todavía frágiles a causa de su instalación reciente. Impulsa las roturaciones y, por el «derecho del más joven», incita a los mayores a instalarse por su cuenta, para fundar a su vez una *quévaise*.[42]

Muchos otros ejemplos demuestran que, lejos de ser conservadores, los templarios han innovado. Se ha calificado su administración de «eficaz y tradicional».[43] Yo la caracterizaría más bien por su capacidad de adaptación a las condiciones muy variadas que se dan en Occidente y por su flexibilidad. Más en general, los templarios no se contentaron con seguir la expansión de Occidente. Favorecieron la extensión de los terrenos cultivados y desarrollaron métodos y técnicas de explotación y de administración innovadores. Es evidente que preferían recibir en donación tierras ya cultivadas y no eriales y desiertos.[44] Pero se guardaron bien de rechazar estos últimos y procedieron a revalorizarlos. A los ejemplos españoles y bretones ya examinados añadiremos los siguientes: en 1168,

Pedro de Aragón, prior de San Esteban del Mas, dona al Temple una parcela de tierra sin roturar. En el país de la Selve (Rouergue), P. Ourliac indica que adoptaron como política la creación de excepciones y los compara con una especie de empresarios en repoblación. En Velay, participaron en las roturaciones, por ejemplo en la parroquia montañesa y forestal de Riotard. En la encomienda de Montsaunès, la tierra de Planha, o Plagne, era terreno de paso para los rebaños del Temple. En 1303, el preceptor firmó un contrato de condominio con el señor vecino, Raimundo de Aspet, para levantar allí una quinta. Los dos tercios de las rentas serían para el Temple, el resto para Raimundo. Esta creación tardía en una región de bosques y de pastos prolonga el trabajo de revalorización de los Prepirineos emprendida en el siglo anterior por los hospitalarios.[45]

En las regiones agrícolas más ricas y más avanzadas, los templarios incitan a sus hermanos de oficio y todos sus empleados a utilizar los métodos más productivos. Practican la rotación de cultivos cuatrienal en Sommereux-en-Beauvaisis, cuyo terreno está dividido en cuatro *royes* o parcelas de superficie casi igual, dedicadas al trigo, a la avena, al *mars* (guisantes, habas, leguminosas) y el barbecho. El inventario de Baugy de 1307 parece incluso poner de manifiesto un abandono del barbecho: de setenta y siete acres (o sea, cuarenta hectáreas poco más o menos), dieciocho están dedicados al trigo y al centeno, veinticuatro a la cebada, quince a la avena y veinte a las leguminosas (guisantes, arvejas).[46]

Los templarios del Douzens se interesaron mucho por los molinos, a juzgar por la veintena de actas que hablan de ellos. Son molinos de derecho señorial, construidos sobre el Aude, el Lauquette y el Orbieu. Un dique para hacer subir el agua opone una barrera al curso del río; por encima de este dique, parten dos caces o captaciones de agua, provistos de compuertas. Así se forma un canal a cada lado del río, canal que se divide en tantos brazos como ruedas haya (a menudo tres de cada lado). Un canal de derrame devuelve las aguas al río. El conjunto de las instalaciones, con los molinos propiamente dichos, la casa del molinero y los graneros para las gavillas y la paja, forma el *molnaere*. El rendimiento de estos establecimientos es elevado, como prueban los pagos anuales cobrados por su acensuamiento. Dan nacimiento a una actividad industrial: panadería y molinos de paños.[47] Otro ejemplo de repercusión industrial de las producciones agrícolas está representado por el curtido de las pieles de cordero en el Larzac y la fabricación de quesos. Se dice que los templarios fueron los promotores de la industria del Roquefort.[48]

En el valle aragonés del Cinca, los templarios lo hicieron mejor todavía. Crearon la notable red de irrigación, existente todavía en la actualidad, que convirtió la región en una zona privilegiada de cultivo en el siglo XIII. De 1160, con la acequia de Conchiel, a 1279, con la acequia de Sotiles, abrieron catorce canales de riego. El agua circula libremente, incluso por las canalizaciones privadas, a condición de que se devuelvan las aguas no utilizadas a la acequia. Los templarios se encargan del mantenimiento de las canalizaciones y se reservan los molinos, en los que cobran un derecho de utilización. En la mayoría de los casos, la orden negocia la apertura de un nuevo canal con las comunidades de habitantes y las iglesias. Por ejemplo en Paules, donde se encuentra una importante encomienda subordinada a la de Monzón, el capítulo de la provincia de Aragón, reunido en Monzón en 1250, decide la construcción de una acequia, con el acuerdo de los treinta y ocho habitantes. Las aguas, abundantes, serán captadas en Cofita. Los habitantes podrán abrir brazos secundarios y regar de día y de noche, a condición de devolver el agua inutilizada a su «madre», so pena de la multa de un sueldo. Se les autoriza a construir pasarelas y plantar árboles, pero sólo los templarios tendrán derecho a instalar molinos.[49]

Como se ve, los templarios innovaron e invirtieron en el sector agrícola. Su actividad se vio aguijoneada, en efecto, por ese poderoso motor que es el afán de ganancia. Tienen que producir lo bastante para enviar trigo, caballos, carne y cueros a Tierra Santa; tienen que vender para comprar hierro, madera, armas, y para disponer de importantes cantidades de dinero. El afán de ganancia determina en sus menores detalles la administración templaria. En 1180, los templarios catalanes de Palau Solità prestan 120 morabetinos a Guillén de Torre. Las tierras de este señor, cuyo inventario se establece, sirven de garantía. El hermano templario que redacta el inventario no se contenta con un catálogo de productos; indica el valor comercial de cada uno de ellos y calcula así la renta total de los bienes que constituyen la garantía. Los templarios adaptaron a sus necesidades (el mercado, la venta) su habilidad como contables. Thomas Bisson, que comenta este documento, escribe:

> Establecidos en una sociedad rural madura, lejos de los peligros sarracenos, los hermanos de Palau se mueven con la misma soltura en sus pequeños campos y en los pequeños mercados locales que en los negocios importantes de Barcelona, la Iglesia y el Estado. Entre otras empresas, se han introducido en la empresa agraria.[50]

V. Carrière afirmaba ya: «El monje soldado encara el cultivo siguiendo el modelo de la industria».[51] Pero Carrière se situaba en un contexto de tradición, no de innovación, con lo cual se equivocaba.

Así se comprenden mejor las actividades financieras de los templarios (y de los hospitalarios, con respecto a los cuales se podrían hacer observaciones idénticas). Se inscriben en el contexto general de las actividades económicas de las órdenes militares. Dada su misión, las órdenes no podían hacer otra cosa que producir para obtener un provecho. Extraño itinerario mental el de esos hombres procedentes de la aristocracia, cuyo ideal consistía en producir para dar, para obrar «con largueza».

La defensa del patrimonio

Los monjes en general, las órdenes militares en particular, defendieron sus privilegios, sus derechos, sus bienes con un encarnizamiento que contribuyó mucho a su reputación. La acusación de codicia ocupará un buen lugar entre los cargos retenidos contra el Temple. Sin embargo, la orden no es ni mejor ni peor que las demás. Pero, ya lo hemos visto, hay algunos ejemplos que apoyan esta crítica.

Hay que distinguir entre la defensa de las propiedades y la defensa de los privilegios, concedidos por las autoridades eclesiásticas y los poderes laicos en circunstancias precisas. Cuando las circunstancias cambian, es tentador aprovecharlas para discutir un privilegio. En particular, la consolidación de los poderes monárquicos durante la segunda mitad del siglo XIII y la política de aumento de rentas que se deriva de ella multiplican las ocasiones de conflicto, no sólo con las órdenes militares, sino con el conjunto de las organizaciones y los poderes eclesiásticos. Sucede así tanto en la Francia de Felipe el Hermoso como en la Inglaterra de Eduardo I o en el Aragón de Jaime II.

Los conflictos relativos al derecho de propiedad son legión desde el comienzo de la historia del Temple, pero no exclusivos de él. Por eso no se puede deducir de su número ninguna opinión, ni favorable ni desfavorable para el Temple.

En el Occidente del siglo XII, donación y alienación de bienes no dependen de la voluntad individual de un hombre. La aceptación por parte del linaje resulta indispensable, ya que constituye una salvaguarda contra la dilapidación de los patrimonios. A pesar de la práctica de remunerar la donación, el beneficiario no queda al abrigo de oposiciones por parte de los miembros del linaje, de lo que derivan procesos. En Douzens, Vediana y su hijo declaran renunciar a favor de la milicia una tierra «que reclamábamos injustamente y que está en los terrenos de Douzens».[52] Antes de 1220, Andrés de Rosson, caballero, ha donado sus tierras de Rosson y

Aullefol (en el Aube) a los templarios de Bonlieu. Ha entrado en el Temple y ha muerto en su seno. Poco antes de su muerte, precisamente en 1220, confirma la donación, y su hijo con él. Pero su hija Inés, que no la había ratificado, reclama su parte de la herencia a la muerte de su padre. Sigue un largo proceso, interrumpido durante algún tiempo en 1224 al renunciar Inés a sus derechos. Pero el conflicto renace en 1240, puesto que el hijo de Inés, Enrique, cambia de opinión y confisca los bienes. Todo termina en 1241, con una reconciliación general.[53]

Los poderes laicos intentaron limitar las adquisiciones de las órdenes religiosas, sobre todo en el siglo XIV. El conde de Champaña, Teobaldo el Chansonnier, discute al Temple sus derechos sobre ciertas tierras; en 1228, embarga todos los bienes que el Temple ha adquirido desde hace cuarenta años; en 1229, interviene un arbitraje favorable al Temple, pero el conde se niega a ceder. La solución definitiva del caso no tiene lugar hasta 1255: los templarios conservan lo adquirido, pero no podrán aceptar más donaciones ni proceder a compras sin la autorización del conde. Del mismo modo, el 8 de septiembre de 1221, Felipe Augusto confirma las adquisiciones hechas por los hermanos del Temple hasta ese día, pero pone en adelante ciertas restricciones.[54] Su actitud traduce menos la desconfianza de la realeza –o de los príncipes– que su voluntad de controlar lo que ocurre en su seno. La realeza chipriota actúa del mismo modo a finales del siglo XIII.

Propietario, señor territorial y banal, el Temple cobra rentas de los hombres y los juzga; cobra derechos de peaje y tasas a los mercaderes que pasan por sus tierras, recibe el homenaje de sus vasallos. Todo esto provoca disputas con los señores vecinos, que niegan aquí un derecho de justicia, allá un peaje o un derecho de uso. En Velay, el Temple ha recibido en 1237 tierras y derechos en la rica región ganadera de Belvezet. En 1270, estalla un conflicto con sus vecinos, los hospitalarios. ¿El objeto del litigio? El uso de los pastizales de Trespeux. Hay insultos, golpes y heridas, toma de rehenes... Maltrechos, los templarios y sus hombres consiguen sentencias de excomunión contra los hospitalarios. El decano del capítulo de la catedral de Puy, que se encarga del arbitraje, reconoce a los templarios el derecho de uso de los pastizales, «en el interior de los límites señalados por mojones». También en Velay, una sentencia arbitral pone fin en 1287 a una larga y violenta querella entre los templarios del Puy y Guigue Payan, señor de Argental y de la Faye, sobre el ejercicio de los derechos de justicia en Marlhes, donde los templarios poseen una casa. El señor Guigue pretende para sí el derecho de alta justicia, a lo que se opone el Temple. El acuerdo se efectúa según las modalidades siguientes: la alta justicia «de muerte, de mutilación de miembros y de exilio» será compartida; Guigue la ejercerá sobre los hombres del Temple; el preceptor de la orden, que litiga también en nombre de toda la orden, sobre los donados y los hermanos del Temple. Todos los demás casos de alta justicia de Marlihes seguirán siendo de la competencia del Temple.[55]

Los intereses del Temple chocan a veces con los del rey. En 1225, Luis VII acepta las reclamaciones de los templarios de La Rochelle sobre un molino que ha hecho construir cerca de su castillo y que estorba el funcionamiento de los molinos del Temple. Renuncia a construir otros y limita el uso del que existe a las necesidades de la guarnición.[56]

Son los privilegios concedidos por los soberanos y por la Iglesia los que provocan los conflictos más graves y más largos, contribuyendo en mucho a la impopularidad de las órdenes militares entre los clérigos. En la mayoría de los casos, los poderes laicos han eximido a las órdenes militares de los peajes y los derechos debidos a la corona, también de los impuestos y el servicio militar. En Aragón, esos privilegios se multiplicaron durante el siglo XII y a comienzos del XIII. Pero a partir de 1250, la monarquía emprende la tarea de reducirlos, cuando no de suprimirlos. Quiere, por ejemplo, obligar a la orden a que pague el impuesto de monedaje. El Temple se niega, recordando sus privilegios. El rey no se impondrá hasta 1292. A medias solamente, puesto que el Temple pagará... la mitad del impuesto. En cambio, la monarquía fracasa cuando pretende, por ejemplo, sustraer a los judíos que son «hombres del Temple» de las exenciones de que disfruta éste o cuando quiere percibir un derecho de un quinto sobre el botín conseguido por los templarios. El conflicto más intenso, a finales de siglo, recae sobre las obligaciones militares que el rey Jaime II intenta imponer a los templarios «para la defensa del país». Pero esta cuestión sobrepasa el marco aragonés y será analizada en el capítulo siguiente, que tratará del Temple al servicio de los Estados. En Aragón, el Temple reaccionó siempre con vigor contra las tentativas reales, encontrando aliados en las asambleas representativas del país, las Cortes. Y logró mantener lo esencial a costa de algunas concesiones.[57] El golpe más duro consistió en la supresión del privilegio de 1143, que concedía a los templarios un quinto del botín en todas las regiones y localidades conquistadas a los moros con su ayuda, si bien es cierto que en el siglo XIII participaron menos en las operaciones de reconquista.

También en Inglaterra los templarios tuvieron que mostrarse vigilantes para conservar los privilegios que Enrique II y Ricardo Corazón de León en el siglo XII y luego Enrique III, a mediados del XII, les habían concedido generosamente: exención de las tasas reales sobre las tierras; exención de los derechos de aduana sobre las exportaciones de lana; exención de las requisas de víveres en caso de guerra. Cuando, en 1256, el gobierno pretendió imponerles una «ayuda» para la cruzada, protestaron ante el rey y se quejaron al papa. Con frecuencia tuvieron que pagar muy caro la conservación de sus ventajas, especialmente durante el reinado de Eduardo I (1270-1307), que los trató sin miramientos.[58]

Todos los conflictos terminan un día u otro mediante concesiones y un acuerdo. Para llegar al compromiso, se recurre a diversos métodos.

El más sencillo y el empleado con más frecuencia es un acuerdo amistoso, gracias a la intervención de parientes o amigos. Así se solucionan la mayor parte de los litigios relativos a las donaciones.

Existe también otro método, el recurso al arbitraje. Los ejemplos de conflictos en el Velay a que me he referido se solucionaron de esta manera. Los árbitros son «hombres buenos» del país (conflicto entre Raimundo de Blomac y el Temple de Douzens a propósito de un campo); laicos, como la vizcondesa Ermengarda de Narbona (en Douzens igualmente) o, más a menudo, clérigos. El obispo de Carcasona resuelve la querella que opone al Temple y el Hospital a causa de la tierra de Beaucelles, y el abad de Notre-Dame de Alet la que enfrenta al Temple y la abadía de Saint-Hilaire por un hombre donado al primero.[59]

Se acude al papa con frecuencia, pero éste se contenta con designar un árbitro. En 1280 el archidiácono de Coutances encuentra una solución para la cuestión que opone el Temple al párroco de Tourville-la-Campagne. Los templarios se opondrán a esa solución en 1298 y acabarán por obtener lo que querían, es decir, la posesión de la parroquia.[60] En Italia, el papa Alejandro III confía al obispo de Vicenzo en 1179 el cuidado de poner término a la diferencia surgida entre los templarios y los canónigos de Verona a causa de los límites de una parroquia. El acuerdo se concluye en 1186. Designado por el mismo papa, el obispo de Tremoli no tiene tanta suerte. El abad de Santa María de Trenuti, acusado por los templarios de haberse apoderado de una de sus tierras, rechaza la instrucción efectuada por el obispo.[61]

Los ejemplos italianos demuestran que se pasa insensiblemente a los procesos, ya sea ante los tribunales eclesiásticos, ya sea ante los tribunales laicos. Los templarios de la península de Guérande disputan a los señores de Assérac un derecho de entrada percibido durante las ferias. Uno de los señores aprisiona a dos hombres del Temple. Es excomulgado. Entonces (estamos en 1222) se retracta. Unos veinte años más tarde, otro señor ataca *manu militari* a un caballero de la orden. El preceptor de Guérande le denuncia, y el señor de Assérac ha de presentarse ante la oficialidad de Nantes (el tribunal episcopal), donde se llega a un acuerdo en 1245.[62]

En Francia, los templarios recurren con frecuencia a la justicia real. Acusados o acusadores, defienden su caso ante los tribunales de los bailíos o de los senescales o, en apelación, ante el Parlamento. Se juzgan casos de todo tipo. La jurisdicción real actúa con equidad y no parece manifestar una hostilidad de principio contra la orden, aunque las sentencias desfavorables son un poco más numerosas que las sentencias favorables.[63]

2

La vida diaria en las encomiendas de Occidente

La encomienda: enorme granja y castillo en España

No se crea una encomienda hasta el momento en que los bienes reunidos son suficientes para obtener un excedente utilizable en Tierra Santa. Pero la encomienda tiene que ser también un centro de vida, capaz de irradiar sobre una región, de atraer las vocaciones. Con demasiada frecuencia, ciertos espíritus románticos han transformado unas cuantas paredes en ruinas en un austero castillo; con demasiada frecuencia, han soñado en el templario de guardia, recorriendo el camino de ronda armado de pies a cabeza, envuelto en su capa blanca con la cruz roja. La realidad es más prosaica y hay que renunciar a ese cliché que representa a los templarios (o los hospitalarios) siempre en armas, recorriendo la cristiandad a partir de sus conventos-fortalezas.[1]

Los numerosos y detallados estudios sobre las encomiendas –de valor desigual y a veces muy ingenuos– revelan una enorme mayoría de explotaciones agrícolas, en una palabra, de grandes y excelentes granjas. Cierto que se encuentran granjas fortificadas, iglesias-torreones (en Vaours), castillos: la donación de la familia Barbairano en Douzens, por ejemplo, y la del vizconde de Carcasona en Campagne-sur-Aude, en la misma región. La Couvertoirade está rodeada de murallas, y los templarios edificaron dos torres redondas en el recinto del Temple de París. Pero dejando aparte el hecho de que muchos de los castillos del Temple son imaginarios (el de Gréoux, en Provenza, por ejemplo), conviene entenderse sobre el valor defensivo de estos lugares fortificados. Suponen ante todo el centro de una dominación señorial, semejante a la de los señores laicos de Occidente. Su carácter militar resulta siempre secundario. Se trata de lugares protegidos, defendidos. En una palabra, de refugios. Pero se lo deben tanto a su cualidad de establecimiento religioso como a su capacidad defensiva.

Hay, sin embargo, una excepción, la península Ibérica, donde los templarios se encargan muy pronto de la custodia de verdaderas fortalezas, con sus guarniciones. Grañana, Monzón, Barbera, Chivert, Alfambara, Tomar son capaces de sostener un sitio prolongado, lo que se producirá en 1307-1309. Aun así, esos castillos constituyen también centros de vida económica. Y esta característica se intensifica a medida que el frente de la Reconquista avanza hacia el sur. El castillo de Monzón, convertido en el cuartel general de la orden en Aragón, se encuentra en el centro de un patrimonio de veintinueve pueblos e iglesias.[2] Por lo demás, incluso las formidables fortalezas de la orden en Siria-Palestina, con su función militar evidente, son también centros de ocupación política y de explotación económica.

Un criterio sencillo permite apreciar la vocación guerrera de esas casas: el número de armas que se encuentran en ellas durante las confiscaciones de 1307 y los años que siguieron. Si bien en la casa de Limassol, en Chipre, el inventario enumera novecientas treinta cotas de malla, novecientas setenta ballestas, seiscientos cuatro cascos y diversas armas más, el que se estableció en las casas de Irlanda hace referencia sólo a algunas armas en medio de los sacos de trigo o de avena y de las cabezas de ganado. En 1308, los recursos de las encomiendas irlandesas aprovisionan al ejército inglés, que opera en Escocia, de trigo, guisantes y pescado salado, pero no de armas. Algunas armas solamente en la importante encomienda de Sainte-Eulalie-du-Larzac, y ni una sola en el inventario, tan preciso, de la casa de Baugy.[3]

El personal de la encomienda es más o menos numeroso en función de la importancia de ésta, pero también de acuerdo con las misiones que le están asignadas. La encomienda de Mas Deu, con sus seis o siete casas subordinadas (entre ellas Perpiñán), está ocupada por veintiséis hermanos: cuatro caballeros, cuatro capellanes, dieciocho sargentos, a los que hay que añadir un personal importante de hermanos de oficio y de criados y legos de todas clases. El Mas Deu era una fortaleza, de ahí ese número elevado. Las condiciones especiales de la Reconquista explican que en España haya más hermanos caballeros que en otras partes. En particular, proporcionan la mayoría de los preceptores: veinte de los veinticuatro conocidos de 1300 a 1307 en Aragón.[4] Pero tales efectivos y esa composición social siguen siendo excepcionales. En una encomienda ordinaria, el cargo de preceptor recae en un hermano sargento. Asistido por otros dos hermanos, a veces por un capellán, dirige un personal trabajador claramente más numeroso. En Baugy, en Calvados, se encuentra un pastor, un vaquero, un porquero, un guardián de potros, un guardabosques, dos porteros, seis labradores, en total veinticinco personas, con responsabilidades ya sea en el trabajo agrícola, ya sea en el servicio doméstico de la casa. Ninguno de ellos irá jamás a Tierra Santa. En cambio, algunos serán detenidos en 1307.[5]

Administrador de los bienes de la orden, el preceptor puede ser secundado por un teniente, aunque siempre a título temporal, por ejemplo cuando afluyen las donaciones, cuando las compras se multiplican. Para la administración diaria, recibe la ayuda de un cillerero, como en las abadías cistercienses. A veces, desempeña la función un laico.

A la orden del Temple no le gustan los especialistas en gestión administrativa y económica. Toma como regla la rotación rápida de los hombres en los diversos puestos directivos.

Un falso problema: las iglesias de los templarios

Sean castillos, simples casas fortificadas o granjas, todas las encomiendas disponen de un lugar de culto, una capilla dentro del mismo edificio o, con mayor frecuencia, una edificación autónoma situada en las proximidades del convento. Esas capillas no deben confundirse con las iglesias parroquiales donadas al Temple. De estas últimas, son los patronos, es decir, nombran al titular de las mismas. Las capillas están destinadas a las necesidades espirituales de los miembros de la orden, celebrando en ellas el culto los hermanos capellanes. Pero los templarios abren fácilmente sus puertas a los vecinos, con gran perjuicio para los párrocos, que ven alejarse así a sus feligreses, con los recursos que éstos les proporcionan. Un elemento entre otros del litigio entre el clero secular y las órdenes monásticas.

En ocasiones, ocurre sin embargo que esas capillas constituyen el núcleo de nuevas parroquias. Aunque llegadas con retraso a la vida rural, las órdenes militares contribuyeron a modificar la red parroquial. En la diócesis de Limoges, ciertas zonas poco pobladas, como la meseta de Millevaches, estaban subequipadas y poco servidas en materia religiosa. Unas treinta parroquias tuvieron su origen en torno a una capilla templaria u hospitalaria. En 1282, un acuerdo entre el obispo de Limoges y el preceptor del Temple de Limoges menciona diecisiete capillas. Doce de ellas se convirtieron en iglesias parroquiales.[6] En España, en las regiones recién conquistadas, el Temple y el Hospital se encargan de la defensa, pero también de la organización de los fieles, en espera del establecimiento de estructuras regulares.[7]

Iglesia de la preceptoría del Temple de Perusa, una de las más importantes de Italia. Construida conforme al plano rectangular extremadamente sencillo de la mayor parte de las capillas pertenecientes a las órdenes militares, la iglesia de San Bevignate (del nombre de un santo local cuya canonización costó muchos esfuerzos a los peruginos y los templarios), se distingue de ellas por sus amplias dimensiones. Data de la segunda mitad de siglo XIII. Un notable decorado de frescos adorna el coro y la contrafachada.

Las imaginaciones fértiles multiplicaron las iglesias del Temple, de la misma forma que multiplicaron los castillos. Los aficionados al esoterismo se lanzaron sobre las capillas como los cazadores de tesoros lo hicieron sobre los castillos. Viollet-le-Duc dio nacimiento a un mito sin ningún fundamento, aunque no fuera más que estadístico. Según él, los templarios construyeron iglesias en rotonda conforme al modelo del templo de Salomón, a menos que fuese conforme al del Santo Sepulcro, partiendo de la misteriosa alquimia de los números.

Élie Lambert destruyó ese mito en un artículo pionero. Los estudios sistemáticos emprendidos después permitieron aclarar las cosas.[8] Por una parte, las iglesias de plano central (en rotonda o poligonal) son la excepción entre las construcciones religiosas del Temple; por otra parte, éste no tiene la exclusividad de ellas. Los pocos ejemplos conocidos se refieren a edificios construidos con cuidado, pertenecientes a encomiendas importantes. En Oriente, sólo la capilla de doce lados de la poderosa fortaleza de Châteaux-Pèlerin pertenece a este tipo. En Francia, la primera iglesia del Temple de París tenía la forma de una rotonda, con una cúpula sostenida por seis columnas. Es la única de su género, puesto que la de Metz no pertenece en modo alguno a los templarios. En Laon, la capilla del Temple forma un octógono, con altar en hornacina frente al pórtico de entrada.

Por consiguiente, dos formas: rotonda circular y polígono de ocho o doce lados. La primera tomó por modelo la Anástasis del Santo Sepulcro. Pero no se trata de ninguna novedad, ya que la capilla palatina de Aquisgrán se inspiraba también en ella. En el siglo XI, se construyeron iglesias *ad instar Dominici Sepulchri*: Neuvy-Saint-Sepulcre, que data de 1042, Selestat (1094), Paderborn, Bolonia.[9] Si bien sólo sabemos de un ejemplo de este tipo que sea obra de los templarios en Francia, conocemos varios en Inglaterra: Old Temple en Londres, Temple Bruer, Douvres, Bristol, Garway. También allí otros utilizaron el modelo, además de los templarios, por ejemplo en las iglesias del Santo Sepulcro de Cambridge o de Northampton. La voluntad de imitar la Anástasis se une a una «tradición anglonormanda», según la expresión de Élie Lambert, más generalmente a una antigua tradición celta, ocultada en otras partes. No obstante, las dos realizaciones más bellas de este tipo se encuentran una en Portugal, en el castillo de Tomar, la otra en Segovia. Esta última alberga una reliquia insigne, un fragmento de la Verdadera Cruz.

Por lo tanto, las capillas en forma de rotonda no tuvieron en la orden del Temple más que una difusión restringida, aunque precisa. Se relacionan con una tradición de capilla palatina cuyo modelo debió de ser la de Aquisgrán.

En cuanto a las iglesias de forma poligonal, no tienen nada en común con el Santo Sepulcro, que las capillas precedentes imitaban de manera más o menos consciente. Ciertos autores han creído poder relacionarlas con el templo del Señor de Jerusalén, la Cúpula de la Roca, que, como se sabe, tiene la forma de un octógono. En realidad, existe en Occidente una tradición de capilla octogonal que se expresa sobre todo en las capillas de los cementerios. Tal es el caso del octógono de Montmorillon, durante mucho tiempo atribuido erróneamente a los templarios. La capilla templaria de Laon corresponde a este tipo: ocho lados, sin deambulatorio anular y cobertura en forma de linterna. Pero su modelo no se halla en Oriente, sino en el mismo Laon, en el cementerio de la abadía de Saint-Vincent, donde se construyó una capilla octogonal antes de la llegada de los templarios a la ciudad.

Tradiciones occidentales diversas y la voluntad de imitar el Santo Sepulcro, y exclusivamente éste, explican el desarrollo de este tipo de construcción a partir del siglo XI. El Temple, entre otros, hizo levantar algunas, en forma de rotonda o en forma de polígono. Pero se trata de excepciones.

¿La regla? Iglesias rectangulares muy sencillas. La mayor parte de las capillas castrenses de Cataluña, Aragón, Castilla y Tierra Santa (Tortosa, Châtel-Blanc) pertenecen a este grupo, que se divide en dos subgrupos.[10]

Se trata en el primer caso de una capilla rectangular de una sola nave, de quince a veinte metros de largo y de cinco a siete metros de ancho, con muros espesos y bien construidos, flanqueados de contrafuertes planos; vanos estrechos, en general en grupos de tres, se inscriben sobre un presbiterio plano. La iglesia está cubierta por una bóveda de cañón partida, con arcos perpiaños en toro, que determinan bovedillas en la nave, casi siempre tres.

En el segundo caso, la iglesia presenta características idénticas salvo en un punto: el presbiterio es en ábside semicircular, coronado por una bóveda de cascarón.

En el suroeste francés, J. Gardelles y C. Higounet han enumerado entre las edificaciones todavía existentes y aquellas de las que se conservan rastros seguros (el Temple de Burdeos, por ejemplo), diez establecimientos templarios, tres con presbiterio en ábside, seis con presbiterio plano y uno cuya forma se ignora.[11] Los establecimientos hospitalarios son todavía más numerosos, ya que se cuentan veinte con un presbiterio plano. En ningún caso se trata de una arquitectura típicamente templaria. Gardelles y Higounet presentan, por lo demás, las capillas rectangulares con presbiterio en ábside como un modelo corriente, que aparece de Comminges a Bretaña, de Navarra a Borgoña.

Según estos autores, el tipo de presbiterio plano no tuvo más que una difusión limitada. Sólo representado en Gironde y en el Lot-et-Garonne, abunda en cambio en Charente-Maritime (Grand y Petit Mas Deu, Malleyrand, Angles), en Poitou, en Berry, en Yonne (Saulce d'Island). Constituye, pues, un tipo regional, propio del centro y el oeste de Francia, vinculado a las tradiciones locales. Lo mismo que muchos otros, el Temple y el Hospital se sirvieron de los arquitectos regionales.

Sin embargo, este tipo de construcción parece más extendido de lo que pensaron J. Gardelles y C. Higounet, puesto que tres capillas de Brie (Champaña) –Coulommiers, Chevru y Coutran– se ajustan a ese plano, lo mismo que la capilla de Fontenelle en Borgoña.[12] Se trata de monumentos sencillos, fácilmente imitables. Eso explicaría su difusión a partir de un centro aquitano.

La decoración esculpida de las capillas es rudimentaria y se ha evocado la influencia del Cister, hostil a toda decoración suntuosa. Conviene mostrarse prudente, ya que algunas de ellas están pintadas. El problema reside en saber si esa decoración de color fue querida por los templarios. Los célebres frescos de la capilla de Cressac, en Charente, se deben a la generosidad del donador, deseoso de asegurar la perennidad de su recuerdo. Representan caballeros armados que atacan a los sarracenos. Dichos caballeros no son templarios, sino cruzados; al fondo, sin embargo, saliendo de una ciudad, se distingue a tres caballeros del Temple. En cambio, los frescos de la iglesia San Bevignate de Perusa (Italia), son uno de los raros ejemplos de un decorado querido (¿y realizado?) por los templarios. Numerosas iglesias del siglo XIII estuvieron decoradas y se conservan vestigios de esa decoración: en el suroeste de Francia, Magrigne, La Grave, Montsaunès. La decoración es con frecuencia geométrica, con una flora estilizada, líneas y ganchos. No hay más que un paso, y se franqueó, para invocar la influencia árabe, el esoterismo. ¿Y por qué no, en esa Edad Media en que reina el simbolismo?[13] Pero los templarios no fueron los únicos en utilizar fórmulas idénticas, y no olvidemos que existen tradiciones locales vivaces. ¿Por qué los templarios, que demostraron una capacidad de adaptación tan extraordinaria a las condiciones locales, tanto en la explotación como en la administración de sus bienes (pensemos, por ejemplo, en su adaptación a las áreas lingüísticas), no habrían de hacer lo mismo en el campo de la arquitectura y del arte? No por eso deja de ser cierto que, si bien no hay una escuela internacional de arte de los templarios, éstos utilizaron ampliamente, a través de Europa, un tipo de construcción homogénea, sencilla y práctica. Ellos y los hospitalarios.

San Bevignate: frescos de la contrafachada.

Estos frescos representan escenas de la vida de los templarios en Tierra Santa en el siglo XIII.

En la ilustración superior izquierda, escena representando a los templarios en hábito conventual, blanco, en una de sus casas. Se enfrentan a un león (escena ampliada en la ilustración inferior izquierda), símbolo aquí del mal y del que se sabe que suponía un peligro en Oriente Próximo.

Debajo, en la misma ilustración, una escena de combate entre caballeros musulmanes, a la izquierda, y cinco caballeros del Temple, a la derecha. Los caballos de los primeros portan el dragón, emblema de Satán; los templarios lucen la cruz sobre sus escudos (detalle ampliado arriba, en esta misma página). En el extremo derecho del fresco, se adivina el pendón del Temple, llamado *baussant*, porque está semipartido en blanco y negro. Se trata de un ejemplo raro de representación figurada de dicho pendón.

Según F. Tommasi, el combate es la ilustración de la toma de Naplusia en 1242, llevada a cabo exclusivamente por los templarios, que dieron a conocer este éxito en Europa a través de numerosas cartas y relatos.

La vida en la encomienda

Además de administrador, el preceptor o comendador es también el jefe de una comunidad religiosa. A ese título, debe velar por el respeto de la regla. Redactada en función de las necesidades de la orden en Tierra Santa, los templarios de Occidente tienen, sin embargo, que conformarse a ella. Por lo demás, ciertas prescripciones se aplican con mayor facilidad que en Oriente, las que se refieren al servicio divino, por ejemplo.

La ascesis templaria se ajusta a las condiciones particulares de la vida del monje soldado, que lleva la dura vida de los campamentos. Y aunque no la lleve siempre ni en todas partes, debe evitar toda práctica ascética susceptible de alterar su salud. El dominico Esteban de Borbón relata la historia del «Señor Pan y Agua», un templario que, a fuerza de privaciones, se había debilitado tanto que no se sostenía sobre el caballo.[14] La regla del Temple no exige ese género de prácticas. Muy al contrario, el templario tiene derecho a cierto confort. Ha de llevar ropa adaptada tanto a los fuertes calores como al frío (artículo 20); tiene derecho a un material cómodo para acostarse (artículo 21), y los inventarios hechos en las casas templarias en el momento de la detención de los miembros de la orden en 1307 enuncian con precisión los elementos de la ropa de cama en el dormitorio común. En su primera redacción, la regla recomienda a los hermanos que permanezcan sentados durante el oficio:

> Ha llegado a nuestros oídos [...] que, sin interrupción, oís de pie el servicio de Dios. No os lo recomendamos. Lo desaprobamos. Y ordenamos que [...], para el canto del salmo que comienza por *Venite* y para el Invitatorio y el himno, tanto los fuertes como los débiles se sienten [...]. Pero al final de los salmos, cuando se cante el *Gloria Patri,* por reverencia a la Santa Trinidad, levantaos e inclinaos; los débiles y los enfermos inclinarán la cabeza... (artículos 15 y 16).

Pero las diferencias con la ascesis monástica tradicional son más marcadas todavía en el capítulo de la alimentación. El templario hace dos comidas diarias, a excepción de los períodos de ayuno, en las que no hace más que una. El maestre del Temple también, por consiguiente. El preceptor de una encomienda puede autorizar una tercera comida. El templario come carne tres veces a la semana (artículo 26). «Muchas veces, se da dos clases de comidas a todos los hermanos, a fin de que los que no coman de una puedan comer de la otra, o de tres clases, cuando hay abundancia en las casas y los comendadores lo quieren así» (artículo 185).[15]

Las comidas transcurren en silencio, como en todas las comunidades monásticas. De todos modos, el templario medio no conoce, como los cluniacenses, el lenguaje de los signos que permite pedir pan o sal sin decir una palabra. Por ello, se le permite hablar un poco, aunque discretamente, para no molestar al lector, que lee fragmentos de los textos sagrados.

Esté en Tierra Santa o en Occidente, el templario no debe permanecer ocioso. Cuando el preceptor de su convento no le requiera para cumplir un servicio, se ocupará de sus caballos y sus armas (artículo 285). En caso necesario, mandará efectuar las reparaciones necesarias. Por lo demás, prohibírselo equivale a una sanción. No hace falta precisar que, entre los hermanos de oficio, el hermano herrero es uno de los más solicitados.

¿Los templarios se entrenan para el combate? La carga de la caballería pesada no se improvisa. En Occidente, torneos y cacerías preparan al caballero para el combate. Ahora bien, la regla prohíbe a los templarios ambas actividades. Sin duda hay que identificar como maniobras de entrenamiento esos desplazamientos en grupo, de «albergue» en «albergue», que llevan a cabo los templarios de Oriente para ocupar los momentos de ocio. ¿Y en Occidente? Se sabe poca cosa al respecto. A veces se cita el campo de Fickettscroft, en Londres, como terreno de entrenamiento.[16] Los estatutos conventuales prevén concursos de tiro al arco y a la ballesta, animados con apuestas sobre objetos sin valor (artículo 317).

El servicio divino ocupa una parte bastante importante de la vida diaria. La regla prevé el caso, frecuente en Oriente, de que los templarios no puedan celebrar regularmente el servicio divino porque sus obligaciones militares se lo impiden. Autoriza incluso a agrupar los oficios de prima, tercia y sexta (artículo 10). Pero, excluyendo estos casos de fuerza mayor, los templarios tienen que conducirse como religiosos y seguir los oficios, recitar salmos y padrenuestros en las horas canónicas. Nada que ver, ya se imagina, con el esplendor del *Opus Dei* de los cluniacenses. Sin embargo, no se debe subestimar el alcance de estas oraciones en común, que han contribuido, en la misma medida que los combates, a forjar un espíritu de cuerpo. Jacobo de Molay, el último maestre del Temple, no se equivocaba sin duda al decir, durante el interrogatorio a que se le sometió en noviembre de 1309:

... que no conocía orden en que las capillas y las iglesias tuviesen ornamentos, reliquias y accesorios del culto divino mejores ni más bellos y en que el servicio divino fuese mejor celebrado por los sacerdotes y los clérigos, a excepción de las iglesias catedrales. [17]

El hecho de que el servicio divino esté asegurado por un capellán miembro del Temple no dispensa totalmente a los templarios de recurrir a los servicios de sacerdotes u obispos exteriores a la orden. Todas las casas del Temple no disponen de un hermano capellán, y éste no disfruta de un poder de absolución ilimitado. No está capacitado para «juzgar» a un templario culpable de la muerte de un cristiano, ni a un templario culpable de simonía (tráfico con los sacramentos de la Iglesia). Por último, un templario puede recurrir siempre a los servicios del sacerdote de su preferencia; una bula pontificia lo recuerda expresamente a principios del siglo XIV.[18] La acusación hecha a la orden a este respecto –es decir, la negativa a consultar a clérigos exteriores a la orden– es falsa. Actuando como testigos en el proceso de los templarios de Lérida, Aragón, ciertos franciscanos afirmaron que habían recibido con frecuencia las confesiones de templarios.[19] No puede negarse que se dieron abusos en este terreno. No sólo los capellanes de la orden se excedían en sus poderes, sino que se sabe con seguridad que maestres y preceptores, no ordenados sacerdotes, absolvieron a veces los pecados de sus hermanos, para lo cual no tenían ningún poder. El obispo de Acre, Jacobo de Vitry, puso en guardia a los templarios contra esta tentación. «Los hombres laicos no deben usurpar las funciones del sacerdote [...], ya que las llaves no les han sido confiadas, ni el poder de atar y desatar.»[20]

Los templarios tenían el deber de dar limosna y practicar la caridad, lo mismo que la hospitalidad. Su ideal no se limitaba a combatir, sino que consistía en conducirse a diario como «pobres caballeros de Cristo». Hacer voto de pobreza significa también ayudar a los pobres.[21] Tanto en Jerusalén como en la más pequeña encomienda, los templarios están obligados a dar de comer a los pobres. Al final de las comidas, preparadas con abundancia para este fin, se distribuían los restos. Las casas del Temple debían acoger a los huéspedes de paso. La carga resultaba particularmente pesada para la casa presbiterial de Jerusalén.

Durante el proceso, se acusó con frecuencia a los templarios de avaricia. Se les reprochó asimismo acoger de mejor gana a los huéspedes de pago, a los ricos, que a los pobres a los que había que mantener. De creer a Juan de Wurzburgo, que visitó el Temple durante la segunda cruzada, los templarios no hacían en este campo la décima parte de lo que hacía el Hospital.[22] Maticemos, sin embargo. Las acusaciones no son generales. La caridad y la hospitalidad no forman parte de las misiones de la orden. El Hospital, orden caritativa, se ha convertido en orden militar. El Temple no recorrió nunca –no tenía por qué recorrerlo– el camino inverso.

La «justicia de la casa»

Al poner en guardia a los templarios, el obispo de Acre hacía también alusión a la tendencia natural en toda corporación a replegarse en sí misma y a tratar sus asuntos en secreto. Los problemas generales de la orden y todos los problemas disciplinarios se examinaban durante los capítulos, mantenidos al abrigo de oídos indiscretos. El capítulo general, reunido por iniciativa del maestre y que abarcaba la orden entera, los capítulos provinciales, convocados una vez al año, por último los capítulos semanales de cada encomienda se esforzaban, cada uno a su nivel, por resolver los problemas que se le planteaban a la orden.

El ritmo de vida de la encomienda se ajustaba, pues, a ese capítulo que se reunía todos los domingos después de la misa. Hacía las veces de consejo para tratar de las cuestiones corrientes y de consejo de disciplina para sancionar las faltas cometidas por los hermanos y las desviaciones de la regla. Los casos arduos o graves se remitían a los escalones superiores y no se vacilaba en enviar a Tierra Santa, para que fuese juzgado por las instancias supremas de la orden, al templario gravemente culpable.

La regla da numerosos ejemplos del funcionamiento de esta «justicia de la casa», como la denominaban los propios templarios.[23] Su principio se halla próximo a lo que en el siglo XX se denomina autocrítica. Cada hermano confiesa sus faltas y luego se retira. El capítulo delibera entonces. El hermano vuelve para escuchar la sentencia o *esgard*. Si un hermano no confiesa su culpa, puede ser acusado por otro, con permiso del comendador. Antes de llegar a eso, el hermano que sabe que otro ha cometido una falta debe esforzarse por corregirle e invitarle a confesarla en el capítulo siguiente (artículos 390-391), práctica común a todas las órdenes religiosas. Se conoce una compilación de esos *esgards* realizada por los hospitalarios a finales del siglo XIII. No se dispone de ningún equivalente en el caso de los templarios.[24] La regla presenta casos concretos, aunque en una forma anónima y general.

Naturalmente, el capítulo pronuncia sanciones. Las faltas más graves se castigan con la pérdida de la casa, es decir, la expulsión de la orden, con la pérdida del hábito, es decir, la expulsión temporal (un año y un día), o con la pérdida del hábito salvo Dios (lo mismo que la anterior, pero suspendiendo la condena). Para los casos menos graves, el capítulo suele elegir una pena más o menos infamante, aunque de alcance limitado: el culpable es obligado a compartir los trabajos penosos con los esclavos o los domésticos; debe comer en el suelo, ayunar tres, dos o un día por semana durante un período determinado... La sanción más benigna y la más corriente consiste en poner a pan y agua al culpable durante una jornada. Ese «baremo» de penas se repite con ligeras variantes en las demás órdenes militares. Maestres y preceptores tienen la potestad de aligerar el castigo infligido. Por ejemplo, los dignatarios de la orden pueden pedir más comida, a fin de dársela a un hermano privado de carne. A veces, las circunstancias hacían que la sanción aplicada automáticamente a un tipo determinado de falta pareciese excesiva, incluso injusta. En ese caso, se arreglaban las cosas para no presentarla al capítulo, para dejar al papa el cuidado de resolverla.

Después de la sanción, viene el perdón. «Y a éstos [*a los que han confesado*] les concedo tanto perdón como puedo, por Dios y por Nuestra Señora», dice el preceptor, que añade: «Y ruego a Dios que por su misericordia... os perdone vuestras faltas, así como perdonó a la gloriosa santa María Magdalena» (artículo 539).

Y aunque este perdón no tiene nada que ver con la absolución de los pecados que da el sacerdote, se adivina la confusión que pudo crearse en la mente de muchos templarios, poco instruidos y poco al corriente de las sutilezas de los clérigos. Muchas veces tomaron el uno por la otra. Por eso en 1307, los acusadores de los templarios, perfectamente instruidos en las sutilezas en cuestión, pudieron confundir sin dificultad a los templarios en ese punto. No cabe duda de que hubieran confundido también a muchos otros.

Sin embargo, es un hecho que las relaciones entre la «justicia de la casa» y las jurisdicciones eclesiásticas y laicas resultan delicadas y ambiguas. Durante el proceso de los templarios, en 1309-1310, se interroga al hermano capellán Juan de Stoke sobre las circunstancias de la muerte y sepultura del hermano Gualterio Le Bachelier, maestre del Temple en Irlanda de 1295 a 1301. Acusado de dilapidar los bienes del Temple, el capítulo le castigó y le condenó a la pérdida de la casa. Al caer entonces bajo la jurisdicción eclesiástica ordinaria, fue excomulgado y encarcelado... en la celda penitencial de la iglesia del Temple de Londres. Un sacerdote le confiesa cuando está moribundo. Una vez muerto, se le entierra, no en el cementerio del Temple, sino en la plaza, delante de la encomienda del Temple de Londres. No se ha cometido ninguna falta, y los inquisidores que interrogaban a los templarios no pudieron explotar este caso contra la orden. [25]

Los mismos problemas se plantean con la justicia laica, como demuestra el ejemplo, ya analizado, del templario asesino de los emisarios del Viejo de la Montaña. Pese a haber sido castigado por «la justicia de la casa», la justicia real lo rapta y lo encarcela. Tanto en uno como en el otro caso, están en juego la autonomía y los privilegios de exención del Temple.

El secreto que rodea las deliberaciones de los diversos capítulos –y violar ese secreto supone la pérdida de la casa– no tiene nada de excepcional. Las demás órdenes hacían lo mismo. Se explica por el deseo de mantener la paz dentro de la casa. Los casos sometidos con mayor frecuencia a la justicia de la orden se refieren a peleas, violencias, injurias, amenazas. ¿Qué ocurriría si un hermano castigado por el capítulo, anónimo puesto que él ha tenido que retirarse, se enterase de que la sanción ha sido solicitada por este o este otro hermano? «El secreto del capítulo se asemeja, después de todo, al secreto de confesión», observa muy justamente Régine Pernoud.[26] Secreto en el interior para mantener la paz. ¿Secreto en el exterior para mantener la reputación de la orden? Precisemos que el secreto sólo se exige para las deliberaciones. Las sanciones pueden hacerse públicas, como lo demuestra el ejemplo recogido en el artículo 554 de la regla. Tres templarios habían matado a unos mercaderes cristianos en Antioquía:

> La falta fue presentada al capítulo, y se les ordenó perder la casa y que fuesen azotados a través de Antioquía, en Tiro, en Sidón y en Acre. Fueron azotados así y gritaban: «Ved la justicia que hace la casa contra estos malos hombres». Y fueron encerrados a perpetuidad en Château-Pèlerin, y allí murieron.

Explotación rural, fortaleza, convento y, por último, cuartel... La encomienda es todo eso. Y la regla se convierte en código de disciplina militar.

3

Entre Occidente y Tierra Santa

Las actividades financieras

Nadie pone en duda la reputación de los templarios como «banqueros de Occidente». Hay incluso quien considera su éxito financiero como una de las causas de su pérdida. Riqueza y avaricia, riqueza y arrogancia se combinan bastante bien, pero no hacen buen maridaje con una vocación religiosa.[1] Yo creo, por el contrario, que, para llenar la misión que le incumbía, el Temple tenía –casi de manera inevitable– que desarrollar actividades financieras. Los hospitalarios, los teutónicos e incluso las órdenes religiosas tradicionales hicieron lo mismo, aunque fuese a una escala menor.

Las cargas impuestas a sus casas de Occidente, las *responsiones*, eran imprescindibles para que las órdenes viviesen en Oriente. Una bula del papa Nicolás IV lo recuerda aún en 1291, en pleno desastre. Representan teóricamente el tercio de las rentas, pero quedan reducidas a la décima parte de éstas, antes de ser fijadas en una suma global de mil marcos a principios del siglo XIV en Aragón.[2] El interés del Temple le empuja a convertir en dinero el máximo de sus rentas y a adquirir todos los derechos posibles sobre ferias y mercados, además de monopolios provechosos. Por ejemplo, el de «pesaje», que obtiene del conde de Champaña a expensas de los burgueses de Provins.[3]

El Temple ha desarrollado una cualidad reconocida a todos los monasterios, la de ser un abrigo, un refugio para las personas y para los bienes. Nada más seguro para depositar los objetos preciosos que una casa consagrada a Dios y, por consiguiente, inviolable, al menos en principio. Las casas de las órdenes militares resultan todavía más tranquilizadoras. Las más importantes de ellas, las de París, Londres, La Rochelle, Tomar, Gardeny, protegidas por sus murallas, defendidas por numerosos hermanos, parecen a salvo de todo ataque. Así se formaron esos «tesoros» del

Temple que algunos buscan todavía, a partir del depósito de objetos preciosos, joyas, dinero... La primera función financiera del Temple es, pues, pasiva: ser la caja de caudales de Occidente. En Aragón, se convertirá en su función casi exclusiva. En 1303, el rey de Aragón deposita las joyas de la corona en Monzón. Los particulares llevan también joyas, que a veces sirven de garantía para otras operaciones en que puedan hallarse implicados los templarios. Depositan también cantidades de dinero destinado a un uso preciso, pero aplazado. Cada depósito se guarda en una hucha, cuya llave queda en manos del tesorero de la casa del Temple y que no se abre sin el consentimiento del depositante. Durante la primera cruzada de san Luis, el Temple transportó en uno de sus barcos, transformado en verdadero banco flotante, las huchas de un gran número de cruzados. En un relato que se ha hecho célebre, Joinville cuenta cómo logró hacerlas abrir, gracias a una pequeña comedia, a fin de procurarse el dinero necesario para el rescate del rey:

> Dije al rey que sería bueno que enviase a buscar al comendador y al mariscal del Temple, ya que el maestre había muerto, para pedirle que le prestase treinta mil libras [...]. Esteban de Ostricourt, el comendador del Temple, me respondió: «Señor de Joinville, ese consejo que dais no es bueno ni razonable, pues ya sabéis que recibimos los fondos en comandita, de tal manera que, según nuestros juramentos, no podemos entregarlos a nadie, salvo a las personas que nos los han confiado.»

Siguen una discusión y una serie de palabras fuertes. El mariscal del Temple se vuelve hacia el rey:

> Señor, olvidad esta disputa entre el señor de Joinville y nuestro comendador. Como el comendador os ha dicho, no podemos entregar nada sin ser perjuros. Y en cuanto a eso que el senescal del Temple os aconseja tomar, si no queremos prestároslo, no dice gran maravilla. Haréis vuestra voluntad...[4]

Así se hizo. La primera hucha abierta pertenecía a Nicolás de Choisy, sargento del rey.

La existencia de esos depósitos excitaba a veces la avidez de las autoridades reales. En Inglaterra, en 1263, el futuro Eduardo I forzó los cofres de los particulares durante un ataque a mano armada contra New Temple. En 1277, son ladrones de menos categoría los que rompen las huchas.

En 1232, el robo había sido más sutil. Hugo de Burgh pierde el favor del rey Enrique III y sus bienes son confiscados. Pero ¿cómo echar mano al dinero depositado en New Temple? El tesorero se niega enérgicamente a abrir la hucha hasta no tener una orden por escrito de Hugo. Se acabó por encontrar un arreglo. El rey confiscó el tesoro de Hugo, pero lo dejó en su lugar en el Temple, considerándolo como secuestrado. El honor del Temple quedaba a salvo.[5]

Pero este tipo de ataque era raro, más raro todavía en los establecimientos templarios. La reputación del Temple nunca se puso en duda. Pronto se sobrepasa el estadio de la gestión pasiva. El Temple administra los depósitos de sus clientes, que disponen de una verdadera cuenta corriente: sacan dinero, efectúan pagos mediante simples cartas dirigidas al tesorero, etcétera. Tres veces al año, la banca envía un extracto de cuenta. El cliente puede así efectuar con todo conocimiento de causa operaciones de cuenta a cuenta. Un Diario de Caja del Temple de París, fechado en los años 1295-1296, revela la existencia de sesenta cuentas pertenecienes a dignatarios de la orden, a clérigos, al rey, a su familia, a sus oficiales, a mercaderes de París y a diversos señores.[6] El rey figura como simple particular. Dejaré de lado por el momento todo el aspecto público de la actividad financiera del Temple, es decir, la administración del Tesoro real y, en consecuencia, las finanzas de la monarquía.[7]

De la simple gestión de fondos por cuenta ajena, el Temple pasa del modo más natural a una actividad de préstamo. Dispone de fondos propios, pero también de fondos depositados por los particulares y no destinados a un uso preciso. El Temple hace trabajar ese dinero.

Todas las casas religiosas representaron el papel de banca agrícola en los campos del Occidente medieval, y los cartularios, tanto los del Temple como los demás, ofrecen muchos ejemplos de esas pequeñas cantidades prestadas a los campesinos para ayudarles a pasar un momento difícil.

También se conceden préstamos más importantes. En 1216, el Temple adelanta mil marcos de plata a la abadía de Cluny, que se encuentra en dificultades.[8] Presta a los mercaderes de Cahors el dinero necesario para pagar el derecho de veinte marcos que les exigen antes de desembarcar sus mercancías en Inglaterra. Presta a los peregrinos de Santiago, Roma o Jerusalén. Se tienen ejemplos precoces en Aragón, puesto que, en 1135, una pareja de Zaragoza pide prestada al Temple la cantidad de cincuenta morabetinos para visitar el sepulcro de Cristo; el 6 de julio de 1168, Ramón de Castela y su mujer, que desean también hacer el Santo Viaje, entregan como prenda al Temple sus propiedades contra el adelanto de cien morabetinos.[9] Mencionemos, en fin, los préstamos concedidos a los reyes y a los príncipes, cuya importancia veremos en un capítulo posterior.

El Temple se garantiza de tres maneras: prendas, intereses, multas. Contra el dinero prestado, el beneficiario entrega sus bienes en prenda al Temple, que los conservará en caso de que no se le reembolse, como en los ejemplos aragoneses que acabamos de citar. El interés se disimula con frecuencia mediante una operación de cambio de una moneda a otra. Pero la doctrina de la Iglesia sobre este problema ha evolucionado y, en 1232, el obispo de Zaragoza confiesa abiertamente los intereses que paga al Temple. En efecto, reembolsa quinientos cincuenta morabetinos, quinientos como capital y cincuenta como «usura».[10] El Temple prefiere otra garantía para sus préstamos. El contrato estipula una fuerte multa, llamada *interesse*, en caso de fallo del prestatario. Todos los prestamistas utilizan el procedimiento, como prueban los numerosos ejemplos de los archivos venecianos.[11] La multa representa del 60 al 100 % de la cantidad prestada. La viuda de Guillermo de Sargines, que se ha vuelto a casar, pero que tiene a su cargo los asuntos de su hijo, es citada ante el Parlamento por el Temple y condenada a reembolsar tres mil libras que su difunto marido había pedido a la orden. Pero el tribunal deja reservado el problema de la multa, fijada también en tres mil libras.[12]

Cuando no están directamente interesados en una operación financiera, los templarios pueden ser consultados e intervenir como testigos o fiadores, por ejemplo en la importante operación efectuada en Venecia por los hospitalarios, en junio de 1181, en presencia del dux y dos hermanos templarios.

Ercembaldo, hermano del Hospital de San Juan de Jerusalén, prior de San Gil de Venecia, por mandato del conde Raúl y de Roger, maestre del Hospital, y por la mediación de tres hermanos hospitalarios, entre ellos el prior de Bohemia, recibe de Stefano Barocci, procurador de San Marcos, setenta y dos marcos de oro y doscientos de plata en depósito. Esas cantidades son recibidas ante el dux, en presencia de hermanos hospitalarios y también de los hermanos templarios Engelfredi y Martín.

El texto confirma el papel no despreciable de los hospitalarios en el campo financiero, aun poniendo de manifiesto la supremacía del Temple en la materia.[13]

Los templarios contribuyeron al progreso de las técnicas financieras (cartas de crédito) y de la contabilidad. La teneduría de Diarios de Caja revela, por ejemplo, el funcionamiento de su empresa parisiense, la más importante de Occidente. El hermano X abre por la mañana una de las cinco o seis ventanillas del banco. Anota la fecha y su nombre en el Libro de Caja; después, va inscribiendo, a medida que se producen, las operaciones de ingreso si está en una ventanilla de ingresos, los pagos si está en una ventanilla de pagos. El dinero se paga en moneda real, que es, como se sabe, diversa. El cajero anota las cantidades en su libro en moneda de cuenta, en el tipo de la moneda considerada. Por la noche, al hacer la caja, convierte el total en moneda de cuenta parisis, utilizando para ello un tablero de ajedrez.[14]

El Temple lleva en Oriente una actividad de préstamo similar. Una de las primeras indicaciones la proporcionan los préstamos concedidos a Luis VII durante la segunda cruzada. Los complementos de la regla redactados en la segunda mitad del siglo XII, hablan de los préstamos como de una práctica corriente. El maestre puede prestar hasta mil besantes por su propia iniciativa. El desarrollo de los préstamos del Temple en Siria-Palestina es contemporáneo de la expansión del gran comercio internacional y del aflujo de metales preciosos, esencialmente plata, que se advierte en los Estados latinos durante los años 1160.[15] Se plantea luego la cuestión de saber de dónde viene el dinero de que dispone el Temple en Oriente. Se han dado dos explicaciones que se contraponen.

Los recursos financieros vienen de Occidente, de las encomiendas de la «retaguardia», y esto supone transferencias de fondos importantes.

D. Metcalf duda de la importancia de estos «portes» de moneda y propone otra explicación: el Temple encuentra en Siria-Palestina recursos financieros considerables, que provienen de la explotación de sus propiedades en Tierra Santa, de los dones de los peregrinos y cruzados recibidos en Jerusalén, de los tributos, rescates y botines conseguidos a expensas de los infieles y, en fin, de las mismas actividades bancarias. Para este autor, la razón principal del desarrollo de las actividades bancarias por parte de la orden es el lucro, la oportunidad que se le ofrece de obtener ganancias suplementarias. «La riqueza de los templarios en Tierra Santa debe ser apreciada en función de su papel social y político en Oriente; y en Occidente, en función del papel que allí desempeña».[16]

¿No exagera D. Metcalf la importancia de los recursos del Temple en Jerusalén? Botín, tributos, rescates no van en sentido único. Se puede incluso pensar que, al volverse la coyuntura político-militar cada vez más desfavorable para los latinos, éstos pagaron rescates y tributos con más frecuencia que los recibieron.

Por otra parte, existen documentos que parecen probar que el Temple no disponía en Oriente de cantidades astronómicas y que, para prestar, tenía a su vez que pedir prestado, a los banqueros italianos en primer lugar. En abril de 1244, en Chipre, Yolanda de Borbón pide diez mil besantes sirios al Temple. Promete reembolsar el equivalente, o sea, tres mil setecientas cincuenta libras tornesas, al Temple de París. Ahora bien, el 12 de mayo, un notario de Limassol registra la promesa del Temple de reembolsar a los italianos, a quienes ha tenido que dirigirse para procurarse los diez mil besantes, en la próxima feria de Lagny (es decir, en enero). Por lo tanto, lejos de hacerse la competencia, templarios y banqueros italianos se complementan. Los italianos no conocen siempre la situación financiera de sus clientes en Tierra Santa. Buscan, pues, la fianza de la orden, que goza de una gran reputación. Verosímilmente, conceden a los templarios un descuento interesante cuando éstos se dirigen a ellos para satisfacer a un cliente. De todas maneras, el Temple debe de hacer algún beneficio.[17]

La argumentación de D. Metcalf conduce a pensar en una especie de «desarrollo por separado» del Temple en Oriente y en Occidente y a minimizar las relaciones entre los dos sectores de su actividad:

Las líneas de comunicación en el interior de la orden eran buenas; y la transmisión de las ideas relativas a la técnica bancaria, probablemente rápida y eficaz; la transmisión de fondos a través de los medios de la orden parece haber sido relativamente poco importante, aunque las cantidades resultan más o menos difíciles de apreciar.

Ahora bien, volviendo a los argumentos de D. Metcalf, se puede demostrar que el dinero de los templarios pasa de Occidente a Palestina.

La economía comercial de la época padece a causa de la rareza del dinero en metálico. Una rotación rápida del stock monetario compensaría esta escasez. Sin embargo, la circulación del metálico es lenta. Para remediarlo, hay que evitar transportar la moneda real y, por consiguiente, limitar las transferencias (el «porte» de las monedas) y multiplicar las transferencias ficticias: se presta en Occidente y se gasta o se reembolsa en Oriente, y viceversa. No obstante, es indispensable hacer ciertos ajustes, ya que la balanza de pagos, que depende en amplio grado de la balanza comercial, no está equilibrada. Falta saber en qué sentido.

O bien los Estados latinos obtienen un excedente en sus relaciones con el Occidente, y este último compensa entonces su déficit enviando metales preciosos, la plata de la que carece Oriente, en forma de moneda. Se trata de la tesis tradicional.

O bien, al contrario –y ésa es la hipótesis de D. Metcalf–, los Estados latinos son deficitarios en sus intercambios comerciales. Y si ese déficit no se transparenta en la balanza de cuentas, se debe al flujo ininterrumpido de peregrinos, que aportan dinero en metálico. D. Metcalf considera, en efecto, a los peregrinos como los principales agentes de las transferencias de dinero. Pero ¿de dónde sacan cantidades tan importantes, a no ser de los préstamos que piden, entre otros, a las casas del Temple?

En junio de 1270, Guillermo de Pujolt reconoce haber recibido del comendador de Santa María de Palau-Solità, en Cataluña, dos mil seiscientas libras que había depositado en la casa de la milicia en ultramar.[18] De modo que el Temple transporta mucho dinero en metálico por su propia cuenta. No cabe duda de que existe una solidaridad económica entre las casas templarias de Occidente y las casas templarias de Oriente. La única excepción la representa Portugal.[19]

Pero el Temple, y más en general las órdenes militares, efectúan también el «porte» de las monedas por cuenta de laicos y eclesiásticos. Un barco del Temple hace pasar desde Inglaterra al continente los fondos de Enrique III, y el papa confía al Temple y al Hospital el cuidado de transferir a Oriente el producto del vigésimo impuesto al clero de Occidente.[20] Presta los mismos servicios a los particulares, como nos ha demostrado el texto de Joinville citado en el capítulo anterior. Añadiremos otro ejemplo: el duque de Borgoña envía por su intermedio quinientos marcos esterlinos a su hijo Eudes, entonces en cruzada, «en el Pasaje de agosto de 1266».[21]

Piénsese lo que se quiera de su importancia, el porte de moneda no representa más que una parte de las actividades del Temple en el Mediterráneo.

El aprovisionamiento de Tierra Santa

Antes de las cruzadas, los mercaderes italianos de Amalfi y Venecia frecuentaban el Mediterráneo oriental: en primer lugar Bizancio, después el Egipto fatimita. A pesar de las prohibiciones pontificias, proporcionaban a este último productos estratégicos, madera y armas. Las cruzadas y el establecimiento de los Estados latinos aportaron algunas modificaciones. Las relaciones comerciales entre las ciudades costeras de Siria-Palestina, en manos de los latinos, y el interior de los países musulmanes, sin llegar a interrumpirse, se vuelven más difíciles, y los latinos tienen que buscar en otra parte lo que el Oriente musulmán no les aporta con tanta regularidad. En cuanto al comercio internacional Oriente-Occidente, lejos de verse afectado por la cruzada, experimenta una extraordinaria expansión. Madera, caballos, armas y cereales, indispensables para la supervivencia de los Estados latinos, provienen de Occidente; pero otros productos del mismo origen, como los textiles, penetran en el mercado musulmán, mientras que las especias, el alumbre, el algodón se exportan hacia Europa.

La extensión de la cruzada al Imperio bizantino en el siglo XIII creó nuevas condiciones para el comercio en el Egeo y el mar Negro. A finales de siglo, la dominación de la dinastía angevina sobre Italia del Sur y Morea (el Peloponeso) favorece un tráfico muy activo a ambos lados del canal de Otranto.

Las órdenes militares intervienen en estos intercambios, ya que sus casas europeas proporcionan a las de Tierra Santa el excedente de sus producciones. Desde Jerusalén, más tarde desde Acre, los maestres del Temple y del Hospital vigilan con cuidado la llegada de las *responsiones,* que se reúnen en la capital de la provincia, con ocasión de la celebración del capítulo anual. En Monzón, lugar de reunión del capítulo de Aragón, cada preceptor presenta un estado de cuentas de su encomienda, con la lista de propiedades, la renta y las existencias disponibles. A continuación, el trigo, la carne, las mulas, los caballos –estos últimos muy reputados– son encaminados hacia Oriente.[22]

Un acta firmada en Famagusta, Chipre, revela la amplitud de los suministros de grano y la complejidad de las transacciones:

> Yo, maese Tomás, médico, habitante de Famagusta, reconozco haber recibido de Sancho Pérez de San Martí, por intermedio de Bernardo Marquet, capitán del *San Nicolás*, en el puerto de Famagusta, ocho mil moyos de grano, en moyo de Chipre, pertenecientes al conde Bernardo Guillen de Empreça, que me han sido entregados por 16.350 denarios torneses de Francia, que el noble conde había recibido en préstamo de mi hermano, maese Teodoro, médico del Temple.[23]

Los archivos de Nápoles abundan en documentos aduaneros relativos a las exportaciones de trigo desde Italia del Sur hacia Palestina. En varias ocasiones, los reyes de Nápoles condonan los derechos de salida sobre los productos transportados por los templarios hacia Tierra Santa, Chipre o Morea. El 18 de febrero de 1295, el rey Carlos II encarga a los templarios distribuir mil doscientos *saumes* de trigo candeal al año entre los caballeros que han defendido Acre y que se encuentran ahora refugiados en

Chipre sin excesivos recursos. A cambio de eso, el maestre del Temple podrá exportar al año, sin pagar derechos, cuatro mil *saumes* de trigo, cebada y hortalizas hacia el Mediterráneo oriental.[24]

Naturalmente, la demanda de armas y caballos es considerable. Cierto que los cruzados suelen hacer don de sus armas y sus caballos al Temple o al Hospital en el momento de abandonar Jerusalén, pero las necesidades son tales que hay que recurrir a importaciones masivas. Carlos I y Carlos II de Anjou han hecho de su reino de la Italia Meridional un centro de suministro de equipo de guerra para Oriente y Grecia. Los templarios tienen su lugar en esta organización. En abril de 1277, Carlos I autoriza al hermano Aymar de Petrucia a enviar a Siria, para uso del Temple, los caballos y las armas que pertenecieron a su último hijo. Al año siguiente, retiene los servicios de un navío del Temple para el transporte de treinta y cinco caballos a Acre, donde los recibirá su representante, Roger de Sanseverino.[25] El 26 de mayo de 1294, el preceptor del Temple en Morea, Eustaquio de Guercheville, recibe un salvoconducto para abandonar sin problemas Apulia con un barco cargado con siete caballos y un mulo; y el mismo año, el rey prohíbe a sus agentes de aduana que exijan a los templarios procedentes de ultramar la presentación de los arcos y ballestas que llevan en sus barcos.[26]

Los templarios transportaron, o hicieron transportar, materias primas, madera, claro está, pero también hierro. De ello da testimonio un contrato veneciano firmado en Acre, en abril de 1162, por Romano y Samuel Mairano (célebres mercaderes de Venecia), que reciben de Dato Celsi, habitante de Acre, la orden de entregar a los hermanos de la milicia del Temple cincuenta kantares de hierro, lo que representa alrededor de once toneladas.[27]

Desde el momento en que las órdenes militares dispusieron de una flota, tomaron a su cargo el transporte de los peregrinos. Ya los albergaban en sus casas de Occidente situadas en la proximidad de los puntos de embarque: Arles, Saint-Gilles, Marsella, Biot, Bari, Barletta, Brindisi... Los peregrinos tenían confianza en ellos, ya que los barcos de la orden iban escoltados; además, no vendían a sus pasajeros como esclavos en los puertos musulmanes, como hacían a veces los genoveses y los pisanos. Desde Marsella, los dos barcos del Temple y el Hospital podían transportar seis mil peregrinos al año.[28] El célebre Roger de Flor, cuyas asombrosas aventuras narraré en el apartado siguiente, se inició a la navegación en el barco de un hermano lego del Temple, que transportaba a los peregrinos desde Brindisi.

Los templarios tuvieron barcos desde finales del siglo XII. En abril de

1207, dos mercaderes lombardos establecidos en Constantinopia arreglan sus asuntos «antes de nuestro regreso a Venecia de la peregrinación que hacemos a ultramar con el navío de los caballeros del Temple de Jerusalén...».[29] Los templarios de Inglaterra cuentan con sus propias embarcaciones para importar vino de Poitou, que embarcan en La Rochelle.[30] Pero lo esencial de sus actividades marítimas tiene por marco el Mediterráneo. Templarios y hospitalarios (no hay en este aspecto ninguna diferencia entre ellos, y los datos referentes a los unos valen para los otros) crearon una organización específica en los puertos y desarrollaron una política de armamento de barcos.

En el condado de Provenza, los excedentes de las encomiendas del interior son encaminadas hacia los puertos: Niza, Biot, Toulon... En Toulon, el Temple hace construir dos casas en el barrio llamado *Carrière del Templo,* situado cerca de los muros que protegen la ciudad por el lado del mar, y abre la muralla al nivel de sus casas para disponer de un acceso directo al mar y acelerar así el movimiento de carga de sus navíos.[31] Los barcos que llevan las mercancías a Oriente desde estos puertos disfrutan de inmunidades y franquicias concedidas por el conde de Provenza. En Marsella, que, sin formar parte del condado de Provenza, es el puerto principal de la región, surgen dificultades entre las órdenes militares y los armadores locales, que se quejan de la interpretación abusiva que los monjes soldados dan a sus privilegios. Los armadores quisieran prohibirles que carguen mercancías no procedentes de sus establecimientos, incluso reducir sus actividades al transporte de los peregrinos. Sin embargo, en 1216, la ciudad reconoce a las órdenes el derecho a construir y mantener barcos en Marsella, afectados a los servicios de Tierra Santa y de España.[32] Pero las órdenes exigen una libertad total de navegación. Por eso abandonan Marsella por el puerto rival de Montpellier. Al fin, en 1234, se concluye un acuerdo con Marsella. Dos veces al año, en abril y en agosto, un barco de cada una de las dos órdenes podrá abandonar el puerto sin abonar tasas por las mercancías transportadas. Las numerosas actas publicadas prueban que los templarios utilizaron este derecho para cargar productos de mercaderes marselleses: balas de tela, coral, dinero en metálico.[33] El número de peregrinos transportados en cada viaje se limitará a mil quinientos; los barcos de las órdenes procedentes de España no podrán hacer escala, entre Collioure y Mónaco, más que en Marsella.[34] Los templarios de Aragón, que tardaron mucho tiempo en poseer barcos, tenían que dirigirse a Marsella para hacer transitar sus mercancías. Aprovechaban en general el «Pasaje» de agosto. Sin embargo, a finales del siglo XIII disponían ya de sus propios navíos, puesto que el rey Pedro III los requisó en 1285 contra la cruzada francesa de Felipe III.[35]

En Italia del Sur, especialmente en Brindisi, las órdenes participan en la administración del puerto. En 1275, Carlos I les pide que designen a un hermano para vigilar la construcción del faro, en colaboración con los oficiales reales.[36]

Se conocen los nombres de algunos barcos de las flotas del Temple y el Hospital. Cuando Luis XI parte a la cruzada en 1248, el coste del flete de los barcos se calcula refiriéndose al barco de los hospitalarios *La Condesa*. Por los contratos de mercaderes marselleses, se conocen los barcos templarios *La Buenaventura* (en 1248) y *La Rosa del Temple* (en 1288-1290). Las informaciones en cuanto a los tipos de barco, su tamaño, sus tripulaciones, son escasas. La tripulación del navío *La Bendita*, fletado por el conde de Dreux por la cantidad de dos mil seiscientas libras, se eleva a treinta y tres hombres. Este barco, de un tipo bastante extendido, debía de ser mucho más pequeño que *El Halcón*, gran navío de quilla redonda comprado en Génova y confiado al hermano Roger de Flor.[37]

La importancia adquirida por el transporte de caballos necesita la construcción de barcos especiales, los *huissiers*. La cruzada de Luis XI provoca una intensa actividad en las dársenas del puerto de Marsella. Los hospitalarios fletan un navío del conde de Forez todavía en construcción, dispuesto para el transporte de sesenta caballos y que tendrá una tripulación de cuarenta y un hombres. Se trata de un barco grande, puesto que las cruzadas han traído consigo un progreso rápido en este campo. Se sabe que Hugo de Payns, al embarcarse en Marsella en 1129, «llevaba consigo muchas personas, unas a pie, las otras con sus caballos».[38] Acababan de realizarse progresos sensibles. En 1123, los venecianos transportaron por primera vez caballos a larga distancia, haciendo numerosas escalas. En 1169, con ocasión de la expedición bizantino-latina contra Damieta, los bizantinos reformaron sus barcos de modo que permitiesen el desembarco de los caballos por una rampa. La técnica para la tercera cruzada se hallaba a punto. Aparecen entonces los navíos *huissiers*, cuya descripción da Joinville cincuenta años más tarde:

Aquel día, se hizo abrir la puerta del barco y se metieron dentro todos nuestros caballos, los que debíamos llevar a ultramar. Después, cerraron la puerta y la taponaron bien, como se rellena con estopa las junturas de un tonel, porque, cuando el navío está en el mar, toda la puerta se encuentra debajo del agua.[39]

En la cala, los caballos van sujetos con correas. Esta disposición de los barcos *huissiers* corresponde a una técnica de desembarco en cabeza de puente: el barco se acerca lo más posible a la orilla, la puerta se abre y los caballos, montados por sus caballeros, desembarcan directamente. Una vez consolidada la cabeza de puente, los grandes barcos de quilla redonda pueden acercarse y desembarcar su carga, lo mismo que los caballos que transportan. Ordinariamente, un barco *huissier* transporta cuarenta caballos, pero, como hemos visto, a veces llegan a sesenta.[40]

Los templarios se han convertido en marinos, de la misma manera que se han convertido en banqueros. Después de la primera cruzada, las ciudades de la costa pudieron ser conquistadas gracias a las flotas de las ciudades italianas o del noroeste de Europa. En 1291, los últimos habitantes y combatientes de Acre dejan la ciudad en ruinas para embarcarse en los navíos del Temple. Roger de Flor y su gran nave, El *Halcón del Temple*, se hallaban presentes.

La extraordinaria vida del hermano Roger de Flor, capitán de navío y condottiero

El cronista catalán Ramón Muntaner, que espumó el Mediterráneo al servicio del rey de Aragón, conoció bien a finales del siglo XIII y principios del XIV a Roger de Flor, del que fue durante algún tiempo teniente general. Nos ha contado su historia.[41]

«Hombre de origen poco elevado que, por su valentía, llegó a un rango más alto que el que haya alcanzado ningún otro», era hijo de un halconero del emperador Federico II y de una mujer rica de Brindisi. El halconero murió en la batalla de Tagliacozzo, que aseguró la victoria de Carlos de Anjou sobre Conradino, el último de los Hohenstaufen. Huérfanos, privados de los bienes de su padre, Roger y su hermano se crían en Brindisi, donde invernan los navíos de Apulia y de Mesina.

Cuando el mencionado niño Roger tenía alrededor de ocho años, sucedió que un hombre bueno, hermano lego del Temple, llamado hermano Vassayl, el cual era natural de Marsella, y comendador de un navío del Temple, y buen marino, vino a pasar un invierno en Brindisi para lastrar su navío y hacerlo carenar en Apulia.

El niño Roger, que vivía no lejos del muelle, pasaba su tiempo a bordo del barco.

El buen hermano Vassayl se apegó tanto al mencionado niño Roger que le quería como si fuese su hijo. Lo pidió a su madre y le dijo que, si se lo confiaba, haría todo cuanto estuviese en su mano para que fuese buen hombre del Temple. La madre, viendo que era un hombre bueno, se lo confió sin cuidado, y él lo recibió [...]. El niño Roger se convirtió en el niño más experto en el mar [...] tanto que, cuando tenía quince años, fue considerado como uno de los buenos marinos del inmundo en cuanto a la práctica; y cuando tuvo veinte años, fue buen marino en cuanto a la teoría y la navegación [...]. El Gran maestre del Temple, que le vio tan ardiente y bueno, le dio el manto y le hizo hermano lego. Poco tiempo después de ser hermano, el Temple compró a los genoveses un gran navío, el más grande construido en aquel tiempo y que tenía por nombre *El Halcón*, y se lo confió al susodicho hermano Roger de Flor.

Este barco navegó largo tiempo prudentemente y con gran valor, de manera que Roger se encontraba en Acre en el mismo momento que la flota del Temple; entre todos los navíos que allí había, ninguno valía tanto como el suyo.

Generoso, Roger comparte todo lo que gana...

... entre los honorables caballeros del Temple, y sabía así ganarse muchos y buenos amigos. En esa época, se perdió Acre; él estaba entonces en el puerto de Acre, con el navío, sobre el cual acogió a damas y damiselas, con grandes tesoros y muchas buenas gentes; los transportó después a Mont-Pèlerin, y ganó un sinfín en este viaje.

Entregó mucho dinero al Gran maestre y a todos los que tenían poder en el Temple [...]. Algunos envidiosos le acusaron ante el Gran maestre, diciendo que poseía grandes tesoros, que había amasado tras la cuestión de Acre; hasta el punto de que el Gran maestre se apoderó de todo lo que pudo encontrar que le perteneciese, y luego quiso prenderle. Pero él lo supo, desaparejó el barco en el puerto de Marsella y se vino a Génova.

Sus amigos le prestan dinero para comprar una galera, *La Olivette*, con la cual se dirige a Mesina, poniéndose al servicio del rey Federico de Sicilia, hermano del rey de Aragón. Se entrega entonces a la piratería, a expensas de los angevinos, que siguen siendo los amos de Italia del Sur. La reputación de Roger aumenta sin cesar. Se hace famoso por pagar a sus marinos y soldados por adelantado y puntualmente. Crea así una «compañía», compuesta de catalanes y aragoneses, fieles y disciplinados (la experiencia del Temple no se ha perdido...), que constituye el esbozo de la célebre Compañía catalana. Se puede considerar a Roger de Flor como uno de los primeros *condottieri* de la Italia medieval.

En 1302, Carlos II de Anjou y Federico firman la paz; el primero se queda con Nápoles y la Italia meridional; el segundo, con Sicilia. Roger pierde su ocupación.

> Pensó así que no sería bueno para él permanecer en Sicilia; que dado que el señor rey estaba en paz con la Iglesia, el maestre del Temple, el rey Carlos y el duque [*Roberto de Anjou*], que tan mal le querían, no dejarían de reclamarle al papa.

Roger decide entonces, con el acuerdo de su rey, pasar a Grecia y poner su compañía al servicio del emperador bizantino contra los turcos, a condición de que sea a soldada.

> Dio la cosa por hecha, ya que gozaba de gran renombre en la casa del emperador y porque, en el tiempo en que mandaba el navío llamado *El Halcón del Temple*, había prestado muchos servicios a los barcos del emperador que encontraba en ultramar, y porque conocía a los griegos.

Consigue reunir cerca de cuatro mil combatientes, entre ellos caballeros de primer plano, como Berenguer de Enteça, que «era hermano suyo por juramento». También en este caso se transparenta en la Compañía catalana la influencia de la disciplina y la «fraternidad» del Temple. El emperador Andrónico le acoge con favor y le nombra «megaduque» del Imperio.

La Compañía inicia sus hazañas aniquilando a los genoveses de Constantinopla, cosa que no disgusta al emperador, harto de su tutela. Después, Roger y sus hombres franquean el Bósforo y combaten contra los turcos, antes de invernar en la región de la antigua Troya. A su regreso a Constantinopla, Roger abandona su título de megaduque en favor de Berenguer de Enteça y toma el de «César», el predicado imperial. Sus éxitos y este título indisponen contra él al hijo del emperador, Miguel. Roger es atraído a una trampa en Andrinópolis y muere asesinado. Esto ocurría en 1305.

Informadores de Occidente

Sin entrar en doctas discusiones sobre las aportaciones de las cruzadas a Occidente y para limitamos al Temple, señalemos que, si bien se da un vaivén constante entre las casas de Oriente y Occidente, el intercambio es desigual. El Oriente «consume» hombres, caballos, víveres, dinero; el Occidente se los proporciona. ¿Qué recibe a cambio? Hombres y noticias.

En primer lugar, hombres. Lisiados, enfermos, viejos. Las encomiendas de Occidente hacen también las veces de asilos y enfermerías. Se conoce bien la encomienda-hospital de Denney (Cambridgeshire), en Inglaterra. Los templarios recibieron esta propiedad en 1170 como donación de la comunidad monástica de Ely. Muy pronto se especializó en el cuidado de los enfermos y, con esta finalidad, obtuvo numerosas donaciones de bienes y rentas. En 1308, los comisarios reales que vinieron a arrestar a los hermanos, encontraron sólo once: ocho eran ancianos, dos ya de edad y uno loco. Otra encomienda inglesa, la de Eagle (Lincolnshire), prestaba los mismos servicios.[42] Había otras en toda Europa. A los hermanos enfermos de lepra se les reservaba una suerte particular. Debían dejar la orden y entrar en la de San Lázaro, orden militar igualmente, pero que acogía tan sólo a los leprosos.

Sin embargo, no todos los templarios de Occidente eran pacíficos jubilados. Tampoco neófitos que se preparaban para entrar en el servicio activo. Si se juzga por la carrera de los dignatarios, la de los templarios en general presentaba cierto movimiento.

Las órdenes militares están bien situadas para convertirse en los informadores privilegiados de Occidente. La red de sus casas se manifiesta eficaz. Ni el Temple ni el Hospital pueden cumplir su tarea sin un reclutamiento constante. Para atraer a los reclutas, hay que recordar sin tregua los peligros de la situación en Tierra Santa, las desdichas de los cristianos de Oriente, la agresividad musulmana. Los templarios adoptan muy pronto una política de información sistemática de Occidente, por medio de cartas. El príncipe Raimundo de Antioquía perece en la segunda cruzada. La ayuda del rey Balduino III y de los templarios no logra impedir el desastre. La orden ha tenido que pedir dinero prestado y se halla ahora escasa de recursos. Un templario escribe al maestre Everardo des Barres, entonces en Occidente (ha acompañado al rey Luis VII). Describe la situación y le urge para que regrese con hombres y dinero. Le pide que informe al rey y al papa de la situación. Y en efecto, Everardo vuelve a Jerusalén después de haber puesto al corriente de los hechos, no sólo al rey y al papa, sino también a Suger y a san Bernardo, relevos eficaces para hacer circular la información.[43] En los años 1162-1165, Luis VIII recibe catorce cartas de Oriente; siete de ellas proceden de los templarios, que, en cada ocasión, exponen sus pérdidas y sus necesidades. El desastre de Hattin fue conocido en Occidente gracias a la carta de un templario superviviente, el hermano Thierry.

Cuando el papado emprende una política consecuente de apoyo a la cruzada, emplea los mismos métodos. Inocencio III se dirige a todo el que cuenta en Oriente para conseguir informaciones.

La propaganda no se encuentra nunca muy lejos de la información. En la Edad Media, la carta supone el instrumento privilegiado de ambas. La dura derrota de La Forbie, en 1244, en la que el Temple perdió trescientos hombres y el Hospital doscientos, dio ocasión a una guerra de comunicados epistolares entre Federico II, que hace a los templarios responsables de la derrota, y éstos, que naturalmente rechazan la acusación. El historiador inglés Mathieu Paris, muy favorable, como se sabe, a Federico II, reprodujo estas cartas.[44]

El 26 de julio de 1280, el Gran maestre del Hospital, Nicolás Le Lorgne, escribe al rey de Inglaterra Eduardo I. Su carta parece un informe sobre el estado de Tierra Santa: «Os damos de buena gana a saber el estado de Tierra Santa [...]. La dicha tierra se encuentra en bien débil parte y cada vez más vacía de gente de armas [...]. Hay pestilencia de sequía, todo el trigo se ha estropeado; la mina de trigo candeal está a cuatro besantes y más». Y Nicolás Le Lorgne reclama de Occidente trigo para «mantener a nuestros señores enfermos y a nuestros hermanos».[45]

Como los informadores más seguros de Occidente, los maestres de las órdenes son consultados por el papa o por los príncipes sobre todo lo que se relaciona con la cruzada. Clemente V convocó a Francia en 1306 al maestre del Temple, Jacobo de Molay, entonces en Chipre, para conocer la opinión de una persona cualificada.

¿Un empobrecimiento templario en el siglo XIII?

Muchos consideran lógica la impopularidad creciente del Temple en el curso del siglo XIII. Examinaremos esta cuestión en otra parte, a partir de los textos de los contemporáneos. Ahora quiero simplemente subrayar, al término de este largo análisis sobre la «retaguardia» de la orden, el interés que tendría, para apreciar su impopularidad, destacar por una parte el movimiento de las donaciones, por otra parte el de las vocaciones. Se necesitarían para ello estudios comparativos sistemáticos (entre las regiones, entre las órdenes religiosas). Me limitaré a dar algunos ejemplos, con el solo objeto de poner las bases para una primera impresión.

El movimiento de las donaciones no es lineal. Se producen en oleadas, 1130-1140, 1180-1190, 1210-1220. En la segunda mitad del siglo XIII, se observa una clara regresión: ni siquiera diez donaciones en cincuenta años en la encomienda de Provins; rarefacción en Beaune; la implantación templaria en el Yorme termina hacia 1250; setenta y cuatro actas de donación y de venta durante el siglo XIII en Rouergue, contra doscientas diecinueve en el siglo XII; cuarenta y cuatro donaciones en Huesca hasta 1120, y catorce de 1220 a 1274; veintitrés donaciones en Tortosa (Aragón) de 1160 a 1220, y una sola después. La causa parece vista.[46]

Sin embargo, sigue habiendo donaciones. Un señor del Barrois hace don de su feudo de Doncourt-aux-Bois en 1306. Pero ¿cómo juzgar ese frenado, esa extinción a veces del movimiento? A. J. Forey señala que en Aragón se observa una disminución paralela de las compras (que se deben a una elección deliberada de los templarios). En Tortosa y su región, se ha observado que las donaciones a los establecimientos religiosos tradicionales disminuyen en el curso del siglo XIII, pero esta disminución no aparece hasta finales del mismo siglo en lo que se refiere al Temple y al Hospital.[47] Por lo tanto, para apreciar correctamente la curva de las donaciones, hay que tener en cuenta otros factores: competencia de las nuevas órdenes mendicantes; evolución general de la sociedad, con un control más estricto de los dones; presión del poder real, que exige cada vez más dinero de sus súbditos; efectos de la crisis de la idea de cruzada, que no se limitan únicamente al Temple. Antes que la impopularidad del Temple, el movimiento de las donaciones invita a considerar el problema de la impopularidad del conjunto de las casas religiosas.

Habría que considerar además otro aspecto. ¿Se da también una crisis de vocaciones? A. J. Forey hace un paralelo entre la disminución de las donaciones y las compras y la disminución de los contratos de confraternidad. Es posible. Pero en vísperas de la detención de los templarios, seguía habiendo novicios. Las medias de edad observadas entre los hermanos de Lérida interrogados en 1310 son reveladoras: veintisiete años para los dieciocho sargentos, menos de veinte años para los ocho caballeros. En París, entre los templarios detenidos e interrogados en 1307, uno tiene diecisiete años, otro ha recibido la capa el 16 de agosto de 1307.[48]

Los ejemplos expuestos son demasiado fragmentarios para sacar de ellos la menor conclusión, a excepción de la siguiente: seamos prudentes antes de señalar con el dedo a los templarios. Que son impopulares no suscita ninguna duda, pero no más que muchos otros.

QUINTA PARTE
El temple en el siglo XIII.
¿Corrupción de su misión?

En el siglo XIII, la situación de los Estados latinos se vuelve dramática. La realeza es inconsistente, la presión de los Estados occidentales se deja sentir cada vez más, sin que esto aporte soluciones a los problemas de Tierra Santa. Los grupos rivales, barones, comunas italianas, agentes de los reyes occidentales, clero y órdenes militares, se enfrentan impunemente y se desgarran entre sí frente a un mundo musulmán que, por suerte para los latinos, no conserva nunca por mucho tiempo su unidad. Los Estados latinos han perdido la iniciativa.

Las órdenes militares constituyen la única fuerza organizada del país, pero ocupan una situación muy incómoda. Detentadores del ideal de cruzada en un momento en que ésta se hace impopular, no pueden desanimar a los cruzados occidentales que vienen para combatir, pero tienen sin cesar que moderarles si han de contar con las complejas relaciones de fuerzas en Oriente. Ejercen un poder en aumento; dejan en el campo de batalla sus mejores fuerzas; hacen desaparecer cantidades enormes de dinero para la defensa de las fronteras. No obstante, son el blanco de todas las críticas. Los occidentales les reprochan sin distinción su orgullo o su prudencia; sus riquezas (¿para qué sirven?) o su avaricia; su valor o su traición. He dicho bien «las órdenes», y no únicamente el Temple. Las complejas relaciones entre las órdenes militares aumentan más aún la confusión.

1

Los verdaderos amos del Oriente latino

Sin pretender rehacer la historia de las cruzadas y de los Estados latinos en el siglo XIII,[1] quisiera mostrar, mediante algunos ejemplos, cómo ejercieron ese poder los templarios (y los demás).

Querellas dinásticas

Hemos visto que, al liberar al rey Guido de Lusiñán y a Gerardo de Ridefort en 1188, Saladino sembró el desorden en el reducto latino de Tiro, puesto que el nuevo dueño del lugar, Conrado de Montferrat, les negó la entrada en la ciudad. Sabemos también cuál fue la reacción de Guido: ir a sitiar Acre. Con ello, los latinos recobraron la iniciativa para la tercera cruzada. El emperador Federico I no llegó nunca a Acre; se ahogó en Asia Menor. Pero Felipe Augusto y Ricardo Corazón de León están allí para aceptar, el 12 de julio de 1191, la rendición de la ciudad. El rey de Francia regresa de inmediato, mientras que Ricardo, con el apoyo del Temple y del Hospital, emprende la conquista de las villas costeras. Por consejo de las órdenes, renuncia a tomar Jerusalén, que los latinos no tendrían posibilidades de defender.

Los dos reyes tienen que solucionar las diferencias entre Guido y Conrado, cuya puesta es la suerte de la corona de Jerusalén. En esta ocasión, las órdenes militares sobrepasarán su papel natural de consejeros militares. Situados en el núcleo de los órganos del poder, se convierten en el elemento fundamental del «cuerpo político».[2] Su intervención será determinante en la solución de la crisis dinástica.

Guido de Lusiñán es rey por derecho de su mujer, Sibila. Conrado pone en duda su legitimidad a causa de las responsabilidades de Guido en el desastre de Hattin. Él se ha casado con la hermana menor de Sibila, Isabel. Las órdenes toman pronto su partido: el Temple, siguiendo a su maestre Ridefort, defiende con decisión a Lusiñán, mientras que el Hospital se inclina moderadamente por Montferrat. La llegada de Felipe Augusto y de Ricardo lo cambia todo. El primero sostiene a Conrado; el segundo a Lusiñán. Las órdenes cambian de chaqueta, y el Temple se une a Felipe y Conrado, el Hospital a Ricardo y a Guido de Lusiñán.

Sin embargo, el Temple no sigue ciegamente a Felipe Augusto. El nuevo maestre, Roberto de Sable, es un Manceau y, por consiguiente, vasallo de Ricardo. Protesta cuando Felipe Augusto establece sus cuarteles en la casa del Temple de Acre, al día siguiente de la capitulación. El Temple quiere entrar en su recinto y seguir siendo el amo. A la inversa, Ricardo dejará Tierra Santa en un barco del Temple, escoltado por caballeros del Temple, «que me conducirán hasta mi país como si yo fuera templario».[3] En realidad, las órdenes han intentado en vano reconciliar a Ricardo y Felipe.

La rivalidad Montferrat-Lusiñán se soluciona en 1192. Montferrat se convierte en rey de Jerusalén y Guido recibe Chipre. Pero Montferrat es asesinado en ese mismo año. Su viuda, Isabel, la última heredera de la dinastía de Fulco de Anjou, se casa, con la aprobación de las órdenes, con Enrique de Champaña (1192-1197). Al morir Enrique en 1197, templarios y hospitalarios pusieron el veto a las pretensiones de Raúl de Tiberíades, barón de Palestina, por juzgarle demasiado pobre. Isabel se casó, pues, con Amalrico de Lusiñán, hermano de Guido. A su muerte, en 1205, las órdenes aconsejan pedir a Felipe Augusto que elija un esposo para la hija de Isabel, María, y por lo tanto un rey. El rey de Francia designa a Juan de Brienne, caballero de Champaña, que será el último verdadero soberano de Jerusalén (1205-1225).[4]

Como se ve, las órdenes se opusieron en Jerusalén con respecto a las personas, pero adoptaron una política común: unión en torno a un verdadero rey.

En la misma época, estalla en Antioquía una guerra de sucesión (1201-1216). El principado del Norte, dirigido por Bohemundo III, vive poco más o menos en paz con los musulmanes de Alepo, pero está comprometido en un conflicto permanente con sus vecinos armenios de Cilicia.[5] León III de Cilicia, vasallo de Bohemundo, quisiera invertir la relación feudal y someter el principado de Antioquía. Bohemundo III tiene dos hijos: Raimundo, el mayor, destinado a sucederle en Antioquía, y Bohemundo, el menor, conde de Trípoli.

Se forman tres grupos de intereses. León puede contar con el apoyo de la baronía de Antioquía, armenia o de sangre mezclada franco-armenia. En 1191, se ha apoderado de la antigua fortaleza templaria de Baghras, o

Gastón, conquistada y luego desmantelada y abandonada por Saladino. Baghras es la clave del acceso a Antioquía a partir de Cilicia. En consecuencia, el Temple, que posee algunos castillos en Cilicia, como Roche-Guillaume, y que reivindica Baghras,[6] y la burguesía latina de Antioquía, que se ha erigido en comuna en 1194[7] y que rechaza el dominio armenio sobre la ciudad, lo mismo que rechazó antaño el de los bizantinos, se oponen a León. Entre estos dos grupos se encuentra el de los moderados, reunido en tomo al príncipe de Antioquía, Bohemundo III, y que se inclina por un acuerdo con Cilicia. Lo sostienen el rey de Jerusalén, Enrique, y el papa, puesto que éste teme una falsa maniobra que haga fracasar el acuerdo de unión de la iglesia armenia con Roma, que se halla en buen camino. Los moderados favorecen el matrimonio del hijo mayor de Bohemundo, Raimundo, con la hija de León III de Cilicia. De este matrimonio nacerá Raimundo Rupén. Raimundo muere, y después Bohemundo III. En 1201, Raimundo Rupén, todavía un niño, se convierte en príncipe bajo la tutela de su tío abuelo León II de Armenia. La burguesía de la ciudad se rebela y abre las puertas a Bohemundo de Trípoli, que se proclama príncipe con el nombre de Bohemundo IV.

Los templarios apoyan a este último, mientras que los hospitalarios siguen a León y al príncipe legítimo, Raimundo Rupén. Emboscadas y golpes de mano alternan con treguas y entrevistas de conciliación. En 1203, los templarios rechazan un comando armenio que había penetrado en la ciudad; en 1211, un grupo de templarios, que iba a reaprovisionar la fortaleza de Port-Bonnel, en Cilicia, cae en una emboscada, en la que resulta gravemente herido el maestre del Temple, Guillermo de Chartres.

La crisis se calma provisionalmente en 1216. Raimundo Rupén es reconocido por todos en Antioquía. Ha tenido la prudencia de devolver Baghras a los templarios, lo que suprime la principal razón del apoyo del Temple a Bohemundo IV. En este caso, los templarios proporcionaron lo esencial de las tropas a uno de los partidos que se disputaban el poder. Creo inútil multiplicar los ejemplos de las intervenciones de las órdenes en las cuestiones políticas de los Estados latinos. Se repiten a lo largo de todo el siglo. Todavía a comienzos del siglo XIV, el Temple se mezclará en el conflicto dinástico de Chipre.

Frente a los soberanos de Occidente

A partir de 1225, la corona de Jerusalén ha salido del reino. Hasta 1268, estará sobre la cabeza de los Hohenstaufen, reyes de Sicilia –y en el caso de Federico II, emperador–. Después, entre 1269 y 1286, se la disputan los Lusiñán de Chipre y la casa de Anjou, convertida en dueña de Sicilia y de la Italia del Sur. Ni los Hohenstaufen ni los Anjou residen en Tierra Santa. Dejan el poder de derecho en manos de un representante, pero el poder de hecho lo ejerce una oligarquía, en cuyo seno desempeñan el primer papel los maestres del Temple y del Hospital. A veces, sin embargo, un soberano occidental viene en cruzada y se hace cargo de las cosas, lo mismo que Luis IX en 1248-1254. La actitud de las órdenes es en general favorable a estos soberanos. No obstante, se produce una excepción con la venida de Federico II.

En 1223, Juan de Brienne, ya muy anciano, casa a su hija Isabel con el emperador Federico II. Isabel muere al dar a luz a Conrado. Federico II, sin más consideraciones por su suegro, le prohíbe regresar a Tierra Santa y se apropia la corona real de su hijo recién nacido. La cruzada de Federico II se desarrolla en condiciones extrañas, puesto que la inicia estando excomulgado. Sin preocuparse por ello, desembarca en Tierra Santa para tratar con su «amigo», el sultán de Egipto al-Kamil. El 18 de febrero de 1229, Federico II obtiene así la devolución de Jerusalén, Belén y un pasillo de acceso desde Acre. Tal acuerdo fue tan mal aceptado por los musulmanes como por los cristianos. Como la mayor parte de los barones locales, que siguen en esto a su líder Juan de Ibelín, las órdenes militares, a quienes el papa ha intimado la orden de no ayudar al emperador, «traidor e impío»,[9] se muestran hostiles. Consideran la Ciudad Santa como indefendible. El Temple tiene un reproche suplementario que hacer a Federico: el acuerdo firmado con el sultán no devuelve a la orden su antiguo barrio. Templarios y hospitalarios no asisten, pues, a la coronación de Federico II en el Santo Sepulcro. Mathieu Paris, el historiador inglés, habla incluso de un complot de las órdenes militares para asesinar a Federico, lo que parece una invención de este partidario incondicional de los Hohenstaufen.[10]

Pero la actitud de las dos órdenes evolucionará y, gradualmente, se encontrarán en campos opuestos. En 1229, Federico II se apodera de la fortaleza templaria de Château-Pèlerin. Los templarios reaccionan pronto y obligan al emperador a desalojar el lugar. Para vengarse de la afrenta, éste ataca el barrio del Temple en Acre. Los hospitalarios no se mueven. Incluso acogen a Federico tras su fracaso.[11] Es el primer síntoma del acercamiento que se está llevando a cabo entre el Hospital y el emperador.

De regreso en Occidente, Federico II hace las paces con el papa. Por este motivo, las órdenes militares se ven obligadas a la reserva. Los templarios dan pruebas de buena voluntad, negándose, por ejemplo, a alber-

Partida de Luis IX a la cruzada (1248): *«Comment le roys Loys, le quart de la lignée Huon Chapet ainsui nommés, ala à grand ost outremer sur les sarrasins»*. (Cómo el rey Luis, el cuarto del linaje de Hugo Capeto, así nombrados, fue con una gran hueste a ultramar contra los sarracenos.)

gar en una de sus casas del condado de Trípoli a un adversario de Federico II, Balián de Ibelín, hermano de Juan «porque no quieren ser mal vistos de las gentes del emperador».[12] Pero el entendimiento entre el papa y el emperador no dura apenas. El Hospital se pasa al campo del emperador, al lado de Pisa; el Temple, con la mayoría de los barones y las ciudades de Génova y Venecia, permanece fiel al papa. En 1242, los hospitalarios apoyan la tentativa del representante de Federico, Filangieri, que quiere apoderarse de Acre. Fracasa. En represalia, los adversarios del Hospital someten el barrio de éste a un bloqueo de seis meses. Aun después de la muerte del emperador, los hospitalarios sostienen a sus sucesores. Conrado, Manfredo y Conradino. ¿Hemos de convertirlos por eso en «gibelinos», partidarios del emperador, y clasificar a los templarios como «güelfos», partidarios del papa? La cosa no resulta tan sencilla. En sus relaciones con Federico II, las órdenes tomaron su decisión en función de otros intereses, intereses de política extranjera, afirma J. Riley-Smith. El Temple desea una alianza con Damasco contra Egipto, mientras que el Hospital prefiere la idea opuesta. Se encuentra, pues, en posición de aliado «objetivo» de Federico II. Volveré sobre la cuestión al estudiar el conjunto de las relaciones entre ambas órdenes.

Divididos frente a Federico II, templarios y hospitalarios se reconcilian durante algún tiempo gracias a Luis IX. Las relaciones de éste son cordiales, pero rudas. Luis IX tiene la mentalidad del cruzado de Occidente y considera a los *poulains* con desconfianza. Por su parte, las órdenes adoptan con frecuencia posiciones muy próximas a las de los *poulains*. Sin embargo, aceptan sin dificultad la autoridad del rey de Francia. Luis IX consulta en Chipre a los maestres del Temple y del Hospital sobre lo que conviene hacer. Ellos le sugieren que aproveche las contradicciones internas del mundo musulmán. Luis IX rechaza la idea secamente. ¡No se discute con los infieles! Las órdenes harán muy bien en suprimir todo contacto con ellos.[13] Tales contactos bien conocidos, antiguos, tradicionales, se reanudarán más adelante. No importa. Por el momento, las órdenes obedecen, aunque, en el fondo, no piensen renunciar a su diplomacia habitual.

Luis IX es vencido y hecho prisionero. Tiene que pagar un rescate para obtener su libertad. Pasa después cuatro años en Acre. No le ha quedado otro remedio que negociar con el infiel. De mala gana, por lo demás, lo que le impide sacar provecho de la rivalidad entre Damasco y Egipto. No toma ninguna iniciativa militar ni política y deja Tierra Santa después de haber concluido una tregua que mantiene un *statuo quo* favorable a los musulmanes. En ese contexto se sitúa el incidente entre el rey y el Temple, que Joinville nos relata así:

El hermano Hugo de Jouy, mariscal del Temple, fue enviado al sultán de Damasco por el maestre de la orden para negociar a propósito de una gran tierra que tenía el Temple y de la que el sultán quería la mitad. Se hicieron las convenciones, pero condicionadas al acuerdo del rey. El hermano Hugo trajo con él a un emir del sultán de Damasco, portador de las convenciones...

El rey reprocha al maestre del Temple el haber negociado sin avisarle. Exige reparación. Ante todo el ejército...

... el maestre del Temple acude con toda la comunidad, sin calzas, a través del campamento... El rey hace sentar ante él al maestre del Temple y al mensajero del sultán; después, dice en voz alta: «Maestre, diréis al mensajero del sultán que os pesa haber tratado con él sin hablarme y que, por eso, le consideráis libre de todas sus promesas». El maestre tomó las convenciones y las entregó al emir, añadiendo: «Os devuelvo las convenciones que he hecho mal, de lo que me arrepiento».

Los templarios tuvieron que disculparse de rodillas, y el rey pidió que Hugo de Jouy fuese desterrado de Tierra Santa.[14] Hugo de Jouy fue a ejercer el maestrazgo de Cataluña, y Rinaldo de Vichiers ocupó su puesto como maestre de la orden.[15] El incidente no revela una hostilidad interna de Luis IX contra el Temple. La prueba está en que el contramaestre de los marineros que manda la flota del rey durante su regreso de la cruzada es un templario.[16] Pone simplemente de manifiesto las contradicciones entre una autoridad real episódica y lejana –y que en el caso de Luis IX se reduce a una autoridad de hecho– y grupos poderosos, bien organizados y autónomos, que tienen sus propias prácticas diplomáticas y militares.

Los Hohenstaufen son expulsados definitivamente en 1268. Conradino, vencido por el hermano de Luis IX, Carlos de Anjou, en la batalla de Tagliacozzo, es ejecutado. Ya no hay ningún rey de Jerusalén. Se piensa en unir el reino a Chipre o en llamar a Carlos de Anjou. El recurso a Chipre resulta delicado, puesto que hay dos ramas posibles: Hugo de Chipre o María, esposa del príncipe de Antioquía. Los hospitalarios prefieren al primero, los templarios a la segunda. Gana Hugo y se hace coronar rey de Jerusalén en 1269. Pero en 1277, abandona Acre, harto de la actitud de las órdenes militares, en particular el Temple. Escribe al papa para decirle que no puede seguir gobernando «la tierra a causa del Temple y del Hospital».[17]

Ahora bien, María de Antioquía ha vendido sus derechos a Carlos de Anjou. El Temple le sostiene activamente. Guillermo de Beaujeu, nombrado maestre de la orden en 1273, está unido por lazos familiares a la dinastía de Anjou. Ha sido preceptor de la provincia de Apulia de 1271 a 1273. Actúa en Tierra Santa como agente celoso de la causa de los Anjou. Bajo su impulso, el Temple se opone a todas las tentativas venidas de Chipre. Acre sostiene a Carlos; Tiro y Beirut al rey de Chipre. Pese a ser cada vez más vano, el título real de Jerusalén halaga todavía la vanidad de las dinastías occidentales. El catalán Ramón Muntaner subraya malignamente que Carlos de Anjou se dice «vicario general de todos los países de ultramar, y jefe supremo de todos los cristianos que se encuentran en ultramar, y de las órdenes del Temple, del Hospital y de los Alemanes».[18] Además, Carlos de Anjou alberga la ambición de una vasta política mediterránea, apoyándose en Italia del Sur, Morea y el reino de Jerusalén.

Las órdenes militares han puesto su poderío al servicio de soberanos para los cuales Tierra Santa no significa más que un terreno de acción entre otros (con la excepción de Luis IX). También en esto se encuentran en una posición falsa. Los soberanos pasan, ellos se quedan. Cierto que, aun en el caso de que lo quisieran, no podrían permanecer ajenas a las grandes maniobras orientales de un Federico II o de un Carlos de Anjou. De la misma manera, no pueden mantenerse apartados de las intrigas de la nobleza de Siria-Palestina o de las colonias italianas.

En el corazón de las intrigas

Dos ejemplos entre otros muchos muestran cómo las órdenes, arrastradas primero a intervenir en las querellas de otros, llegaron a entablar verdaderas guerras privadas.

Las grandes ciudades portuarias italianas han trasladado sus rivalidades a Oriente. Génova y Venecia, sobre todo, se enfrentan en todas partes, en el mar y en la tierra. En Acre, disponen de un barrio, de una colonia o factoría ampliamente autónoma con respecto a las autoridades políticas y religiosas del reino. Esos barrios, cercanos al puerto, lindan con los pertenecientes a las órdenes militares.

El conflicto entre Venecia y Génova surge a plena luz en Tierra Santa hacia 1250, a propósito de una casa propiedad del abad de San Sabas, situada en una colina en el límite del barrio genovés. Esta altura tiene un interés estratégico, puesto que controla el acceso del barrio veneciano al puerto. Los genoveses quieren comprar la casa al abad, mientras que los venecianos están decididos a oponerse por todos los medios. Los genoveses llevan primero la ventaja, pero, en 1256, Venecia reacciona vigorosamente. Se alía con Pisa y moviliza una flota importante, que ataca el puerto de Acre y saquea el barrio de Génova. La cuestión toma un nuevo giro cuando, por el juego de las alianzas, se forman dos campos. De un lado, Venecia, con una parte de la nobleza local y Juan de Ibelín, baile del reino, las cofradías de mercaderes latinos de Acre y los mercaderes marselleses y provenzales. El príncipe de Antioquía sostiene asimismo este campo. Del otro lado, Génova cuenta con el apoyo de la familia genovesa de los Embriaci, titulares de la señoría de Giblet; del señor de Tiro, Felipe de Montfort, principal representante de los Hohenstaufen en Oriente; de los catalanes y de las cofradías mercantes de Acre, que reclutan sus miembros entre la población cristiana siria. Los dos campos se convierten en dos partidos cuando la reina de Chipre desembarca para reclamar la regencia del reino. Venecia y sus aliados la apoyan. Génova defiende, por el contrario, los intereses del joven heredero Hohenstaufen, Conradino. A través de los venecianos y los genoveses, resurge la oposición güelfos-gibelinos.[19]

Las órdenes militares se mostraron al principio prudentes; después se lanzaron a la batalla, en campos opuestos, claro está. De creer a Gerardo

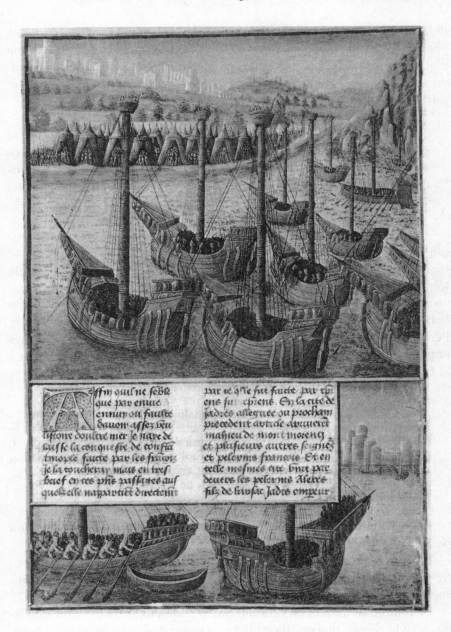

La flota de los cruzados durante la conquista de Constantinopla.

de Montréal, el autor de la crónica llamada del «Templario de Tiro», en general bien informado, el Temple y el Hospital intentaron primero una mediación y se esforzaron después por separar a los combatientes. Cuando fracasaron, el Hospital se decidió a favor de Génova. Como dice Gerardo...

... se aconsejó a los venecianos y a los pisanos que fuesen a ver al maestre del Temple, el hermano Tomás Berard, que se había ido a vivir a la casa de los caballeros de San Ladre (Lázaro) para estar lejos de la batalla y de los artefactos que se lanzaban, ya que la casa del Temple estaba muy cerca de la de los pisanos.

¿No se muestra parcial Gerardo de Montréal? ¿No embellece la actitud de los templarios?

La reserva de los templarios desapareció muy pronto, y el Temple tomó el partido de Venecia. En la primavera de 1258, Génova quiere dar un gran golpe. Su flota se apoderará del puerto, mientras que su aliado Felipe de Montfort penetra en la ciudad con ayuda de los hospitalarios. Pero la flota veneciana de Lorenzo Tiépolo ataca la de Génova y, para impedir la entrada de Montfort por tierra, Venecia y Pisa se dirigen al Temple:

El maestre les prometió que les daría hermanos y otras gentes, a caballo y a pie, suficientes para guardar sus calles y sus casas mientras la batalla durase en el mar. Y como lo había dicho, así lo hicieron [...]. Los hermanos montaron a caballo [...] y turcoples y otros, y fueron con el pendón alzado a guardar las dos calles de los pisanos y los venecianos.[20]

La victoria veneciana fue completa. Los genoveses se desquitaron un poco más tarde, en Constantinopla.

Inútil decir que la «guerra de San Sabas» provocó una gran tensión entre las órdenes, que no llegaron, sin embargo, hasta exterminarse, como cuenta falsamente Mathieu Paris.[21]

El Temple se mezcla en otra intriga, el conflicto entre el señor de Giblet y su hermano, que estalla en 1276. El señor de Giblet se dirige a Acre, se convierte en cofrade del Temple y obtiene la ayuda de éste. Vuelve a Giblet, se apodera de las tierras de su hermano y ataca al conde de Trípoli, Bohemundo VII, que ha tomado partido contra él. En esta ocasión, treinta templarios respaldan al señor de Giblet. El conde reacciona. Hace «derribar la casa del Temple de Trípoli [...]. Cuando el maestre del Temple lo supo, armó galeras y otras naves y llevó con él un gran convento de hermanos, y vino de Giblet a Trípoli y la sitió varios días [...]». Los templarios se apoderan de puntos estratégicos y derrotan al conde en dos ocasiones, antes de ser derrotados a su vez ante Sidón.[22] Fueron los hospitalarios –que siempre habían apoyado a la familia de los señores de Giblet– los que intervinieron para calmar a los tres protagonistas de esta guerra privada, en que la autoridad legítima, la del conde de Trípoli, había sido escarnecida, reduciéndole al papel de comparsa.[23]

Vista de conjunto de las relaciones entre las órdenes militares

La historiografía las opone tradicionalmente, aceptando un tópico desarrollado con toda complacencia a partir de Mathieu Paris, es decir, que la rivalidad de las órdenes fue la causa de todas las catástrofes y del fracaso final de los latinos. El único estudio de conjunto reciente es el capítulo que J. Riley-Smith dedica a la cuestión en su historia de los hospitalarios.[24] En mi opinión, algunas de sus interpretaciones merecen ciertas reservas.

Subraya en primer lugar, con toda justeza, que la cooperación entre las órdenes supone la regla, y los conflictos la excepción. Por lo demás, se conocen éstos por los acuerdos que les ponen fin. Citaremos el de 1262, por el cual ambas órdenes se comprometen a solucionar todas las querellas relativas a sus bienes situados en el Oriente latino.[25] En el plano institucional, existen disposiciones que favorecen la colaboración entre templarios y hospitalarios. En cada una de las órdenes se prohíbe acoger a un hermano expulsado por la otra o fugitivo. La regla de la orden del Temple prevé que, cuando los hermanos estén en «albergue [...], nadie debe hospedarse con las gentes del siglo, ni de religión, sin un permiso, salvo si se hospedan junto al Hospital, cuerda con cuerda» (artículo 145). Lo mismo ocurre en caso de combate. El templario aislado, sin contacto con su convento, no pudiendo ponerse al abrigo de su pendón, debe «ir hasta el primer pendón del Hospital, o de los cristianos, si los hubiere» (artículos 167-168).

En la práctica, su vocación común les obliga a actuar juntos. Aportan a la causa de la cruzada su ideal, su disciplina, su profesionalismo. Frente al adversario, saben olvidar sus querellas. Durante la tercera cruzada, colaboran totalmente en el terreno militar, a pesar de sus divergencias en el plano político. Turnándose, aseguran la vanguardia y la retaguardia de la columna mandada por el rey Ricardo.[26] Los testigos de su tiempo les asocian con mucha frecuencia, en lo bueno y en lo malo.

Sin embargo, y los ejemplos analizados en los capítulos precedentes lo prueban, a veces se enfrentaron espectacularmente. J. Riley-Smith propone dos explicaciones para esto: las dos órdenes conciben de distinta manera el poder real en Tierra Santa. Ni siquiera tienen una política exterior común.

¿Los hospitalarios eran partidarios del rey y los templarios favorables a los barones? Conviene matizar. ¿Es justo calificar en Antioquía de realista al Hospital porque sostiene (con los barones latino-armenios) a Raimundo Rupén, y al Temple de «baronista» porque apoya a Bohemundo de Trípoli? ¿La unión Antioquía-Cilicia contra la unión Antioquía-Trípoli? ¿Permanecer fiel a los Hohenstaufen cuando, a excepción de Federico II en 1228-1229, ninguno de ellos ha visitado su reino, significa ser realista? En ese caso, el Temple, que sostendrá más tarde a Carlos de Anjou, es realista. No, el Temple y el Hospital no se oponen sobre la naturaleza del poder real, sino sobre las personas que lo ostentan. Quizás el Hospital se preocupa más de la legitimidad del príncipe. Raimundo Rupén, Conradino son los reyes legítimos. En cambio, al Temple le interesa menos la cuestión legal. Pero en ningún caso se puede hacer del Temple el aliado de los «feudales» y del Hospital un partidario de un poder real fuerte.[27]

Las divergencias en cuanto a la política exterior son muy ciertas, pero no duran más que un tiempo limitado. Ambas órdenes tienen en común el atenerse a la realidad y el tomar en cuenta la relación de fuerzas. Así lo demostraron en varias ocasiones, desaconsejando una determinada operación. Pero analizan de manera diferente esa relación de fuerzas. No obstante, parece demasiado sistemático el oponer un Temple prodamasceno a un Hospital proegipcio. En 1217 y 1248, ambas órdenes se muestran de acuerdo en fijar Egipto como objetivo para los cruzados. En 1305, el Gran maestre del Hospital aconseja de nuevo atacar Egipto. Pero entre 1239 y 1254, la cuestión de las alianzas divide a las dos órdenes. El tratado firmado por Federico II por un plazo de diez años expira en 1239. Se organiza una nueva cruzada, dirigida por Teobaldo de Navarra. ¿Adónde enviarla? Damasco y Egipto son entonces rivales. Hay que elegir un adversario y una alianza. Teobaldo no elige. Quiere atacar uno tras otro a Egipto y a Damasco. Naturalmente, no escucha los consejos de los latinos de Oriente y de las órdenes. El resultado es la lamentable derrota de Gaza, de la que se hace responsable a las órdenes militares, siendo así que no tienen nada que ver en ella.

Si el Hospital y el Temple
y los hermanos caballeros
hubieran dado a nuestras gentes
el ejemplo cabalgando,
nuestra gran caballería
en prisión no se vería...

escribe Felipe de Nanteuil, prisionero en Egipto.[28] Una vez más, ha intervenido el antagonismo *poulains*-cruzados. Se toma por debilidad la prudencia de las órdenes.

El Temple opta por Damasco; el Hospital por El Cairo. No pueden invocarse ni la alianza tradicional con Damasco, muerta hace mucho tiempo, ni intereses particulares –las órdenes poseen bienes en todas partes–. Pero la alianza con Damasco sitúa al Temple al lado de la mayor parte de los barones de Tierra Santa, mientras que la alianza egipcia coloca al Hospital en el campo de Federico II. El Temple se impone primero. Damasco le devuelve Safed y Beaufort. El Hospital reacciona y se dirige a El Cairo. La sobrepuja resulta provechosa. Además de los castillos de Safed y Beaufort, que Egipto había concedido con gran facilidad dado que no estaban bajo su control, los francos recuperan Ascalón y obtienen la liberación de los prisioneros de la batalla de Gaza. Felipe de Novara cuenta así el desarrollo del asunto:

> Esta tregua [con Damasco] había sido perseguida y hecha por la voluntad del Temple y sin acuerdo del Hospital de San Juan. De donde resultó que el Hospital siguió insistiendo hasta que el sultán de Babilonia [El Cairo] concedió tregua a la partida de cristianos. Y la juraron el rey de Navarra y muchos peregrinos, que se ocuparon más del juramento que habían hecho al sultán de Damasco.[29]

El Hospital se sirve del éxito para su propaganda. Una enorme placa funeraria, situada en un pasaje muy frecuentado de Acre, en las inmediaciones del Hospital, placa destinada al hermano Pedro de Vieillebride, muerto en 1242, recuerda «que en ese tiempo el conde de Montfort, como otros barones de Francia, fueron liberados de su cautividad egipcia cuando Ricardo, conde de Cornouaille, erigió el castillo de Ascalón» (Ricardo había sucedido a Teobaldo de Navarra).[30]

En 1243, el Hospital y el representante imperial, Filangieri, fracasan en su tentativa de hacerse con el control de Acre, lo que provoca la agonía de su política exterior. Al año siguiente, el Temple firma un verdadero tratado con Damasco contra Egipto. El Hospital le sigue. Pero el ejército egipcio, aliado a la temible tribu de los juarizmianos, inflige a los latinos la terrible derrota de La Forbie (17 de octubre de 1244), que, a no ser por la división del mundo musulmán, hubiera supuesto un segundo Hattin.

Las últimas tentativas de alianza con Damasco, siempre por iniciativa del Temple, tienen lugar durante la cruzada de san Luis. Pero al reunificar el mundo musulmán, el enérgico sultán mameluco Baibars hace caduco el problema. A partir de entonces, la política exterior deja de oponer a templarios y hospitalarios.

Finalmente, templarios y hospitalarios supieron poner límites a sus conflictos. De ese modo, preservaron un mínimo de solidaridad entre ellos. Todavía a principios del siglo XIV toman parte, en campos opuestos, en las querellas de la realeza chipriota. No obstante, el Gran maestre del Hospital demostrará un comedimiento notable en el momento de la detención de los templarios. Cierto que no hará nada en su favor, porque no figurará ningún hospitalario entre los acusadores del Temple.

A pesar de eso, los «creadores de la opinión» de Occidente retuvieron más sus disputas que su solidaridad.[31]

2

En Occidente,
el Temple al servicio de los Estados

En un siglo que destaca por el duelo implacable entre el papado y los poderes temporales, no puede dejar de plantearse la cuestión de las relaciones entre las órdenes religiosas militares internacionales, situadas bajo la autoridad directa del papa, y los poderes laicos. Lo mismo que las demás órdenes, el Temple no vacila en ponerse al servicio de los Estados.

Su lugar en los asuntos políticos

Uno se imagina más bien a los templarios en el papel de mediadores, árbitros o embajadores. En Inglaterra, durante la guerra civil que opone a Matilde y Esteban de Blois, recibieron dones de ambos lados. Al analizar el papel que desempeñaron en las relaciones franco-inglesas, se diría que «sacaron tajada de todas partes». En 1160, firman como testigos el tratado concluido entre Enrique II y Luis VII. El matrimonio previsto entre el hijo de Enrique II, Enrique el Joven, y la hija de Luis VII, Margarita, se celebrará al cabo de tres años, puesto que los futuros esposos son todavía unos niños. Entretanto, se confía a los caballeros del Temple la custodia de los tres castillos de Gisors, Neauphle y Neufchâtel, dote de la pequeña Margarita de Francia. Enrique II precipita las cosas y casa a los dos niños en noviembre de 1160. Los tres templarios encargados de la guardia de los castillos los entregan al rey de Inglaterra.[1] Sólo en esta ocasión, y únicamente durante esos meses, estuvo el castillo de Gisors en manos de los templarios. La duración de su estancia es inversamente proporcional a las toneladas de estupideces contadas al respecto y difundidas por los medios de comunicación de masas.[2]

Luis VII, descontento, expulsó a los tres templarios, pero no modificó su actitud frente a la orden. Algunos de los miembros de ésta figuran entre sus consejeros más íntimos, Godofredo de Fouchier, por ejemplo, que mantuvo con el rey una correspondencia abundante y amistosa, o Eustaquio Chien, que se ocupó de sus asuntos financieros.[3]

El 11 de marzo de 1186, Margarita, viuda de Enrique el Joven, cede sus derechos sobre Gisors y los otros castillos a cambio de dos mil setecientas cincuenta libras en moneda angevina, cantidad pagada por intermedio de templarios y hospitalarios. Los maestres del Temple y el Hospital, en Francia y en Normandía, actúan como fiadores en el acuerdo.[4]

Ser consejeros íntimos de un rey de Francia y un rey de Inglaterra en conflicto perpetuo, sin poner por ello en peligro la unidad de la orden, fue la hazaña realizada por los templarios. A veces tuvieron que bailar sobre la cuerda floja. Por ejemplo, en los años 1222-1224, el alcalde y los burgueses de La Rochelle acusan a los templarios de alentar los disturbios y favorecer un cierto partido francés. Enrique III de Inglaterra transmite al papa la carta del alcalde, que les denuncia por violencia contra el Hospital de la ciudad. El papa publica una bula para «reprimir la insolencia de los templarios».[5]

Otro ejemplo de intervención directa en las cuestiones políticas lo proporciona el caso del templario Ricardo el Limosnero, que figura en 1255 entre los consejeros del partido proinglés de Comyn, en Escocia.[6]

Mostrarse demasiado partidista expone a malas consecuencias. Los templarios de los Estados italianos de Federico II pagaron cara la hostilidad de la orden contra él. Sin embargo, todo había comenzado bien. En 1209-1210, el joven soberano multiplica sus donaciones y confirma sin problemas las hechas por otros. En 1223, toma bajo su protección los bienes de los templarios en Alemania y ratifica los privilegios concedidos por sus antecesores, Enrique IV y Federico I.[7]

Las cosas se estropean incluso antes de la partida de Federico II a la cruzada, aunque la documentación proporciona datos contradictorios. Al parecer, Federico empezó a confiscar bienes del Temple y del Hospital a partir de noviembre de 1226.[8] Por otro lado, los castillos y las construcciones militares del reino de Sicilia están bajo la dirección de dos «maestres y provisores de los castillos imperiales». Ahora bien, en los años 1228-1229, uno de ellos es templario, el otro hospitalario. Las constituciones de Melfi, en 1231, modificarán el sistema y multiplicarán los «provisores», que dejarán de reclutarse entre las órdenes militares.[9] Sea cual sea la verdad, durante esos años se procede a confiscaciones masivas de bienes templarios y hospitalarios y –precisa Ernoul– Federico «hizo expulsar a todos los hermanos de la tierra de Sicilia».[10] Se dispone de una lista impresionante de confiscaciones en la región de Foggia: casas, huertos, viñas, olivares, trigales, salinas, todos ellos embargados y redistribuidos por la corona.[11]

Cuando Federico II se reconcilia con el papa en 1231, este último le pide que restituya los bienes confiscados al Temple y al Hospital, que. como hemos visto, atenúan sus críticas. Federico II remolonea. En 1238, se justifica por sus retrasos. No le ha quedado más remedio que devolver sus bienes al Hospital, convertido en su aliado, pero desde luego no al Temple, puesto que, al final de su vida, en su testamento, pedirá que «todos los bienes de la milicia, todas las casas del Temple que nuestra corte retenía le sean restituidas». Los lazos estrechos que el Temple mantiene con el papado en Italia explican el celo desplegado en 1257 por el preceptor de la encomienda del Temple en Perusa, Bonvicino, para resolver un conflicto entre Pisa y Génova a propósito de la fortaleza sarda de Sant'Igia. Un templario y un hospitalario guardarán desde entonces el castillo. En realidad, se trata de una prolongación en Occidente de la «guerra de San Sabas», que opone a las comunas italianas en Acre. Resulta curioso ver al Temple, tan metido en el conflicto en Oriente, servir de mediador en Italia.[12]

Durante la segunda mitad del siglo XVIII, el desarrollo del Estado monárquico multiplica las ocasiones de tensión con las órdenes internacionales, puesto que el Estado intenta recuperar sus derechos y disminuir los privilegios de aquéllas. Su situación «de Iglesia dentro de la Iglesia, de Estado dentro del Estado»[13] las coloca en una posición difícil. ¿Se puede servir a la vez a Dios y al príncipe?

El problema se les plantea muy crudamente durante el conflicto Bonifacio VIII-Felipe el Hermoso. Los templarios de Francia aprueban al rey. Pero en Anagni, el papa, humillado por Guillermo de Nougaret y sus esbirros, se ve «casi solo con los hermanos templarios y hospitalarios». El 6 de febrero de 1304, Benedicto XI, sucesor de Bonifacio VIII, confirma todos los privilegios del Temple, devolviéndole una credibilidad en aquel momento vacilante. Benedicto sabía que podía contar con la orden para poner una barrera a los asaltos de la monarquía francesa contra el papado. La actitud de las preceptorías de Francia constituía la excepción a la regla del apoyo al papa.[14] Una contradicción peligrosa, no cabe duda, cuando el Estado, siempre en busca de medios financieros, tal vez sienta la tentación de servirse de las riquezas, reales o supuestas, de las órdenes. Sin contar con que su fuerza militar puede inquietar. A pesar de sus diferentes enfoques, el aragonés Jaime II, el inglés Eduardo I y el francés Felipe el Hermoso perciben el problema de la misma forma.

La acción militar del Temple en Occidente

Orden militar y religiosa que representa la permanencia de la cruzada, el Temple está obligado a combatir a los infieles para proteger Tierra Santa. ¿Puede hacerlo en otra parte? El problema se plantea. Muy pronto, sin embargo, en 1146, con el acuerdo del papa, el Temple se compromete también a luchar contra los musulmanes de España. En ningún momento disfruta el Temple en los reinos ibéricos de una situación comparable a la que ocupa en Tierra Santa. La Reconquista tiene como efecto incrementar la superficie y los recursos de los Estados y, en consecuencia, reforzar el poder real. El Temple no fue más que un auxiliar.[15] Su acción se sitúa en dos planos: la participación en las guerras y la defensa permanente de las fronteras.

Los templarios combatieron a los moros casi desde el momento de su implantación en España: sitio de Tortosa en 1147, toma de Lérida en 1149. El rey Alfonso II de Aragón, que prefería las órdenes militares españolas, se vio obligado a acudir al Temple, tras el fracaso de la orden de Montjoie, para la reconquista del Aragón meridional. Están igualmente presentes en Mallorca (1228) y en Valencia (1238). En Castilla, participan en todos los combates contra los almohades, en el sitio de Cáceres (1184), en la famosa batalla de las Navas de Tolosa (1212). En fin, en Portugal, su ayuda fue preciosa para la toma de Santarem, Lisboa, Badajoz. La provincia templaria de Portugal estuvo mucho tiempo unida a la de Castilla-León.

Los soberanos ibéricos hacen importantes donaciones a las órdenes militares de sus reinos. A cambio, las órdenes tienen que defender los territorios reconquistados. En Valencia, el Temple y el Hospital montan la guardia en la frontera durante seis meses cada una. Después de Badajoz, el rey de Portugal confía al Temple la guardia de sus fronteras con los moros y con... Castilla.

Las órdenes se comprometen también a poblar y revalorizar esas zonas devastadas. Sus poderosos castillos aseguran esta doble tarea, por ejemplo Chivert, en el reino de Valencia. Las patrullas del Temple, que velan por la seguridad del país, tienen a veces encuentros desafortunados. En 1276, el maestre de Aragón, Pedro de Moncada, es capturado con su escolta por los musulmanes en un punto indeterminado del país valenciano.[16]

Las fuerzas utilizadas por los templarios en la Reconquista de España son esencialmente autóctonas, aunque la costumbre adoptada en el siglo XI por los caballeros franceses de ir a combatir a los moros en España haya continuado en los siglos XII y XIII. Un templario del Puy, Hugo de Montlaur, futuro preceptor de Provenza, participa en la toma de Valencia en 1238.[17] Los contingentes de la orden se integran en el ejército real durante las grandes operaciones. Su importancia no procede del número, al fin y al cabo restringido, sino de su disciplina y de la rapidez de su movilización. Llegan siempre los primeros, preparados para combatir. Constituyen así, con el «hotel» del rey, el núcleo seguro del ejército aragonés.

El papel de las órdenes internacionales cambia de un reino a otro. Dejando aparte a Alfonso II, los soberanos aragoneses no trataron de crear órdenes nacionales y se sirvieron del Temple y el Hospital. En la zona castellana, por el contrario, el Temple y el Hospital se enfrentaron a la competencia de las órdenes nacionales, Santiago, Calatrava. El Temple fue el responsable involuntario de la creación de la orden de Calatrava. En 1147, el rey de Castilla, Alfonso, se apodera de Calatrava y confía su defensa a los templarios. Cuando los almohades atacan la plaza algún tiempo después, los templarios tropiezan con dificultades para defenderla y prefieren renunciar a ese punto fortificado. El rey de Castilla crea entonces la orden castellana de Calatrava.[18]

El Temple portugués ocupa un lugar original, puesto que se convierte en orden nacional. El primer maestre conocido es un francés, Hugo de Montoire (1143). Ya en 1156 tiene un maestre portugués, Gualdem Pais, que emprende la construcción de la fortaleza de Tomar, destinada a convertirse en sede de la provincia. El momento decisivo se sitúa en 1169, cuando el rey concede a la orden el tercio de los territorios que se conquisten al sur del Tajo, a cambio del compromiso de los templarios portugueses de invertir todos sus recursos en Portugal mientras el rey y los portugueses combatan contra los moros. «El Temple de Portugal se separaba así de la orden, para dedicarse únicamente a la reconquista del país.»[19] De hecho, los soberanos portugueses resolvieron en su favor el problema indicado al comienzo de este capítulo: ¿no hay contradicción entre la misión en Tierra Santa y la participación en la Reconquista española? Una de las razones invocadas por los reyes de Aragón para justificar la amplitud de las concesiones hechas al Temple en la primera mitad del siglo XII era impedir a los caballeros locales entrar en el Temple y partir hacia Tierra Santa.[20]

En el curso del siglo XIII, a medida que el frente se aleja de las grandes casas del Temple, éste parece interesarse menos por la Reconquista (el Hospital presenta la misma tendencia), hasta el punto de que una bula pontificia publicada en 1250 exigirá de las órdenes que combatan a los moros en España. Paradójicamente, su mala voluntad puede explicarse por la falta de medios. Los templarios de Oriente, acosados por los musulmanes, movilizan todos sus recursos de Occidente, comprendida España. Y el colmo, los templarios de Aragón llegan incluso a estar escasos de caballos. El rey Jaime II pedirá sin éxito al papa que los templarios de su reino dediquen todos sus recursos a Aragón. Incluso después de la caída de Acre, los templarios aragoneses tienen graves problemas económicos. En 1304, el rey les convoca al ejército. El maestre Berenguer de Cardona ordena al preceptor de Alfambra que venga...

> ... aunque podríamos excusarnos ante el rey, ya que hemos gastado mucho dinero este año en la frontera y en el reino de Murcia; sin embargo, si faltásemos a la convocatoria del rey, un gran deshonor caería sobre nosotros y sobre el Temple, sobre todo si todos los demás nobles acudieran.[21]

Aparte estos problemas materiales, los templarios no tenían razones serias para negarse a combatir a los musulmanes de España. Las tenían, en cambio, para oponerse a ciertas solicitudes del papado o de la monarquía. En el curso del siglo XIII, el papado desvía el ideal de cruzada en provecho de sus objetivos políticos en Italia. Ya no es cuestión de los Santos Lugares en la cruzada contra los albigenses, la cruzada contra Federico II o la que fue lanzada contra Aragón en 1283-1285 a consecuencia de las Vísperas Sicilianas. Estas cruzadas plantean graves problemas a las órdenes, divididas entre su obediencia al papa y su fidelidad a un ideal. En realidad, el Temple y el Hospital no llegaron a participar nunca militarmente en las luchas italianas. El papado prefirió utilizar confraternidades creadas para este efecto.[22] No apeló a los talentos militares de los templarios salvo para transformarlos en castellanos y guardias de sus castillos.[23] Pero les impuso tasas, a pesar de sus privilegios, para financiar las guerras contra Federico II o Manfredo en 1247 y 1264.

La participación de las órdenes militares en la cruzada contra los albigenses fue asimismo marginal. Los hospitalarios parecen haberse mostrado benévolos, no con los cátaros, pero sí con el conde de Tolosa. La orden estaba sólidamente instalada en la ciudad y su región. Como manifestación de esta benevolencia, dan sepultura al rey de Aragón, aliado de Raimundo VI de Tolosa y muerto en 1213 en la batalla de Muret. Acogen también a Raimundo VI, pese a haber sido excomulgado. Por lo demás, Raimundo tomará el hábito del Hospital en su lecho de muerte.[24]

En cuanto a los templarios, parecen próximos a los cruzados del norte de Francia. Guillermo de Tudela cuenta que, después del saqueo de Marmande en 1219, el príncipe Luis, hijo de Felipe Augusto, que mandaba a los cruzados, se dirige hacia Tolosa. Su ejército está formado por franceses, flamencos, gente de Champaña... Va acompañado por «los abades, los arzobispos, los obispos, los templarios, los monjes blancos y negros, los canónigos, que son en número de cinco mil en la hueste. Todos los clérigos predican y ordenan arrasarlo todo».[25] Los templarios, como los cruzados, vienen del norte de Francia. Y se advertirá con interés que Guillermo de Tudela les sitúa entre los clérigos, no entre los combatientes.

Las fuentes mencionan por dos veces a los templarios de la encomienda de La Villedieu (Tarn-et-Garonne). En 1213, el hermano del conde de Tolosa, Balduino, refugiado entre los cruzados de Simón de Montfort, es víctima de un rapto. El conde quiere vengar la muerte del rey de Aragón. Y hace colgar a su hermano, traidor a su causa. «Los hermanos templarios reclamaron y obtuvieron su cuerpo, lo bajaron del árbol y le dieron sepultura en La Villedieu, en su claustro, cerca de la iglesia.» En 1228, el preceptor de la casa, el hermano Guido de Brassac, se entera de un complot contra el obispo de Tolosa, al que da albergue. Hace entonces detener y torturar a los conjurados, antes de expulsarlos de La Villedieu.[26] Estos hechos, que no tienen gran cosa de militar, se refieren a los templarios del valle medio del Garona. No se sabe nada respecto a la actitud de los templarios del Languedoc. Pero observaremos irónicamente que, si se empeña uno en encontrar lazos, aunque sean tenues, entre las órdenes militares y los cátaros (uno de los filones inagotables del repertorio de sandeces sobre los templarios), más vale «interrogar» a los hospitalarios de Tolosa que a los templarios...

La abstención de las órdenes militares durante las cruzadas de Occidente se explica fácilmente. Las casas europeas son explotaciones rurales, administradas por no combatientes. No hay ninguna confusión entre el «frente» (Tierra Santa, España) y la «retaguardia» (Europa), donde el Temple recoge los medios materiales y humanos para su combate. La herejía no es cuestión suya, y el papado lo comprende así.

Por el contrario, los templarios escapan con mayor dificultad a la presión de los Estados, aunque las razones que acabo de indicar valen también para este caso, salvo en España. Por regla general, su ayuda se reduce a guardar castillos en los Estados del papa, en Sicilia, en Provenza. El único caso claro de participación en operaciones militares a favor de los poderes laicos se da en Inglaterra. En 1298, en la batalla de Falkirk, Eduardo I apela a los templarios de su reino en contra de los escoceses.

Brian de Jay, maestre del Temple en Inglaterra, que murió en esa batalla, dirigía una compañía galesa, no un contingente de su orden.[27] La participación de los templarios en el ejército del rey Bela de Hungría, en 1241, se relaciona más con la cruzada. Cierto que se trata de la defensa del reino de Hungría, pero los mongoles son infieles.[28] Mencionemos por último –pero se trata de un hombre aislado y, además, de un hospitalario–, al famoso hermano Guérin, el estratega militar de Felipe Augusto.

En España, donde los templarios siguen siendo combatientes, el rey de Aragón les requiere por tres veces contra sus adversarios cristianos: en 1283-1285 contra los franceses, en 1300-1301 contra Castilla. Ambas son guerras defensivas. En cambio, la de 1292 contra Navarra es una guerra ofensiva. El rey exige el servicio militar de los hombres del Temple, pero también el de los templarios. Si no acuden, les forzará a pagar una tasa. En nombre del principio de la «defensa del país», se vuelve amenazador: «Si actuáis de otro modo –dice al maestre del Temple de Aragón en 1300–, procederemos contra vosotros y las posesiones de vuestra orden como es justo hacerlo contra aquellos que, inhumanamente, se niegan a combatir por su país».[29]

Retengamos ese «inhumanamente». Felipe el Hermoso y sus consejeros salpicarán sus ataques contra el Temple de tales «inhumanamente». En el umbral del siglo XIV, los Estados monárquicos causan muchas preocupaciones al Temple y a las órdenes internacionales. Los mismos Estados a los que en tanto grado ayudan desde el punto de vista financiero.

Los templarios, «funcionarios» reales

Las monarquías medievales recurrieron ampliamente al clero para reclutar los agentes competentes que necesitaban. Los hermanos del Temple y del Hospital fueron llamados con mucha frecuencia a cumplir tareas gubernamentales. Un tal Roger el Templario, preceptor en Londres, es también limosnero del rey Enrique II. Con este título, distribuye las limosnas reales entre los pobres que se presentan en palacio. Enrique III, descontento por la negativa del Temple a garantizar al conde de Gloucester, se venga despidiendo a su limosnero templario, otro hermano Roger.

La monarquía pontificia recurre muy a menudo a ellos. El preceptor de la provincia de Italia del Norte y el Centro reside en Roma, en Santa María dell'Aventino. Un lugar prestigioso. Numerosos templarios frecuentan la corte pontificia. Y los papas reclutan entre ellos a algunos de sus dignatarios: Uguccione de Vercelli ejerce el cargo de cubiculario del papa en 1300-1302, y Giacomo de Montecuco, de 1304 a 1307. Ambos son al mismo tiempo preceptores de la provincia.[30]

Templarios y hospitalarios demuestran ser excelentes embajadores. En Francia, la realeza les confía con frecuencia misiones temporales, excepcionales, para las cuales les nombra comisarios. Entre 1236 y 1250, se comisiona al hermano Gilles, tesorero del Temple de París, en colaboración con un bailío, Nicolás de Hautvillers, para que reciba los juramentos de fidelidad al rey.[31]

Pero los poderes laicos y eclesiásticos utilizaron sobre todo a los templarios en el dominio de las finanzas. El rey puede ser un cliente más del «banco» del Temple, como ya hemos puesto de manifiesto. No volveremos sobre ello. Sólo trataré aquí el problema de las finanzas del Estado, cuya gestión fue confiada, total o parcialmente, a los templarios.

Las relaciones financieras con los poderes comenzaron pronto: «No podemos imaginar –escribía Luis VII a Suger– cómo hubiéramos podido subsistir en estos países sin la asistencia de los templarios... Ellos nos prestaron una suma considerable. Suma que debe serles devuelta. Os suplicamos, pues, que les reembolséis sin dilación dos mil marcos de plata». En otra carta, el rey precisa el mecanismo del préstamo: «Que mi intercesión en su favor no sea baldía: han prometido devolver pronto lo que han tomado con objeto de servirme...».[32] Este préstamo a Luis VII está en los límites del negocio privado. Pero, a partir de él, se creó una tradición que duraría hasta el final de las cruzadas. Es decir, los soberanos que preparan su «Pasaje» a Tierra Santa se vuelven hacia las órdenes militares, ya sea para depositar cantidades en previsión de su viaje, como hizo Enrique II, ya sea, más simplemente, para pedirles prestado. Eduardo I pidió así veintiocho mil libras al Temple de París antes de embarcarse para Oriente.[33] De ahí a confiar a las órdenes el cuidado de administrar las finanzas del Estado no hay más que un paso.

No se franqueó más que a medias en Inglaterra, puesto que sólo una parte del Tesoro real fue depositado en el Temple hacia finales del reinado de Enrique II. La otra parte, la Guardarropa, quedó bajo buena custodia en la Torre de Londres. Sin embargo, hacia 1230, Enrique III colocó a la cabeza de la Guardarropa a su limosnero del momento, Godofredo del Temple.[34]

En Francia, en cambio, se deposita el conjunto del Tesoro en el Temple de París desde mediados del siglo XII.[35] Antes de partir a la cruzada, Felipe Augusto ha publicado una gran ordenanza para determinar cómo se ha de gobernar el reino durante su ausencia (1190). Ordena a los agentes del Estado que depositen en el Temple los fondos recibidos.[36] Todo el mundo está de acuerdo en que el Temple administró el conjunto del Tesoro francés durante todo el siglo XII. Se ha escrito a veces que Luis IX, descontento de la actitud de los hermanos en Oriente, expresó su des-

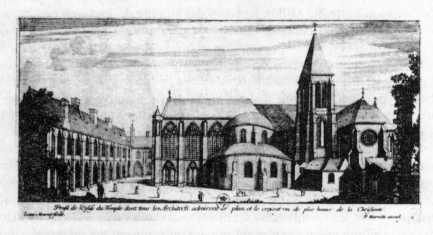

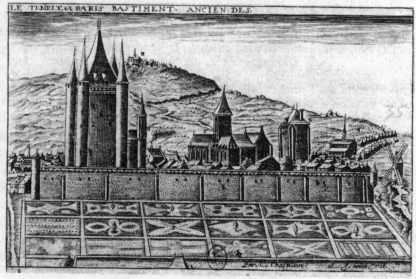

(*Arriba*) El Temple de París: la iglesia (grabado del siglo XVII).
(*Abajo*) El Temple de París: el recinto; en primer plano, a la izquierda, el torreón del Temple (grabado del siglo XVII).

confianza retirando el Tesoro del Temple. Pero da la casualidad de que Mathieu Paris es el único en afirmarlo. Lo que sabemos acerca de las relaciones entre Luis IX y el Temple nos invita a no confiar en su testimonio.

En 1295, por el contrario, el rey Felipe el Hermoso ordena efectivamente el traslado del Tesoro desde el Temple al castillo real del Louvre. Se ha visto en este acto una decisión premonitoria, una prueba de la desconfianza, incluso de la hostilidad manifestada por el rey en contra de los templarios. Pero los motivos de la transferencia son otros. En el marco de una política de reforzamiento del poder real, es normal que el rey confíe sus finanzas a sus propios agentes. Al lado de los recursos del Dominio, llamados recursos ordinarios, el reinado de Felipe el Hermoso ve el desarrollo de la fiscalidad (los recursos extraordinarios) y de los empréstitos. Los templarios no tuvieron a su cargo más que la administración de los recursos ordinarios. Para la administración del impuesto y de los empréstitos, Felipe prefiere, lo mismo que Eduardo I de Inglaterra, recurrir a los banqueros italianos. En 1295, considera llegado el momento de operar una vasta reorganización de las finanzas reales, que consiste en reunir en las mismas manos, las de los famosos financieros italianos Biche y Mouche, el conjunto de las rentas de la corona. Esta tentativa prematura no dio los resultados que se esperaban y, en 1303, el Tesoro regresó al Temple.[37]

También en otras partes de Europa se apeló a los templarios para dirigir las finanzas reales: Carlos I de Anjou en Sicilia; Jaime I de Aragón en Cataluña. El papa Clemente V tenía a su lado, en Poitiers, templarios que se ocupaban de sus asuntos económicos.

La actividad financiera del Temple se manifiesta asimismo en otros campos. En Inglaterra, el templario Gilberto Hoxton recauda los diezmos por cuenta del rey, reservando una parte en su propio provecho. Descubierto, fue perdonado por el rey, pero no por el maestre de la orden, que le castigó severamente.[38]

Felipe Augusto confió al hermano Aymard, comendador de la orden en Francia, después tesorero del Temple en París de 1202 a 1225 y, por consiguiente, también tesorero real, el cuidado de proceder a la integración de la conquistada Normandía en el sistema monetario francés. Una prueba más de la tecnicidad financiera adquirida por los templarios en el curso de sus numerosas operaciones.[39]

Si bien todas las casas del Temple reciben depósitos y hacen préstamos, las grandes operaciones se reservan para algunas encomiendas, la más célebre de las cuales es la de París. Por una elección deliberada de la orden, el Temple de París se convierte en el centro de las operaciones financieras en Occidente. París estaba mucho mejor armado que Londres, otra plaza importante, pero un poco marginal en la Europa de la época. En torno a la casa del Temple de París, se desarrolló un importante distrito, que corresponde al barrio del Temple en el París actual.[40]

El «Viejo Temple», primera casa de la orden en París, existe desde 1146, instalado en la parte pantanosa de la orilla derecha (precisamente en lo que se llama el Marais, el pantano), no lejos del Sena, donde los templarios poseen un puerto. Más tarde, desecan y revalorizan el barrio situado entre las calles de la Verrerie al sur, Béranger al norte, del Temple al oeste y Vieille-du-Temple al este. Después de la adquisición, en 1203-1204, de dos censidas, situadas una al este de la calle Vieille-du-Temple (calle de Écouffes, calle de Rosiers, calle Pavée), la otra al norte de la calle de la Verrerie (Sainte-Croix-de-la-Bretonnerie), queda constituido el recinto del Temple. Está rodeado de muros y defendido por privilegios. En su interior, los templarios edificaron una magnífica iglesia, siguiendo el modelo del Santo Sepulcro (con una rotonda y una basílica) y dos torreones, uno de los cuales, llamado la Torre de César, data del siglo XII, mientras que el otro, el Torreón del Temple, fue construido en la segunda mitad del siglo XIII. Se alzaban poco más o menos en el emplazamiento actual de la plaza situada frente a la alcaldía del tercer distrito de París.

Pero no han acabado todavía las construcciones dentro del recinto, puesto que, en 1284, el preceptor del Temple puede fundar en él una ciudad nueva, entre la calle del Temple y la calle de los Archives, que fue trazada en los años 1282-1292, y entre la calle Portefoin y la calle Braque. Se divide en lotes regulares, sobre los cuales se construyen rápidamente casas. En cuanto al cuadrado formado por las calles Vieille-du-Temple, Archives, Quatre-Fils y Francs-Bourgeois, recibe el nombre de «Chantier del Temple».

Los templarios compran terrenos al norte del recinto, hasta la actual calle de la Folie-Méricourt, y al este, a lo largo de la actual calle de Turenne. Adquieren asimismo terrenos hacia Saint-Gervais, con casas, rentas, un molino (situado en la calle de Barres). Poseen otro molino sobre el gran puente.

Este amplio barrio fue bien revalorizado. El montante de los censos pasa de cuatrocientas cincuenta y tres libras parisis en 1253 a mil doscientas, mil seiscientas en 1307. Para llegar a ser sus únicos dueños, los templarios se mostraron implacables con los habitantes ya establecidos, por ejemplo, los «Siervos de la Virgen», instalados en los Blancs-Manteaux.

Los agentes del rey confiscaron el recinto cuando se produjo la detención de los templarios en 1307. El rey no abandonó su control del barrio hasta 1328, cuando lo entregó a los hospitalarios, que construyeron en él un palacio para el gran prior de la orden, el cual fijó allí su residencia. Sin embargo, el recinto conservó el nombre de Temple, y el gran prior del Hospital, más tarde de Malta, fue llamado siempre el «gran prior del Temple».[41]

3

¿Mantenimiento del espíritu templario?

Envueltos en las querellas de Tierra Santa y convirtiéndose a pesar de todo (¿a pesar suyo?) en partidistas, sirviendo a los príncipes, a la vez que obligados a pasar mucho tiempo defendiendo los derechos y privilegios que esos mismos príncipes atacan, ¿no habrán perdido de vista los templarios los objetivos de su orden? No lo parece. Combatieron hasta el final en Palestina y, hasta ese final, el Occidente templario siguió proporcionando al Oriente templario lo que necesitaba. De los setenta y seis templarios interrogados en Chipre después de su detención, cincuenta y dos han entrado en la orden después de 1300, la mayoría en Occidente.[1]

Intensificación del dominio del Temple en Oriente

El Temple comparte con el Hospital la responsabilidad casi completa de la defensa de los establecimientos latinos en Oriente, establecimientos que han aumentado con la conquista de Chipre por Ricardo Corazón de León y la creación de los Estados latinos de Grecia después de la cuarta cruzada. Esos territorios «nuevos» han atraído a caballeros de Occidente, pero también a ciertos barones de Siria-Palestina. El papel de las órdenes se refuerza más todavía.

Chipre forma la gran base de retaguardia de los Estados latinos; el reino armenio de Cilicia está en contacto con los turcos y los mongoles del norte de Siria; el Imperio latino de Constantinopla y el principado de Morea se enfrentan a los griegos, convertidos en sus enemigos. Todas estas regiones forman parte de la zona del «campo de batalla», aunque no se encuentren en primera línea. Por lo tanto, templarios y hospitalarios se han instalado en ellas, acabando por crear nuevas provincias.

En Cilicia, los templarios poseen una marca, atravesada por la frontera que separa Cilicia y el principado de Antioquía. Baghras, Roche-Guillaume, Roche-Roissel, Port-Bonnet son sus puntos fuertes. Sin embargo, no se crea una provincia del Temple en Cilicia hasta 1268, tras la caída de Antioquía, con su capital en Roche-Guillaume. A causa de sus pésimas relaciones con la dinastía armenia, los templarios nunca ocuparán en este país una posición tan fuerte como los hospitalarios, ni siquiera como los teutónicos.[2] Se les solicitará, no obstante, como a las demás fuerzas latinas del Mediterráneo oriental, para que acudan en socorro de lo que constituye, después de la caída de Acre, el último Estado cristiano de Siria-Palestina.[3]

Después de la cuarta cruzada, se crea en Grecia una provincia de Rumania, que, a finales del siglo XIII, mantendrá relaciones estrechas con Italia del Sur. Los templarios poseen bienes en Tesalia, en Eubea y sobre todo en Morea, donde se hallan presentes desde el comienzo de la conquista. Como las demás órdenes, el Temple ha recibido del príncipe feudos y pueblos. Y como en todas partes, disputa con el clero secular, especialmente con el arzobispo latino de Patrás, a propósito de ciertas casas o de la abadía de Provata. Tampoco las relaciones con el príncipe de Morea, que domina su Estado con mano de hierro, dejan de plantear conflictos. Para terminar la conquista, Godofredo II exige el servicio militar de los hombres de los establecimientos religiosos, comprendidas las órdenes militares. Al negarse éstas, el príncipe no vacila en embargar sus bienes durante tres años.[4]

Poco faltó para que los templarios creasen en la isla de Chipre un Estado templario, mucho antes que los teutónicos en Prusia y en Livonia y un siglo antes que los hospitalarios en Rodas. La cuestión se remonta a la tercera cruzada. Ricardo Corazón de León, que ha salido de Mesina en dirección a Siria, tropieza con algunas dificultades a la altura de Chipre, suscitadas por el déspota griego de la isla. Ricardo desembarca en ésta y se apodera de ella. No sabiendo qué destino darle, se la vende a los templarios. Mal preparados para la tarea de gobernar una isla demasiado grande, el centenar de templarios presentes en ella no logran dominar la situación. En abril de 1192, se rebela la población griega. Acosados en Nicosia, los templarios y los latinos reaccionan duramente y dominan la rebelión. Sin duda los templarios se dan cuenta entonces de que necesitarían demasiados medios humanos para conservar Chipre y que tendrían que sacrificar para ello sus ideales de cruzada. Por eso «hacen saber al maestre del Temple y al rey de Inglaterra cómo habían obrado. De lo que el maestre del Temple concluyó diciendo al rey de Inglaterra que dispusiese de la isla según su voluntad, ya que ellos no podían conservarla por más tiempo».[5] Siguiendo sus consejos, Ricardo la cedió entonces a Guido de Lusiñán.

Los templarios se contentan con establecerse en la isla como lo hacen en otras partes: compra de bienes inmobiliarios, castillos, donaciones y concesiones diversas. Dado que Chipre se convierte en el centro de operaciones de los latinos en el Mediterráneo oriental, el maestre de la orden visita la isla con frecuencia. La caída de Acre provoca naturalmente un repliegue sobre la isla de los latinos, templarios, hospitalarios y otras gentes. El rey de Chipre, que sabe a qué atenerse, toma las medidas necesarias para no dejarse sumergir por las órdenes. Intenta conseguir un impuesto de capitación sobre los hombres de éstas, pero el papa se lo prohíbe. Como desquite, el príncipe les impide adquirir bienes sin su consentimiento y el del papa.[6]

La situación se complica con la crisis política que estalla en 1306. El rey Enrique está enfermo, y su hermano Amalrico se rebela contra él, con el apoyo de los templarios. El Hospital adopta una postura más neutral. Esto conducirá a una situación curiosa en los años siguientes: mientras que los templarios son detenidos en todas partes, los de Chipre, protegidos por Amalrico, permanecen libres hasta 1309, fecha en que se aplica por fin la decisión pontificia.

Chipre no podía transformarse en un «Estado templario». Obsérvese que en Cilicia, en Morea, en Chipre, Estados que se desarrollan en el siglo XIII, las órdenes militares se oponen a los poderes de príncipes decididos a hacer respetar su autoridad. La situación, muy distinta de aquella que las órdenes conocieron en Jerusalén, es comparable a la de Occidente.

Los tiempos han cambiado. Si no quieren perecer, las órdenes militares tienen que imaginar otras soluciones frente a unos poderes laicos fuertes.

Las grandes fortalezas de Tierra Santa

En 1165, el príncipe armenio Thoros atravesó de norte a sur los Estados latinos para visitar al rey de Jerusalén. «Señor –dijo Thoros al rey–, al pasar a través de vuestra tierra y preguntar de quién eran los castillos, unos me decían: "Es del Temple", los otros: "Es del Hospital", de manera que no encontré ningún castillo, ninguna ciudad del que pudieran decirme que era vuestro...».[7] Cierto que el príncipe exageraba un poco, anticipando la situación de la segunda mitad del siglo XIII. Pero había captado bien el papel fundamental que desempeñaban ya entonces las órdenes militares en la defensa del reino.

El castillo de Beaufort (sur del Líbano). Uno de los castillos más importantes del Temple, dominaba el valle del Litani. Cayó en manos del sultán Baibars en 1268. Su excelente posición lo ha convertido en un punto estratégico importante durante los combates de estos últimos años en el Líbano.

En 1241, en una carta dirigida al maestre de Inglaterra, Roberto de Sandford, el maestre del Temple, Armando de Périgord, escribe: «Nosotros solos, con nuestro convento y los prelados de las iglesias, y también con algunos barones de la tierra, que nos prestan toda su asistencia, llevamos sobre nuestros hombros todo el peso de la defensa del país».[8]

Ya conocemos la prudencia de las órdenes: conquistar sólo lo que se puede retener. Prudencia pocas veces desmentida, salvo los caprichos de algún que otro maestre. Son las únicas capaces de ocupar el terreno conquistado. Los demás lo saben, y ellas también. Por eso en el siglo XIV se les confían todos los puntos fuertes de los Estados, reducidos, es verdad, a una faja costera. La costumbre quiere que, en caso de regencia, los castillos pertenecientes al rey pasen bajo su custodia. Pero además reciben las fortalezas de los barones del reino incapaces de mantenerlas. En 1260, Julián de Sidón les vende la ciudad de Sidón y el castillo de Beaufort, castillo que agrandaron y en el que construyeron una bella sala gótica.[9]

La mayor parte de los castillos fueron edificados por los propios templarios (y los hospitalarios), a veces sobre edificaciones anteriores, con la ayuda de arquitectos locales y una mano de obra formada a menudo por musulmanes requisados o prisioneros.

Las construcciones del siglo XII reflejan el estado de espíritu derrotista que reina entonces en Tierra Santa. Son fortalezas enormes, refugios muy vastos, destinados a soportar sitios prolongados. De ahí su relativa comodidad, la importancia de los almacenes, de los pozos, de las cisternas, los silos, las reservas. «La fuerza bruta de esas plazas –afirma M. Benvenisti– es la prueba decisiva de la debilidad, del pesimismo de los reinos cruzados. Se renuncia a la ofensiva, ya no se va en busca del enemigo.»[10]

Poseemos descripciones de la construcción de los castillos de Athlit, el castillo más enorme construido en Tierra Santa, y de Safed. Athlit, llamado Château-Pèlerin «porque empezaron a fortificarlo los peregrinos»,[11] fue empezado a construir en 1217, sobre un emplazamiento fenicio, al sur del monte Carmelo, gracias a la liberalidad de un cruzado, Gualterio de Avesnes. Oliverio el Escolástico describe así los trabajos:

> Al excavar el foso, salió a la luz un muro muy antiguo, largo y macizo, y se encontraron monedas de un tipo desconocido por los habitantes actuales [...]. Después, al continuar cavando y retirando la arena, apareció otro muro más corto y, en el espacio liberado así entre los muros, surgieron numerosos manantiales de agua fresca [...]. Se levantaron dos torres en la parte delantera del castillo, compuestas de grandes piedras cuadradas, de un tamaño tal que una de esas piedras sólo puede ser traída con mucho trabajo, en una carreta tirada por dos bueyes. Cada torre tiene cien pies de largo y setenta y cuatro de profundidad; se componen cada una de dos pisos abovedados, y su altura, aumentada poco a poco, sobrepasa la del promontorio. Entre las dos torres se construyó un nuevo muro, con merlones y almenas, de manera tan maravillosa que los caballeros montados y armados pueden circular por el interior. A cierta distancia de las torres, otro muro atraviesa el promontorio de una orilla a otra y protege un pozo de agua dulce. Desde allí, una muralla alta da la vuelta al cabo. Entre la cortina sur y la orilla, hay dos pozos abundantes en agua dulce para el castillo.[12]

El castillo está situado a orillas del mar, sobre un promontorio de doscientos ochenta metros por ciento sesenta. Al este, donde el promontorio se une al continente, se cuidó especialmente la defensa, con un foso y las dos murallas flanqueadas de torres.

En 1220 –los trabajos no habían terminado aún–, el castillo sufrió su primer ataque. Lo aguantó. Por lo demás, nunca sería tomado.

Safed es un castillo construido en el interior de las tierras, a una jornada de marcha de Acre. Situado a ochocientos cincuenta metros de altitud, controla la orilla occidental del lago de Tiberíades y la ruta Damasco-Acre. En el emplazamiento de una construcción del siglo XI, el rey Fulco de Anjou edificó una fortaleza, que cedió a los templarios. Éstos tuvieron que abandonarla a Saladino después de la derrota de Hattin. El castillo fue desmantelado en 1210. El Temple lo recuperó en 1240, pero no hizo nada con él. El obispo de Marsella, Benedicto de Alignan, en peregrinación en Tierra Santa, convenció a los templarios para que lo reconstruyeran. Los trabajos duraron tres años y fueron costosos.[13] De forma oval, el castillo tiene una doble muralla, dominada por un enorme torreón cuadrado (no queda ningún rastro del mismo). Lo mismo que en Château-Pèlerin, la primera muralla va precedida de un foso seco, excavado en la roca. Está construido en gran aparejo.

Siguiendo a T. E. Lawrence, se ha repetido que los castillos del Temple eran más burdos que los del Hospital. Los templarios permanecieron fieles al modelo bizantino del *castrum* rectangular, dice, mientras que los hospitalarios construían fortalezas más sofisticadas, más «científicas». Dos objeciones a este esquema:

Por una parte, las ruinas de castillos que se conservan difieren mucho. Los dos grandes castillos del Temple cuyo plano y organización se conocen, Tortosa y Château-Pèlerin, son fortalezas costeras. En ellas, los imperativos de la defensa se apartan de los del Crac de los Caballeros, construido en el interior de las tierras y que se ha fijado como modelo no superado de las construcciones hospitalarias. Tal vez Safed podía compararse con él, pero no se sabe gran cosa a su respecto. En todo caso, las ruinas de Château-Pèlerin revelan una construcción tan cuidadosa, tan «científica» como la del Crac.

Por otra parte, segunda objeción, T. E. Lawrence no se preocupa apenas de la cronología y de la evolución de los imperativos de la defensa. En el siglo XIII, los latinos están condenados a una defensa pasiva. Los castillos que construyen, o que reparan, deben resistir gracias a su mole, a su acumulación de piedras. Desde este punto de vista, Château-Pèlerin, Safed y el Crac se parecen. Los templarios no tienen la exclusiva del *castrum* bizantino, rectangular, con cuatro torres en los ángulos (Belvoir pertenece a los hospitalarios). Propio de una época, el siglo XII, en que los latinos tenían la iniciativa y construían fortalezas adaptadas a una defensa activa, el castillo de tipo *castrum* no es ni más rudimentario ni menos científico que el Crac. Simplemente, corresponde a necesidades defensivas diferentes a las del siglo XIII.[14]

Las grandes fortalezas de las órdenes militares son casi inexpugnables, en el verdadero sentido del término. Y sin embargo, en unos años, de 1265 a 1275, la mayor parte de ellas pasan a manos del sultán mameluco Baibars. Porque esos castillos, y en eso radica su debilidad, exigen guarniciones considerables para ser defendidos eficazmente. Se prevén dos mil hombres en Safed (no todos combatientes, claro está). Y los latinos y las órdenes tropiezan cada vez con más dificultades para reunir tales guarniciones.

La estrategia de defensa está vinculada a una política y a su práctica. ¿Cuál es la política de los Estados latinos en esos años críticos, cuando se produce la irrupción de los mongoles en Europa y el Oriente Próximo musulmán? Los latinos de Tierra Santa, con los templarios a la cabeza, consideran a los mongoles como adversarios tan peligrosos como los musulmanes.[15] Este análisis explica por qué, cuando los mongoles atacan el Oriente Próximo en los años 1258-(caída de Bagdad)-1260, a los latinos no les queda otro remedio que dejar pasar por su territorio a las tropas mamelucas de Egipto. Un mal cálculo, sin duda, ya que, en febrero de 1261, la tentativa de los templarios y los barones contra los turcomanos acaba en una derrota total, que supone el fracaso del intento franco de llenar el hueco dejado por los mongoles.[16]

Baibars tiene el campo libre. Lanza una ofensiva potente y prolongada contra las fortalezas latinas, de las que se apodera por la fuerza, pero más aún por la astucia y la traición. Armas que sólo resultan eficaces a causa de la situación política de los Estados latinos. Las rivalidades, las disputas, los rumores facilitan las acusaciones de traición. Y es bien cierto que entre las numerosas traiciones imaginarias se deslizan algunas traiciones muy reales, como la que permite a Baibars apoderarse de Safed. El castillo, aunque gravemente tocado por las máquinas de sitio, resiste a todos los asaltos. No obstante, la guarnición se rinde el 22 de julio. Una falsa promesa de Baibars y la traición del negociador templario han hecho su obra.

El 15 de abril de 1268, Baibars toma por asalto Beaufort, que domina el valle del Litani. Desde allí, parte hacia Antioquía, de la que se apodera en el mismo año. Los templarios se ven obligados a rendir las plazas de Baghras y Roche-Roissel, que dominan los pasos hacia Cilicia. En 1271, le toca el turno al Crac de los Caballeros, que cae también gracias a la astucia y la traición. Baibars ha falsificado una carta del conde de Trípoli a la guarnición.

Los latinos aguantarán aún veinte años, aferrados a las ciudades poderosamente defendidas y a los castillos de la costa. La última ofensiva musulmana, en 1289-1291, les hace caer uno tras otro, siendo el último, el 14 de agosto de 1291, Château-Pèlerin, el orgullo del Temple. No ha sucumbido a un asalto, ni siquiera a un sitio. Los templarios renuncian a defenderlo y lo evacuan en buen orden, para replegarse a Chipre. ¿No parece simbólico? La guerra es la continuación de la política por otros medios, escribió poco más o menos Clausewitz. Y cuando ya no hay ninguna política...

4

Dudas e interrogaciones

Las dudas sobre la cruzada

Año 1189: la predicación de la tercera cruzada está en su apogeo y suscita el entusiasmo. Sin embargo, una voz discordante consigue hacerse oír: «*Deus non vult...* Dios no lo quiere». Por primera vez, se enuncia una crítica coherente de la cruzada. Proviene de un clérigo inglés, Ralph Niger.[1] Hasta entonces, los fracasos hicieron nacer algunas dudas, pero había también victorias. Sin embargo, en 1187 todo se derrumba de pronto. Y la gente se interroga. ¿Por qué? Y sobre todo, ¿cómo? ¿Cómo hacer para reconquistar Jerusalén? La gente se interroga y, a veces, duda. ¿De nuevo Jerusalén? ¿No hay nada mejor que hacer, incluso en Occidente, donde se desarrollan con una rapidez aterradora las herejías valdense y cátara? Aun así, Occidente se moviliza una vez más. Se cree revivir la primera cruzada.

No obstante, en los años que siguen, la idea de cruzada recibirá duros golpes, que le asestan sus mismos promotores. Prostituida y desviada de su fin, la cruzada sirve para todo. En 1202-1204, la cuarta cruzada se aparta de su objetivo egipcio y ataca a otros cristianos, los griegos de Bizancio. Inocencio III y los papas del siglo XIII se sirven de la cruzada contra sus enemigos de Italia o de otros lugares: el emperador Hohenstaufen, el rey de Aragón. En 1208, se la predica contra los herejes del Languedoc y desemboca casi en seguida en la odiosa matanza de Béziers.

Las corrupciones y desviaciones del espíritu de cruzada provocan críticas cada vez más acerbas contra el papado. Éste había sabido, mediante la cruzada, unir al mundo cristiano por la causa del Santo Sepulcro. Ahora pierde su prestigio y su crédito al prostituirla. Se debilita en el mismo momento en que poderes laicos ambiciosos atacan su magisterio.[2] Mathieu Paris, cuya hostilidad contra el papa y las órdenes militares es bien conocida, escribe que Fernando el Santo, rey de Castilla, muerto en 1252, «ha hecho más por la Iglesia de Cristo que el papa y todos los cruzados, todos los templarios y todos los hospitalarios».[3] En 1254, cuando el papa piensa en lanzar una cruzada contra el reino de Sicilia, que conservan todavía los herederos de Federico II, el mismo Mathieu Paris escribe: «Templarios, hospitalarios, el patriarca y todos los prelados y habitantes de Tierra Santa que se batían contra los enemigos de Cristo se sintieron heridos en el corazón al enterarse de esto. Pues detestaban las falsedades del papa».[4]

En 1265, un templario de Tierra Santa, Ricaut Bonomel, deja estallar su cólera y su dolor después de la toma de Arsuf por el sultán Baibars:

El papa prodiga indulgencias
a Carlos y a los franceses para luchar contra los lombardos,
y, en contra nuestra, da pruebas de gran codicia,
ya que concede indulgencias y dona nuestras cruces a cambio de
[sueldos torneses.
Y a cualquiera que quiera cambiar la expedición a ultramar
contra la guerra de Lombardía,
nuestro legado le dará el poder,
puesto que los clérigos venden a Dios y las indulgencias
por dinero contante.[5]

Se acusa a toda la Iglesia, al mismo tiempo que al papa. En la *Disputa de un cruzado y el descruzado,* de Rutebeuf, el «descruzado» declara:

Señor que me sermoneáis a propósito de las cruces, permitid que me desentienda. Sermonead a esos altos personajes que llevan corona, esos grandes decanos y esos prelados a quien Dios ha quedado abandonado y que gozan de todas las dulzuras del mundo...[6]

En 1274, pensando en el concilio de Lyon, el papa Gregorio X pidió opiniones y consejos sobre la cuestión de la cruzada. Se escribieron entonces numerosas memorias. El franciscano Gilberto de Tournai resumió las críticas más extendidas contra ella. La negativa del clero a contribuir financieramente y el rescate de los votos de ir a la cruzada, favorecido por la Iglesia, son los escándalos más notorios.[7]

Más directamente, se critica la cruzada y su ideología. Aparecen dos corrientes. La primera, representada por los poetas y los trovadores, puede resumirse así: ¿por qué ir a combatir a los sarracenos cuando se está tan bien en casa? Peirol, en *su Alegre adiós a Tierra Santa,* considera que, una vez que ha hecho la peregrinación a Jerusalén, ha cumplido su contrato. A partir de ese momento, sólo aspira a regresar a Marsella. «Si estuviese verdaderamente más allá del mar, mandaría a paseo Acre y Tiro, y Trípoli y las gentes de armas, el Hospital, el Temple y el rey Juan.»[8] El descruzado de Rutebeuf habla todavía más claro: «Se puede muy bien en este país ganar a Dios sin gran perjuicio... Yo digo que el que se somete a la servidumbre de otro cuando puede ganar a Dios aquí y vivir de su herencia es loco de nacimiento». Ciertos clérigos han comprendido muy bien este estado de espíritu. Humberto de Romans enumera las razones de la oposición a la cruzada: el miedo al mar, el amor de la patria, el amor por las buenas.[9]

Una segunda corriente, la corriente misionera, ataca a la cruzada en sus mismas raíces, sus objetivos. ¿Se quiere convertir a los sarracenos? La cruzada no es el medio apropiado. La misión y la predicación pacífica permitirán alcanzar la meta. En 1273, un dominico de Acre, Guillermo de Trípoli, hace la apología de la misión. Muestra los puntos comunes entre el islam y el cristianismo y piensa que la conversión de los sarracenos está próxima. Hostil a la cruzada, critica a san Bernardo y desaprueba las expediciones de Luis IX.[10]

Esta corriente pacifista y misionera se desarrolla entre las órdenes mendicantes, franciscanos y dominicos. Sin embargo, choca contra los hechos. En Tierra Santa, los cristianos se convierten al islam, no a la inversa. El islam constituye una religión coherente, rival del cristianismo. Resulta vano esperar la conversión de los musulmanes, que deben ser combatidos por la cruzada. En cambio, la misión puede dirigirse a los mongoles, de los que cabe razonablemente esperar que se dejarán atraer a Cristo. No hay, pues, contradicción en la actitud de Luis IX, que parte en cruzada contra los musulmanes al tiempo que envía misioneros a los mongoles.[11]

Por último, los hay que acusan al propio Dios. El templario de Tiro, que da cuenta de la conquista de Damieta, en 1249, piensa que los cruzados hubieran podido apoderarse de El Cairo: «Si Dios hubiera consentido... Pero Dios no quiere ya consentir nada más a los cristianos».[12] El trovador provenzal Austorc de Orlac la emprende contra el clero. Deberíamos hacernos mahometanos, dice, «puesto que Dios y Santa María quieren que seamos vencidos contra todo derecho». Otro trovador, Daspol, reprocha a Dios el proteger a los sarracenos, que son los vencedores, y no hacer nada por inspirarles la conversión.[13] El templario Ricaut Bonomel compone su *I're dolors* en los trágicos años de 1260, cuando el sultán Baibars obtiene tantos éxitos:

La ira y el dolor llenaron hasta tal punto mi corazón
que poco faltó para que me matase
o abandonase la cruz que había tomado
en honor de Aquel que fue puesto en cruz;
porque ni la cruz ni la fe me aportan socorro ni me protegen
contra los turcos, felones a los que Dios maldiga;
al contrario, por lo que puede verse, parece
que Dios quiere ayudarles en nuestro detrimento.
(...)
Por lo tanto, es bien loco el que lucha contra los turcos,
puesto que Jesucristo no se opone en absoluto a ellos;
Ya que han vencido y continúan venciendo, lo que me causa gran pena,
a francos y tártaros, armenios y persas.
Y aquí cada día obtienen la victoria sobre nosotros,
Pues Dios, que acostumbraba a velar, duerme.
Y Mahoma actúa con todas sus fuerzas
y hace actuar a Melicadefer (Baibars).

No parece que por eso haya renunciado a la lucha,
al contrario, ha jurado y ha dicho bien claramente
que de ahora en adelante, si está en su mano, no quedará en este país
un solo hombre que crea en Jesucristo;
que, además, hará una mezquita
de la iglesia de Santa María.
Y puesto que su Hijo, que debiera sentirse afligido,
lo quiere y se complace con ello, también debe complacernos a
*   [nosotros.*[14]

A los consejeros de Felipe el Hermoso que, cuarenta años más tarde, acusaron a los templarios de renegar de Cristo no les costó gran esfuerzo reunir los comentarios de este tipo, que los templarios no fueron los únicos en hacer.

No obstante, no hay que imaginar una especie de unanimidad en la denuncia de la cruzada. Una parte de las críticas se explica por la oposición, convertida en tradicional, entre cruzados y *poulains*. Se atacaban ciertos comportamientos, más que la cruzada en sí. En la segunda mitad del siglo XIII se encuentran aún cruzados tan ingenuos, tan «puros», como en la primera cruzada. En 1267, «Roberto de Cresèque, elevado hombre de Francia», y Oliverio de Termes, seguidos de ciento treinta caballeros, salen de Acre en dirección a Montfort. Al regreso, son interceptados por tropas musulmanas. Oliverio estima preferible esperar la noche y volver a la ciudad a través de los huertos. Pero «el señor Roberto le respondió que había venido por mar para morir por Dios en Tierra Santa y que iría de todas maneras a la batalla».[15]

Mientras que los latinos de Oriente, reducidos a la defensiva por los éxitos de Baibars, multiplican las treguas con el enemigo, los occidentales les acusan de traición. La incomprensión es más profunda que nunca. Entre tanto, la cruzada sigue siendo la única respuesta posible a los problemas de los Santos Lugares. Así lo demuestran las respuestas que Gregorio X recibió en 1274 y los numerosos proyectos de cruzada publicados después. El debate no tiene como objeto «por o en contra de la cruzada», sino «cómo conseguir el éxito». Lo cual plantea el problema de las órdenes militares.

Las dudas sobre las órdenes militares

Al encarnar la permanencia de la cruzada, las órdenes perderían toda razón de ser si se impusiera el espíritu misionero y pacifista. No se puede denigrar la cruzada sin denigrarlas. Pero se le hacen además críticas particulares, puesto que nueve veces de cada diez se las ataca en conjunto.

Se les reprocha su altanería, su orgullo, su arrogancia. Lo que más tarde se convirtió en «la imagen de marca» del Temple se atribuía indistintamente en el siglo XIII a todas las órdenes militares. El tema fue una invención de los clérigos seculares, celosos de los privilegios de las órdenes y descontentos de su independencia. La acusación se refuerza, naturalmente, a causa de ciertas acciones inconsideradas en el campo de batalla (la actitud de Ridefort en la Fuente del Berro, por ejemplo) y la actitud con que templarios y hospitalarios defienden sus derechos.

Pero las críticas son contradictorias. Cuando templarios u hospitalarios dan muestras de prudencia e intentan moderar los ardores guerreros de los cruzados, se les compara de inmediato con los *poulains* y se les trata de cobardes, cuando no de traidores. Michelet describe bien la mentalidad de los cruzados:

Esos auxiliares transitorios de los templarios reconocían mal su entrega [...]. Segurísimos de que se iba a realizar un milagro exclusivamente en su honor, no vacilaban en romper las treguas; arrastraban a los caballeros a peligros inútiles, se dejaban derrotar y se iban, dejando a éstos el peso de la guerra y acusándoles de no haberles sostenido.[16]

La lista de las recriminaciones de los occidentales contra las órdenes sería muy larga. En mayo de 1267, el sultán Baibars llega ante Acre. Ha «sorprendido a las pobres gentes del pueblo en la llanura de Acre». Los hijos del rey de Aragón, los templarios y los hospitalarios hacen una salida y se instalan en una colina. Templarios y hospitalarios ordenan que nadie se mueva; y cómo no, los aragoneses «querían lanzarse contra los sarracenos y presionaron a los templarios y los hospitalarios, y les dijeron palabras groseras...». Y el templario de Tiro añade: «Si hubieran cargado, la ciudad se hubiera perdido».[17]

El conde de Artois, hermano de Luis IX, adopta en Mansurah una actitud idéntica. Ha llevado a cabo una carga audaz, pero victoriosa, con una vanguardia de templarios. A pesar de los consejos del «hermano Gilles, el gran comendador del Temple, buen caballero y de prez y valiente y sabio en la guerra y clarividente en tales cuestiones», el conde de Artois decide mantener su ventaja atacando la ciudad de Mansurab, sin esperar la llegada del rey y a pesar de las órdenes expresas de éste. Lógicamente, las críticas contra las órdenes se multiplican en el campo de los occidentales:

> Un caballero [...] que estaba con el conde de Artois [...] respondió de esta manera: «Si los templarios y los hospitalarios y los otros que son de este país lo quisiesen, la tierra estaría conquistada desde hace tiempo». El conde de Artois dice burlonamente al hermano Gilles que se quede. El hermano Gilles se niega, claro está: «No nos quedaremos. Iremos con vos, pero dad bien por sabido que dudamos de que ni nosotros ni vosotros logremos regresar».[18]

Predicción exacta. Pillados en la trampa de un combate sin cuartel en las calles, donde la carga de la caballería resulta ineficaz, los francos sufrieron una derrota aplastante. El conde de Artois encontró la muerte, y los templarios perdieron cerca de doscientos hombres.

Altanería, orgullo... y rivalidad entre las órdenes. Muchos autores ven en esta rivalidad la causa esencial de los fracasos, si bien otros rechazan la explicación, señalando que las órdenes supieron siempre unirse en caso necesario.[19]

Segunda crítica: la avaricia de las órdenes. «El Temple y el Hospital –afirma Daspol– fueron fundados por la santidad de las órdenes y para la alimentación de los pobres y, en lugar de hacer el bien, causan muchos males, se adormecen en su maldad, ya que están todos llenos de altanería y avaricia».[20] ¿Avaricia o derroche? Para nuestros críticos, tanto da una cosa como otra. La cuestión se resume en que no consagran sus recursos a Tierra Santa. El tema –fecundo– se empleará contra el Temple en 1312, en el concilio de Vienne.

Muy pronto se llega a reprocharles el ser infieles a su misión, el mostrarse reacios a combatir en Oriente. ¿Acaso el papa Nicolás III no escribió a las tres órdenes en 1278 para pedirles que mantuviesen en Oriente un gran número de soldados?[21] No cabe la menor duda de que hubo desviaciones de fondos. Se han descubierto tanto en el Temple como en el Hospital. Se hicieron propuestas para que se obligase a las órdenes a pagar décimas y anatas. Procedían de clérigos seculares, la cosa es evidente. Reunidos en Reims en 1292, los obispos piensan en la confiscación de los bienes de la orden. El publicista Pedro Dubois recoge la propuesta. Pero ¿para entregárselos a quién? El lobo asoma las orejas. Pedro Dubois piensa en el rey de Francia; el obispo de Angers, Guillermo Le Maire, en el clero secular. ¿Quién habla aún de Jerusalén?

Los adversarios de la cruzada, partidarios de las misiones pacíficas, reprochan a las órdenes el no hacer nada por convertir a los infieles o el utilizar métodos no irreprochables. En 1237, el papa ordena a las órdenes y a la jerarquía secular de Tierra Santa que bauticen a los esclavos que lo soliciten, con la consiguiente manumisión. El Temple se niega, pues se vería privado de la mano de obra que necesita. El Hospital prohíbe el bautismo y la liberación de los esclavos sin autorización del Gran maestre. Los intereses generales de la cristiandad chocan con los intereses particulares de las órdenes. Por su parte, el franciscano inglés Roger Bacon reprocha a los teutónicos la práctica de las conversiones forzadas en Prusia.[22]

Sin embargo, las órdenes contaron también con defensores. Ralph Niger, el primer crítico coherente de la cruzada; sólo tiene alabanzas para ellas. En Oriente, un ciclo autóctono de poemas épicos, pero de inspiración francesa, incluía, además de las canciones de Jerusalén y Antioquía y la canción de los «Pobres», poemas a la gloria de las órdenes, desdichadamente perdidos: «En otro volumen [...], sabréis cómo fue poblado el Temple, y el Hospital también, allí donde Dios fue salvado».[23]

La mayoría de los autores de finales del siglo XIII que escribieron sobre la cruzada y propusieron soluciones para recuperar la Ciudad Santa incluyeron las órdenes militares en sus reflexiones. Reconocían su experiencia, su conocimiento del terreno, su disciplina y su permanencia. Por eso resulta tanto más curioso que autores como Fidentius de Padua, Gilberto de Tournay o incluso Humberto de Romans no piensen en el Temple o en el Hospital cuando reclaman la creación de un ejército permanente.

La discusión sobre el papel en cuanto a las órdenes militares desemboca forzosamente en la cuestión de la fusión de éstas en una sola organización. Muchos autores, muy críticos con respecto a las órdenes, pero convencidos de su necesidad, consideran la fusión como único medio de poner fin a una rivalidad nefasta y a los abusos de toda clase que se han comprobado tanto en la una como en la otra. Fusión quiere decir moralización y recuperación de la eficacia.

La cuestión se planteó en el concilio de Lyon, en 1274, durante una amplia discusión sobre la cruzada, preparada por las numerosas memorias dirigidas al papa. Recibió una respuesta negativa, ya que el rey de Aragón, Jaime I, presente en el concilio, se negó enérgicamente a admitir en sus Estados una orden única, que sería demasiado poderosa. La misma actitud conducirá más tarde a Jaime II a negar la entrega de los bienes del Temple al Hospital. En la idea de algunos, la fusión sólo concierne a las órdenes de Tierra Santa. Para otros, todas las órdenes, comprendidas las de España, deben fundirse en una orden nueva y única. Por lo tanto, la fusión queda para más tarde; de momento, no se realiza más que en imaginación. Jacquemart Gelée, natural de Lille, escribe poco más o menos en el momento del concilio un *Renart le Nouvel* que es una violenta carga contra la Iglesia y contra las órdenes religiosas. Todas ellas están al servicio de Goupil, el bribón, que coloca sus hijos a su cabeza y decide tomar personalmente la dirección de la orden unificada del Hospital y el Temple. Lleva el hábito del Hospital a la derecha, el del Temple a la izquierda, y luce barba en la parte izquierda de su cara.[24]

La idea se abre camino. Después de la caída de Acre, el papa Nicolás IV interroga de nuevo al clero para responder a la «voz común». La mayoría de los concilios regionales, reunidos en 1292, se pronuncian por la unión. El de Arles, después de haber pedido que se imponga un subsidio a todos y que la paz y la concordia reinen entre los príncipes, añade: «Que todos los Temples y hospitalarios sean, como se ha pedido, reducidos y unidos en una sola orden».[25] Otras memorias fueron redactadas también en esta fecha. La del rey Carlos II de Anjou propone que se ponga a la cabeza de la orden única a un jefe único, un hijo de rey, destinado a convertirse en rey de Jerusalén.[26] El catalán Raimundo Lulio propugna primero la fusión de todas las órdenes, luego la del Temple y el Hospital exclusivamente. La orden del Espíritu Santo así creada estará bajo las órdenes de un *rex bellator,* un rey combatiente, soltero o viudo.[27]

De tales propuestas se deduce que la nueva orden tendrá un prestigio acrecentado –siendo su Gran maestre el rey o futuro rey de Jerusalén– y un papel considerable, puesto que dirigirá el «Pasaje» a ultramar y gobernará el reino. Se trata ni más ni menos de convertir la orden en el núcleo del futuro Estado teocrático de Jerusalén, de concebir, en más grande, lo que los teutónicos están realizando en Prusia.

ont el plus haut estage assis
si toi fil se desous lui mis
dont se leua uns templiers

Car bien uit quil en ert mestiers

ui souuent nos sont mait tort gi
auons mestier q̄ no mantiegne
qre tous no diront retriegne
Car se nons ne montephons
en auoir · peu poir aions
e sainte eglize soustenir
ms no guerra to suir
Judier tre de sirie
Cha outre uenoit a naue
e babyloine li soudans
sauns peres ce soies sachans
par no gent est deffendue
encontre le gent mescreue
sainte eglize ꝛ crestientes
sauns peres chou est uoirtres
i deues bien a ce destendre
Caions · 22 · sil se veut rendre

u uestement cospitalier
a senestre de templier
senestre hurteларin
destre cere le senu
ien les gouuernent tous · q
dont ioie quit coie en creus
estu lont si qualtes ou
i puis les en creusth
22 ont fait serenic
nisi cd 22 · est uestru uigueus de
cuipliers ꝛ lautre partie cospitalier
auisi con li maistres du cemple
ce lospital sont soi ꝛ serenient

uil seront mais a son talent

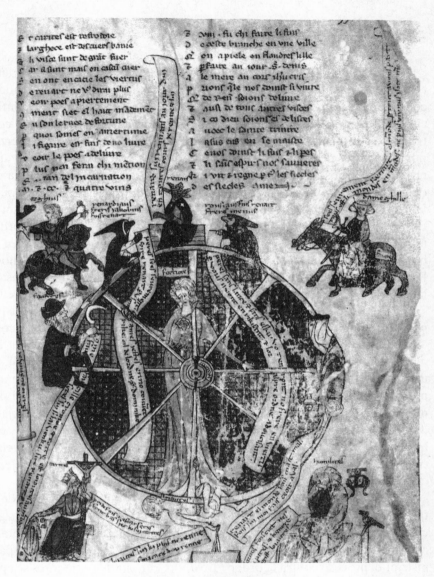

Jacquemart Gelée, *Renart le Nouvel*. En esta obra satírica y anticlerical, Renart resuelve a su manera el problema de la fusión de las órdenes militares. Se pone a la cabeza de la orden unificada y se reviste con una capa semipartida: hospitalaria (negra con cruz blanca) a la derecha y templaria (blanca con cruz roja) a la izquierda.

(*Izquierda, arriba.*) *Ci li papes et rois sont assis lun en costé lautre. Et uns templiers est devans eus.* (Aquí el papa y el rey están sentados uno junto al otro. Y un templario está ante ellos.)

(*Izquierda, abajo.*) *Ainsi comme Renart est vestus mipartis de Templiers et lautre d'hospitalier. Et ainsi com li maistres du temple et de l'ospital font foi et serement à Renart.* (He aquí cómo Renart está vestido parte de templario y parte de hospitalario. Y he aquí cómo los maestres del Temple y del Hospital prestan fe y juramento a Renart.)

(*Arriba.*) Renart, revestido con la capa semipartida, preside en lo alto de la rueda de la fortuna. *Renars suy rennans aujourdui. En toutes cours je renne et lui.* (Yo soy Renart que reina hoy. En todas las cortes reino y brillo.)

Tan bellas construcciones quedaron en letra muerta. Dejando aparte el hecho de que descuidan los problemas prácticos y financieros, chocan con las ideas tradicionales sobre la cruzada. Ésta es una cuestión pontificia y debe ser dirigida por un legado del papa. Se hallan asimismo en contradicción con la política de las monarquías nacionales, que se esfuerzan por reducir los derechos y los privilegios del Temple y del Hospital y que no tienen en absoluto la intención de favorecer el desarrollo de una orden única. Un publicista como Pedro Dubois, que escribe para Felipe el Hermoso, critica con violencia a las órdenes y propone ponerlas al servicio de su rey. Si Felipe pensó alguna vez en abdicar para dirigir la orden única a la que se aspiraba, lo hizo sin la menor duda con la esperanza de poner al servicio de su reino un instrumento militar y financiero valioso. Porque ahí reside la ambigüedad, incluso la hipocresía de los debates. Se habla mucho de Tierra Santa. Pero ¿se piensa verdaderamente en ella?

La cuestión vuelve a la actualidad en 1305 y, por primera vez, disponemos del punto de vista de uno de los principales protagonistas, Jacobo de Molay, el maestre del Temple. El papa Clemente V ha pedido a los maestres del Temple y del Hospital su opinión sobre la organización de una cruzada y sobre la fusión de las órdenes. Jacobo de Molay redacta una memoria sobre este último punto y viene a Francia para discutir del primero. Fulco de Villaret, Gran maestre de los hospitalarios, nos ha dejado dos textos sobre la cruzada. El primero, muy general, se asemeja a los numerosos textos cuya existencia he mencionado; el segundo, más preciso, constituye un verdadero plan de acción, que tuvo un comienzo de ejecución en los años 1307-1310.[28]

En cambio, se ignora lo que respondió Villaret sobre el problema de la fusión, lo que es una verdadera pena, ya que nos hubiera permitido juzgar con mayor objetividad el texto de Molay. Guillermo de Nogaret contaba con este texto en su expediente sobre el Temple. ¿Le sirvió de mucho para instruir el proceso contra la orden? Lo dudo. Pero los historiadores se apoyaron en él para instruir el proceso de la mediocridad de Molay.[29] Sin embargo, antes de juzgar, nos ocuparemos de la imagen del Temple en la opinión pública.

Las dudas sobre el Temple

Las críticas y los elogios dirigidos a las órdenes militares tomadas en conjunto conciernen también, cosa evidente, al Temple. Cuando se distingue entre Temple y Hospital, este último no aparece ni mejor ni peor tratados que el primero. Rostanh Berenguier, trovador de Marsella de principios del siglo XIV, protegido del Gran maestre del Hospital, Fulco de Villaret, no se muestra tierno con la orden del Temple, pero tampoco puede evitar «pinchar» al Hospital:

> ... decidme por qué el papa los soporta cuando los ve en muchos desafíos y bajo la enramada derrochar, no sin deshonor ni sin crimen, las riquezas que se les ofrece por Dios.
>
> En efecto, puesto que las tienen para recuperar el Sepulcro y las malgastan llevando una vida ruidosa en el mundo, puesto que engañan al pueblo con chiquilladas que desagradan a Dios, puesto que durante tanto tiempo ellos y los del Hospital han permitido que la falsa gente turca permaneciese en posesión de Jerusalén y de Acre, puesto que son más huidizos que el halcón sagrado, es una gran pena, creo yo, que no se purgue de ellos el siglo.[30]

¿Se puede separar las críticas, o los elogios, dirigidos específicamente al Temple? Un poema irlandés, el *Libro de Howth,* desarrolla el tema de la corrupción por la riqueza que le condujo de la virtud al Viejo.[31] El *Roman de Renart* dirige a los templarios, y sólo a ellos, la acusación de traición y de rechazo del combate frecuente entre los cruzados, la misma que Felipe de Nanteuil dirigía a las dos órdenes:

> *Y tanto decís que si los templarios*
> *nos hubieran ayudado, sin celarse de nosotros,*
> *tendríamos toda Siria, Jerusalén y todo Egipto.*[32]

La crítica más extendida y que parece la más específica es la de mostrarse tacaños en cuanto a las limosnas. Juan de Wurzburgo hizo ya este reproche al Temple a mediados del siglo XII. Lo repetirán ciertos testigos durante el proceso en Inglaterra y en Escocia. ¿La acusación carecía de fundamento, como escribe A. J. Forey?[33] Nada menos seguro. Ya se sabe que la caridad no formaba parte de las misiones de la orden. Pero, en Occidente, las diversas actividades de los templarios se emparentaban con las propias del Hospital. Se podían hacer comparaciones. Por muy injusto que sea reprochárselo, no cabe duda de que los templarios concedían menos importancia a las limosnas, a la atención a los enfermos, a la hospitalidad.

En cuanto a las costumbres y a la conducta de los templarios, se conocen algunos proverbios: «desconfía del beso del templario»; «beber como un templario». ¿En qué momento aparecieron? ¿Dónde? ¿Qué difusión tuvieron? Se necesitaría una investigación precisa, ya que en este campo, como en muchos otros, la afirmación perentoria no sirve de prueba.[34]

El historiador inglés Mathieu Paris lanzó contra el Temple las críticas más virulentas. Muy hostil al poder pontificio, partidario de Federico II, en 1241 denunció «a los que engordaban gracias a tantas rentas destinadas a luchar contra los sarracenos, que volvían con impiedad sus fuerzas contra los cristianos, contra sus hermanos». Añadiendo más adelante: «Tienen traiciones de lobo bajo su piel de cordero [...], de lo contrario haría mucho tiempo que los sarracenos habrían sido vencidos...».[35]

Mathieu Paris se deja coger con frecuencia en flagrante delito de exageración, de deformación, incluso de mentira cuando habla de los templarios. Tiene un gran mérito, sin embargo, el de publicar sus cartas. Por ejemplo, cita este amargo texto del maestre Armando de Perigord: «Nosotros solos [...] llevamos sobre nuestros hombros todo el peso de la defensa del país...», texto que ya mencioné en el capítulo anterior. Cierto que Paris la juzga sin importancia, «a causa de la mala reputación tanto de los templarios como de los hospitalarios».[36] Pero su lector está en situación de juzgar. En la misma Inglaterra, no existen apenas críticas consistentes en las canciones, poemas y otros textos populares.[37]

En cambio, se encuentran fácilmente textos favorables. Rutebeuf defiende el Temple en su *Nouvelle complainte d'outre-mer,* escrita en 1276:

> *Mostrad por la boca y por el ejemplo*
> *que amáis a Dios y al Temple...*

Un trovador del norte de Francia, Guiot de Provins, declara: «Los templarios son hombres muy buenos». Y Wolfram von Eschenbach, líder del Minnesang alemán, que hizo el viaje a ultramar, convirtió al templario en el modelo del caballero del Graal en su *Parsifal* (uno imagina fácilmente el filón que abrió con ello para los aficionados al esoterismo). Las colecciones de *exempla,* como la del dominico Esteban de Borbón, popularizaron las desventuras del «Señor Pan y Agua», el templario al que el exceso de sus mortificaciones impedía sostenerse a caballo.[38]

Citadas así, en desorden, las opiniones hostiles o favorables al Temple no tienen más que un mérito: mostrar una realidad matizada; mostrar que la impopularidad no es exclusiva de la orden del Temple; mostrar que tiene también sus admiradores. En realidad, hay pocas críticas originales dirigidas únicamente al Temple. Pero también en esto un estudio sistemático de los textos, sin limitarse a los narrativos (pienso en los textos jurídicos, en los procesos), permitiría hacerse una idea más precisa de esta impopularidad y de su génesis.

Se podría también comprobar la idea expuesta por J. Prawer de que la impopularidad de las órdenes nació hacia 1239-1240 por dos motivos: sus divisiones, que aparecen entonces a plena luz, y sus sangrías cada vez mayores de Occidente, justificadas por el aumento de gastos en Tierra Santa. Avidez y rapacidad, avaricia y derroche se convierten en los rasgos característicos de las órdenes en Occidente, quizá de manera más particular del Temple. Yo sugeriría, en efecto, teniendo en cuenta las fechas propuestas por J. Prawer (1239-1240), que la propaganda de Federico II, gracias a sus relevos en Occidente (Mathieu Paris), fue lo bastante eficaz para modelar la imagen de un Temple totalmente enfeudado al papado (mientras que, en el mismo momento, el Hospital sostiene al emperador). El Temple tenía que padecer a causa de los ataques y las críticas, cada vez más violentas, lanzados contra el papa. Cualquiera que fuese su actitud en el choque frontal que opuso Felipe el Hermoso a Bonifacio VIII, la orden del Temple estaba ya etiquetada y, por consiguiente, la opinión pública condicionada.[39]

Tanto la carta de Armando de Périgord citada en el capítulo anterior como el poema de Ricaut Bonomel demuestran que los templarios se resintieron vivamente de esas críticas y percibieron la hostilidad de la atmósfera. ¿Presintieron también un peligro mayor?

Se ha descubierto en Arles una especie de borrador de una memoria respondiendo a las críticas contra la orden. Estaba destinado a los representantes del Temple en el concilio de Lyon de 1274.[40] El texto revela, pues, en negativo las principales críticas hechas al Temple. La mitad de la memoria, por ejemplo, está dedicada a defender los derechos y privilegios de la orden. Da precisiones sobre la actuación caritativa de los hermanos. ¿No es ésa una prueba de que los ataques de que eran objeto a este respecto les han afectado? No sólo los templarios aseguran el transporte de los peregrinos a Jerusalén, sino que ayudan también a los pobres, los huérfanos, las mujeres embarazadas. Los recién nacidos son recogidos en sus casas, cuidados por sus «médicos» con los medicamentos apropiados.

Los templarios subrayan, por último, sus dificultades financieras, invocando incluso, en algunos casos, el testimonio de los sarracenos, que saben muy bien que a los hermanos les faltan armas, caballos y hombres. Muestran la importancia de sus recursos de Occidente para satisfacer las crecientes necesidades en Oriente: el retroceso general de los cristianos; la nueva agresividad de los sultanes musulmanes, que les obligan a pagar tributos y rentas anuales considerables para conseguir treguas y plazos y

258 AUGE Y CAÍDA DE LOS TEMPLARIOS

para rescatar prisioneros. Por lo demás, proponen que se examinen sus cuentas, propuesta que debió de sorprender, claro está, a más de uno de los buenos padres del concilio, persuadidos de la riqueza del Temple. Sin embargo, el testimonio de los inventarios de 1307, las indicaciones obtenidas en Aragón y que hemos analizado apoyan el argumento de los templarios.

¿Los templarios temen sólo por sus privilegios? ¿No tienen la impresión de que está en juego su propia existencia? ¿Han presentado un acto brutal por parte del concilio en contra suya? Volvemos así al problema de la fusión de las órdenes. Lo examinaré ahora desde el punto de vista del Temple, que pudo tener la impresión de que la fusión se concebía como una absorción de la orden por el Hospital. Gracias a su doble vocación de orden militar y caritativa, ¿no era el Hospital más capaz de cubrir las diversas misiones que se quería atribuir a la orden única? Perdida Tierra Santa, el Hospital conservaba a sus pobres... Esto explicaría por qué los templarios insistieron tanto en el concilio sobre sus obras de caridad. Explicaría también por qué se negaron a una fusión dirigida en tal sentido. ¿No es este temor el que Jacobo de Molay expresa en su memoria dirigida a Clemente V cuando escribe: «Forzar a un hombre que, espontáneamente, se ha entregado al hábito y a la profesión de fe de una orden a cambiar su vida y sus costumbres o a elegir otra orden si no quiere es actuar de una manera muy hostil y muy dura»?

Molay examina en su memoria los argumentos desfavorables a la unión. Resumiendo, lo que es sano cuando existen dos órdenes –competencia, emulación– resultaría nefasto con una orden única –conflictos, parálisis interna–. Molay no muestra una gran altura de miras en su defensa. Le molestaría mucho dejar de ser maestre de la orden, no cabe duda. Su argumentación se vuelve francamente ridícula cuando afirma que, durante «las cabalgadas a mano armada contra los sarracenos, la costumbre quiere que una orden forme la vanguardia y la otra la retaguardia». Si no hay más que una orden, faltará o la vanguardia o la retaguardia.

Pero Molay es un realista, aunque de corto alcance, que conoce los hombres y sus vanidades. Considera inútil atacarlos. Su comparación con las órdenes mendicantes, que son dos y que «se esfuerzan tanto la una como la otra por tener los hombres más excelentes y alientan más aún a los suyos, tanto a la celebración del oficio divino como al sermón y la predicación de la palabra de Dios...», hace su efecto. Señala que la rivalidad entre el Temple y el Hospital nunca les ha impedido actuar juntos en caso necesario. Los hechos no le desmienten. Los contemporáneos tampoco, puesto que, aun deplorando sus divisiones y sus conflictos, asocian a las dos órdenes, ya lo hemos visto, en la censura y en el elogio.

Molay presenta después argumentos favorables a la fusión, con la cual se lograrían economías, «pues, donde hay ahora dos preceptores, no habría más que uno». Pero con el pretexto de ayudar a la unión, da en realidad el argumento más fuerte en contra de ella. Observa que la gente se muestra menos generosa con las órdenes que en el pasado, que «se le causan numerosos perjuicios, de manera continua, tanto por parte de los prelados como por otros hombres, poderosos o no, clérigos o laicos». Ahora bien, continúa, «si se realizase la unión, la orden sería tan fuerte y poderosa que defendería y podría defender sus derechos como otro cualquiera».[41] Lo mismo pensaban sin duda alguna Felipe el Hermoso, Eduardo I, Jaime II o el rey de Chipre, que no querían de ningún modo una orden única.

Evidentemente, aunque no lo diga, Molay debía de saber que los soberanos no eran tampoco favorables al *statuo quo*. En ese aspecto, demuestra menos intuición que Fulco de Villaret, el Gran maestre del Hospital, que supo poner su orden a salvo transformándola *in extremis*.

Está claro que Molay no es ningún genio. Haríamos mal, sin embargo, en no detenernos más que en las dos o tres propuestas torpes o francamente ridículas de su memoria. Leyéndola bien, se observa en su autor buen sentido, realismo, incluso astucia. Molay es un conservador, «ya que no se innova, o al menos raras veces, sin provocar grandes peligros», escribe al principio de su memoria. En esto, concuerda perfectamente con su tiempo, la Edad Media. Lo que escribe no difiere apenas de lo que escriben en aquel mismo momento los doctos autores de memorias sobre la cruzada y la fusión de las órdenes. Raimundo Lulio, por ejemplo, diserta con gravedad sobre el color de la capa y la cruz de los futuros caballeros de la orden única. Y todavía a mediados del siglo XIV, Felipe de Mézières, autor de un tratado sobre el mismo tema, dedicará a este importante problema largas páginas llenas de interés, si no de eficacia. ¡Lástima que no leyesen *Renart le Nouvel*...!

Para decirlo todo, no encuentro gran cosa en la memoria de Molay capaz de alimentar el proceso por estupidez que se le hace de ordinario. Felipe el Hermoso y sus consejeros tampoco, creo yo. Prefirieron procesarle por herejía.

SEXTA PARTE
La caída del Temple

1

Una reconversión fallida

La caída de Acre en 1291 firmó en cierto sentido el decreto de muerte del Temple. Del Temple, y no de otra orden, a causa quizá de una reconversión fallida.

La heroica muerte de Guillermo de Beaujeu

En 1273...

... el hermano Bérart, maestre del Temple, murió, y el hermano Guillermo de Beaujeu fue hecho maestre; era buen gentilhombre, pariente del rey de Francia, y se mostró muy magnánimo y muy liberal en muchos casos, y dio grandes limosnas, lo que le valió mucho renombre; y en su tiempo, el Temple fue muy honrado y temido. Cuando le nombraron maestre, era comendador en Apulia; permaneció dos años en ultramar y visitó todas las casas del Temple del reino de Francia, de Inglaterra y de España, y amasó un gran tesoro y vino a Acre...

Guillermo de Beaujeu era primo por alianza de Carlos de Anjou, rey de Sicilia. Su hermano, Luis de Beaujeu, condestable del reino de Francia, murió durante la cruzada de Aragón, en 1285.

Maestre de la orden de 1273 a 1291, Guillermo reúne todos los defectos y todas las cualidades de los hermanos del Temple: orgullo, valor, desprecio de los hombres y del peligro. Es el hombre de la Casa de Anjou, cierto, pero es también y plenamene el hombre del Temple. Todos sus actos fueron criticados al principio, aun en el seno de su orden. Incluso su herida mortal se tomó en el primer momento por un intento de hallar una escapatoria. ¡Qué final, sin embargo! ¡Qué símbolo de la unidad del Temple esa extraña peregrinación del maestre herido, llevado por los suyos a

través de Acre en llamas! Recordemos los acontecimientos que conduje-
ron a la desaparición de los Estados latinos y la muerte de Guillermo de
Beaujeu.

En 1289, el maestre del Temple se entera por uno de los agentes secretos que mantiene en la corte del sultán Qalawun, en El Cairo, de que
este último se prepara para atacar Trípoli. Guillermo de Beaujeu advierte al conde. No le escuchan, lo que no tiene nada de extraño dadas las delicadas relaciones del Temple con la corte de Trípoli. Algunos «decían feas
palabras sobre el maestre y que hacía esto para asustarles». Pero la ciudad fue tomada en mayo, y su población aniquilada por los mamelucos.

Qalawun se vuelve entonces contra Acre, ciudad de cuarenta mil habitantes, bien fortificada y bien defendida. Hace preparativos importantes, a la vista de todo el mundo. Naturalmente, Beaujeu está informado desde el principio. La muerte de Qalawun en 1290 no cambia nada.
Su sucesor al-Malek al-Ashraf, sitia la plaza a principios de la primavera
de 1291, únicamente por tierra. El 17 de mayo, los musulmanes abren una
brecha y penetran en la ciudad. El contraataque efectuado por las órdenes militares fracasa. Guillermo de Beaujeu recibió una herida mortal.

Entonces se retiró del combate. «Señor, no puedo más, porque estoy
muerto; ved el golpe.» Sus hombres «le apearon del caballo y le pusieron
sobre un escudo [...] y fueron a enterrarle hacia la Puerta de San Antonio,
que encontraron cerrada». Por otra puerta, llegaron a una casa, donde pudieron desarmar al maestre. Luego...

... le pusieron en una manta y le llevaron a la marina, es decir, a la
playa que está entre el matadero donde se sacrificaban los animales y
la casa que fue del señor de Tiro [...]. Los hombres del maestre se echa-
ron al mar para traer dos barcas que allí había.

Pero la tormenta les impidió salir.

Otros hombres de la casa del maestre le llevaron al Temple, y le metieron en la casa, no por fuerza, ya que no querían abrirles, sino en un
lugar, un patio en que se echaba el abono. Vivió todo el día sin hablar
[...]. Entregó su alma a Dios y fue enterrado delante de su tabernácu-
lo, el altar en que cantaba misa, y que Dios reciba su alma, porque su
muerte fue un gran daño.[1]

La resistencia se concentró en el barrio del Temple, el mejor defendido. La casa presbiterial de la orden acabó por derrumbarse, sepultando

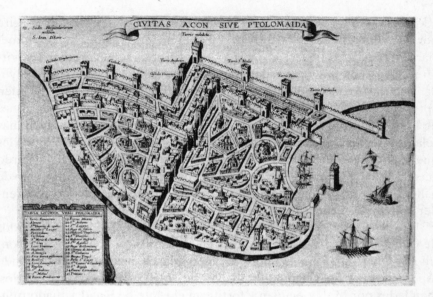

Acre en el siglo XVII. El barrio del Temple está situado en la punta comprendida entre el mar y el puerto.

a defensores y atacantes sin distinción. Los que pudieron embarcaron rumbo a Chipre o hacia la fortaleza templaria de Château-Pèlerin. Todo había terminado. Tiro, Beirut y Sidon fueron evacuadas en las semanas siguientes, sin combate. El 14 de agosto de 1291, la última plaza de Tierra Santa, Château-Pèlerin, fue abandonada por sus últimos defensores, los templarios.

Jacobo de Molay o la reconversión fallida

En Sidón, ciudad que se hallaba en manos del Temple, se conoció muy pronto la noticia de la muerte de Beaujeu y la caída de Acre. «Teobaldo Gaudin, el gran comendador de Tierra Santa [...], fue hecho maestre por la elección de los hermanos.» Apenas si dejó alguna huella en la historia. Marchó a Chipre en busca de socorro y permaneció allí, sin hacer nada. Murió en 1293. Le sucedió Jacobo de Molay.[2]

Jacobo de Molay, caballero del condado de Borgoña,[3] el actual Franco Condado, entró en el Temple hacia 1265, en la encomienda de Beaune. Pasó algún tiempo en Inglaterra y marchó a Oriente hacia 1275. ¿Intrigó para convertirse en maestre? No existen pruebas. Elegido en Chipre, adonde las órdenes militares han trasladado sus cuarteles, parte a una gira por ultramar, es decir, por Europa. Se detiene en Italia del Sur, en Venecia, en Francia, en Inglaterra. Arma barcos y obtiene el derecho a exportar grano desde Italia del Sur en dirección a Chipre. Sin embargo, la ayuda resulta demasiado limitada para ser eficaz, y los latinos no pueden aprovecharse de la ofensiva mongol en Siria, a pesar de las invitaciones de los mongoles (1299-1300). Por otra parte, las órdenes mantienen unas relaciones difíciles con la realeza chipriota, poco decidida a permitirles que le impongan su ley. Órdenes militares y cruzados están en desacuerdo acerca de los objetivos. ¿Hay que conservar ante todo el reino armenio de Cilicia, último Estado cristiano en el Mediterráneo oriental? ¿O emprender una amplia cruzada contra Siria-Palestina y Egipto?

En junio de 1300, las dos órdenes, con el refuerzo de algunos cruzados de Occidente y tropas de Chipre, hacen algunas incursiones navales contra Alejandría y contra el delta y la costa siria, en especial Tortosa, donde esperan en vano a los mongoles. Una ocasión perdida. Los templarios, mandados por Molay, ocupan y fortifican el islote de Ruad, situado frente a Tortosa. El mariscal de la orden, Bartolomé, tiene a su cargo una guarnición de ciento veinte caballeros, quinientos arqueros y cuatrocientos sirvientes. Pero carece de barcos, lo que provoca su fracaso, relatado por el templario de Tiro:

> El sultán, perseguidor de los cristianos, hizo armar dieciséis navíos y los envió a uno de los emires, que había sido cristiano [...]. Cuando los hermanos los vieron venir, se inquietaron, ya que no tenían galeras, apenas algunas taridas [...]. Los sarracenos atracaron en la isla, en dos puntos, y una parte de los templarios los detuvieron y los rechazaron en la «calle del mar»...

Después de otras escaramuzas, los sarracenos desembarcan, a pesar de...

> ... los sargentos arqueros a pie y sirios, que se defendían valientemente y mataron a muchos sarracenos, pero esto no permitió a los caballeros hermanos y a los demás atreverse a llegar más adelante [...]. Los sarracenos enviaron mensajes a los hermanos del Temple de que podían rendirse bajo palabra y les conducirían adonde quisieran dentro de la cristiandad. Los templarios confiaron en su malicia y se rindieron por recomendación del hermano Hugo de Enpure [quizás Ampurias, Cataluña] y salieron. Los sarracenos les cortaron la cabeza a todos los sargentos sirios, porque se habían defendido bien y porque

causaron grandes daños a los sarracenos. Y los hermanos del Temple fueron conducidos vergonzosamente a Egipto.[4]

Así se acaba la última acción militar de envergadura de los templarios. Toda la responsabilidad de este asunto tan mal llevado corresponde a Molay. No obstante, por lo menos intentó algo más importante que aquellas incursiones estériles a lo largo de la costa.

Desde ese momento, Molay opta por una cruzada general. En ese sentido van las discusiones que sostiene con el papa Clemente V. Una cruzada puede tener éxito si se apoya en Chipre y en una flota importante, cuyo jefe debe ser el temible comandante de la flota aragonesa de Sicilia, Roger de Lauria.[5] Resulta fácil afirmar a posteriori el irrealismo del proyecto. Pero Molay tiene sobre la cuestión las mismas ideas que todo el mundo, que esos reyes que afirman no pensar en otra cosa que la cruzada, que esos clérigos y publicistas que trazan proyecto tras proyecto para la reconquista de Tierra Santa.

Se ha opuesto la «obstinación» del Temple a la actitud de los hospitalarios, los cuales, con una pequeña flota reforzada por barcos genoveses, atacaron en 1306 la isla griega de Rodas. La ciudad de Rodas cayó en manos del Hospital el 15 de agosto de 1306. Se necesitarán tres años más para acabar la conquista de la isla. Pero no hay por qué forzar la oposición entre el Temple y el Hospital. Este último sale en ese momento de una grave crisis interna. En 1297 y en 1300, el Gran maestre Guillermo de Villaret ha convocado el capítulo general de la orden en Francia, con la idea de fijar allí la sede del Hospital. Por dos veces, el capítulo rechaza categóricamente la propuesta. El sobrino de Guillermo, Fulco, elegido Gran maestre en 1305, toma una orientación distinta. Quiere hacer de la orden una gran potencia naval en el Mediterráneo y darle una base sólida en las islas griegas del Dodecaneso. La empresa de Rodas no se dirige en primer lugar contra el turco. En cuanto a las ideas de Fulco de Villaret, tal como las expresa en su primera memoria al papa, no difieren en la práctica de las de Molay, aunque, en otro plano, al aplicarlas entre 1307 y 1310, reducirá el alcance de su proyecto a Rodas.[6]

Dicho esto, y el templario de Tiro no se equivoca al juzgarla, la conquista supuso una bendición para el Hospital:

> De esta manera, Dios envió su gracia al noble maestre del Hospital y a los hombres buenos de la casa. Porque en este lugar se encuentran en gran libertad y en gran franquicia, en su señoría y fuera de la sujeción a toda otra señoría.[7]

Después de los caballeros teutónicos, instalados en Prusia, el Hospital creaba a su vez un principado teocrático. La tentativa de los templarios en Ruad no podía compararse, puesto que el islote era demasiado reducido para albergar un Estado. En el momento en que los hospitalarios conquistan Rodas, los templarios sostienen abiertamente la rebelión de Amalrico contra su hermano, el rey Enrique de Chipre. ¿Qué podía esperar el Temple? ¿Apoderarse de la isla en su provecho? Desde luego que no. ¿Hacerse en Chipre con el mismo lugar que ocupaba en el reino de Acre? El Temple ha perdido su oportunidad en los años 1302-1306. Tal vez porque Molay, y los dignatarios de la orden han permanecido fieles a las soluciones que pertenecen ya al pasado. ¿La cruzada general? ¿Ser un Estado dentro del Estado de Chipre? Lo que hubieran necesitado era ser el Estado por las buenas.

El Temple y Felipe el Hermoso

Ese Estado por las buenas lo encuentra Jacobo de Molay en la Francia de Felipe el Hermoso. En junio de 1306, el papa Clemente V convoca en Poitou a los maestres de las dos órdenes. Tiene ya a su disposición las memorias que ambos han redactado sobre la cruzada. Jacobo de Molay llega a Francia a finales de 1306 o principios de 1307. Viene acompañado por el preceptor de Chipre, Raimbaud de Caron, cuya presencia demuestra que van a discutir sobre la cruzada. Molay no emigra, no tiene la intención de transferir la sede de la orden a Francia. Responde a una convocatoria del papa para tratar de un tema sobre el cual tiene cierta competencia. El maestre del Hospital, ocupado en Rodas, no acude hasta un poco más tarde, en agosto de 1307. Es falso oponer el valeroso Villaret, que no ha tenido tiempo de venir a ver al papa por qué está combatiendo a los turcos, al ocioso Molay, que hace un viaje de placer a Francia. Cierto que Villaret se presenta más tarde, pero se queda en Europa hasta septiembre de 1309, lo cual quiere decir que no asiste a la sumisión de la isla de Rodas.[8] En cuanto a Molay, que ha venido para celebrar consulta, no se le puede echar realmente la culpa de no haber regresado a Oriente...

¿En qué punto se hallan entonces las relaciones con la monarquía francesa? Aunque los dignatarios del Temple no lo sepan, no son desde luego muy buenas en 1306-1307. ¿Desde cuándo? ¿Se ha meditado mucho tiempo la cuestión del Temple? ¿La detención de los templarios? ¿O bien fue organizada, si no en el último momento, al menos en los cuatro o cinco años anteriores? Dado que conocen el proceso y su final, ¿no habrán interpretado los historiadores hechos de escasa importancia como otros tantos síntomas de la hostilidad profunda del rey y de su entorno contra el Temple? ¿El traslado del Tesoro real del Temple al Louvre en 1295, por ejemplo?

En realidad, desde el reinado de Luis IX se advierten algunas tensiones con la monarquía sobre los derechos y privilegios del Temple. No se trata de nada nuevo ni privativo de Francia, ni está particularmente orientado contra el Temple. El traslado del Tesoro al Louvre no supone un signo de desconfianza. ¿Por qué se habría desvanecido ésta en 1303, cuando el Tesoro regresa al Temple?

La crónica del templario de Tiro expone la torpeza, incluso la grosería de Molay en sus relaciones con el papa y cuenta un incidente que opuso, al parecer, el maestre al rey. El tesorero del Temple de París prestó cuatrocientos mil florines al rey sin consultar al maestre. Molay, furioso ante esta violación de la regla, expulsó de la orden al tesorero y permaneció sordo a las peticiones de clemencia primero del rey, luego del papa. El incidente, relatado por un hombre que ha permanecido en Chipre y que, como demuestra lo que dice acerca del proceso, tiene muy pocas informaciones sobre Occidente, nos deja escépticos, pese a que confirma otros testimonios que dan de Molay la imagen de un hombre «apegado a su dinero» (recordemos el relato de las aventuras de Roger de Flor, despojado por un maestre del Temple, sin la menor duda Molay). Real o no, el incidente no pudo provocar el caso. Todo lo más, representa la gota de agua que hace desbordar el vaso,[9]

En su lucha contra el papa Bonifacio VIII, Felipe el Hermoso contó con el apoyo de los templarios del reino y el de un dignatario importante, Hugo de Pairaud, visitador general de la orden. Dicho apoyo no era nada de despreciar, y el rey lo necesitaba. Por motivos que expondré cuando intente interpretar el proceso, creo que la «Cuestión» sólo pudo empezar después del atentado de Anagni y la liquidación del conflicto con Bonifacio VIII. Por consiguiente, no antes de 1303.

2

El ataque

Rumores

Jacobo de Molay celebra el capítulo de la orden en París en junio de 1307. Es probable que se discutan en él los fastidiosos rumores que corren sobre la orden, al menos desde 1305. No se trata ya de las críticas tradicionales sobre el orgullo, la avaricia, etc. Se trata de herejía, de idolatría, de sodomía. Algo mucho más inquietante.

Tales rumores nacieron en la región de Agen y fueron extendidos por un tal Esquieu de Floyran, originario de Béziers y prior de Montfalcon. En 1305, Floyran comunica esos rumores al rey de Aragón Jaime II. Y como el rey español no da crédito a su carta, Esquieu se vuelve hacia la corte de Francia. «Que sea manifiesta para vuestra Real Majestad –escribe de nuevo a Jaime II el 28 de enero de 1308– que soy el hombre que ha revelado los hechos relativos a los templarios al señor rey de Francia...»[1] Estamos a finales de 1305, a principios de 1306. Algunos de los consejeros del rey, Guillermo de Nogaret, Guillermo de Plaisians, abren el expediente del Temple. ¿Con qué intención? ¿Acelerar la fusión de las órdenes? ¿Expoliar al Temple? ¿Presionar al papa para inducirle a borrar las consecuencias de Anagni (Nogaret ha sido excomulgado)? No es seguro que el objetivo esté ya fijado.

El papa conoce los rumores y se niega a creerlos. No pudo dejar de aludir a ellos cuando se entrevistó con el rey de Francia, primero en Lyon, en 1305, después en Poitiers, en la primavera de 1307. Un poco más tarde, los agentes del rey intentarán prevalerse del acuerdo papal para justificar las detenciones. Ni en Lyon ni en Poitiers se habló para nada de detenciones.

Nogaret va reuniendo con toda paciencia su expediente. Recluta testigos entre los ex templarios, expulsados de la orden por sus faltas; hace entrar en el Temple a una docena de espías, de «topos», como diríamos hoy en día. Acentúa la presión sobre el papa, dejando entrever la posibilidad de un regateo: Anagni contra los templarios. Jacobo de Molay está informado de todo a través de los templarios próximos al papa.

Decide entonces adelantarse y pide a Clemente V la apertura de una investigación para liberar a la orden de las acusaciones deshonrosas que se formulan contra ella. El 24 de agosto de 1307, el papa comunica al rey de Francia que ha ordenado una investigación. Su iniciativa precipitará las cosas. Sincera o no, la convicción del rey está ya determinada en ese momento, lo mismo que su objetivo: suprimir el Temple. Ahora bien, la investigación pontificia corre el riesgo de eternizarse, tan grande es la mala voluntad del papa. O peor aún, terminar en un veredicto de no culpabilidad. Violando las prerrogativas de la jurisdicción de la Iglesia, la policía real toma el asunto a su cargo y adopta la política del hecho consumado.

La detención

El viernes 13 de octubre, al amanecer, Juan de Verretot, bailío de Caen, da a conocer a algunas personas a las que ha reunido discretamente una carta del rey, fechada el 14 de septiembre anterior, fecha simbólica, puesto que el 14 de septiembre es la fiesta de la Exaltación de la Santa Cruz.

Una cosa amarga, una cosa deplorable, una cosa seguramente horrible de pensar [...]. Un crimen detestable, una fechoría execrable [...]. Una cosa absolutamente inhumana, mucho más, extraña a toda humanidad, ha llegado a nuestros oídos gracias al informe de varias personas dignas de crédito.

Después de este gran fragmento de retórica, Felipe pasa a los hechos. «Los hermanos de la orden de la milicia del Temple, ocultando el lobo bajo la apariencia de cordero e insultando miserablemente la religión de nuestra fe bajo el hábito de la orden», son acusados de renegar de Cristo, de escupir sobre la cruz, de entregarse a gestos obscenos durante la admisión en la orden y de obligarse, «por el voto de su profesión y sin temor a ofender la ley humana, a entregarse unos a otros, sin negarse, tan pronto como se les requiera». El rey informa a continuación de las investigaciones y reuniones que han precedido a su decisión:

Visto que la verdad no puede ser descubierta plenamente de otro modo, que una sospecha vehemente se ha extendido a todos [...], hemos decidido que todos los miembros de la dicha orden de nuestro reino sean detenidos, sin excepción alguna, retenidos prisioneros y reservados al juicio de la Iglesia, y que todos sus bienes, muebles e inmuebles, sean confiscados, puestos bajo nuestra mano y fielmente conservados [...]. Por eso os encargamos y os prescribimos rigurosamente en lo que se refiere al bailío de Caen, etcétera.[2]

Seguían las instrucciones para los comisarios encargados de instruir a los bailíos y senescales acerca de la manera de proceder a la detención y la manera de llevar la encuesta. El texto terminaba con un breve resumen de los cargos que pesaban sobre los templarios.

Juan de Verretot ha recibido esta carta antes del 13 de octubre, de mano de los comisarios, que le han revelado el objetivo de la operación. Esos mismos comisarios le han pedido que haga una información secreta sobre todas las casas templarias de su bailiaje. «Y se podrá por precaución, si fuere necesario, hacer también una investigación sobre las demás casas religiosas y fingir que es a causa de la décima (del 3 de junio de 1307) o con cualquier otro pretexto.»

Juan de Verretot había procedido así, el 6 de octubre, sin despertar sospechas, al inventario de los bienes del Temple. El 3 de octubre al amanecer, para ir más de prisa, Juan de Verretot nombra el personal necesario y le informa de su misión en el bailiaje de Caen. El bailío procede personalmente a la detención de los templarios de Baugy. Su subordinado, el vizconde de Caen, se encarga de los de Bretteville. El vizconde envía a su clérigo a operar en Corval y encarga a un caballero de confianza de proceder en Voismer. El bailío hace lo mismo en cuanto a Louvagny. En total, se arresta a trece caballeros, que se añaden a los de la ciudad de Caen. Todos ellos quedan incomunicados en la cárcel real. Se interpela también a un número mayor de hermanos legos.[3] Así se hizo, a la misma hora, en todo el reino. Bien preparada, la operación de policía fue un éxito completo.

El número de detenciones es difícil de calcular. En París, hubo ciento treinta y ocho. La comisión pontificia que interrogó a los templarios en 1309 contó entonces quinientos cuarenta y seis, venidos de todo el reino y reunidos en París en unos treinta lugares de detención (cárceles, conventos, edificios particulares). Muy pocos escaparon a la redada, doce según las cuentas oficiales, probablemente el doble. Sólo un dignatario de alto rango, Gerardo de Villers, preceptor de Francia, consiguió escapar. Algunos de los fugitivos fueron capturados más tarde, como el preceptor de Auvernia, Imbert Blanke, detenido en Inglaterra en 1309. La mayoría de los que escaparon a la policía huyeron el mismo día de la detención. El efecto de sorpresa fue total.

Sin embargo, fuera del reino, esta política de hechos consumados no fue muy bien acogida. Felipe el Hermoso se apresura a escribir, el 16 de octubre, a los soberanos europeos para informarles de la operación y urgirles a que hagan otro tanto. Eduardo II responde el 30 de octubre. No cree una palabra de las acusaciones presentadas contra el Temple. Jaime II defiende a la orden en su respuesta. El papa, que reúne un consistorio en Poitiers el 15 de octubre, está indignado: «Vuestra conducta impulsiva es un insulto contra Nos y contra la Iglesia romana», escribe al rey el 27 de octubre. Clemente V, papa débil, enfermo e indeciso, sabe que en este asunto no se juzga precisamente al Temple, sino la autoridad pontificia, escarnecida por la actuación de Felipe el Hermoso.[4]

El rey no pierde el tiempo. ¿No lo creen? ¡Qué más da! A finales de octubre, se consiguen las primeras confesiones de los templarios. No quedará más remedio que creerlas.

Durante los meses de noviembre y diciembre, el papa y los reyes europeos cambian de actitud. El objetivo del papa está claro. Quiere bloquear el procedimiento expeditivo puesto en marcha por Felipe y recuperar la iniciativa. ¿Se acusa al Temple? Muy bien. Pero el procedimiento seguido contra él ha de ser público y controlado por la Iglesia. El 22 de noviembre, por la bula *Pastoralis praeeminentiae,* ordena la detención de todos los templarios y la puesta de sus bienes bajo la tutela de la Iglesia.

Eduardo II había escrito a los reyes de la Península Ibérica y al rey de Sicilia para comunicarles sus dudas. Todavía el 10 de diciembre escribe al papa, pero el 14 de diciembre recibe la bula y, desde ese momento, se conforma con la decisión pontificia. Los templarios ingleses son detenidos el 10 de enero en Londres, York y Lincoln. La orden de detención llega al Justicia Mayor de Irlanda el 25 de enero, que la ejecuta en Dublín el 3 de febrero. En total, se detiene en las Islas Británicas a ciento treinta y cinco templarios.

Los cinco Estados de la Península Ibérica no reaccionan de la misma forma. Navarra se halla en manos del hijo primogénito del rey de Francia, Luis. Ya el 23 de octubre, los templarios son encarcelados en Pamplona. En la redada, caen también tres templarios de Aragón, pero hay que liberarlos ante las protestas de Jaime II. En cuanto al rey de Aragón, no ha esperado la bula pontificia para ordenar la captura de los templarios del reino de Valencia, el 1 de diciembre. Se ha impuesto la razón de Estado. Los templarios aragoneses poseen castillos poderosos que el rey quiere recuperar; los bienes del Temple no deben ir de ningún modo a aumentar los del clero, los de la orden del Hospital en particular (los reyes de Aragón se oponen a la fusión de las órdenes). Sin embargo, fuera de Valencia, donde la detención fue efectiva (Exmen de Lenda, maestre de la provincia de Aragón, figura entre los capturados), el resto de los templarios se resiste. Dirigidos por Raimundo Sa Guardia, preceptor de la importante encomienda de Mas Deu, en el Rosellón, se encierran en sus castillos de Miravet, Monzón, Ascó, etc. De diciembre de 1307 a agosto de 1308, Raimundo mantiene correspondencia con el rey y defiende la orden, recordando los servicios que ha prestado a la causa de la Reconquista. A partir de febrero de 1308, aun sin dejar de negociar, Jaime II pone sitio a las fortalezas. Los primeros castillos capitulan en agosto, Miravet y Castellote en noviembre. Monzón resiste hasta mayo de 1309, y Chalmera no cederá hasta julio de 1309. En agosto, se concede la extradición de Sa Guardia al Rosellón. El Rosellón pertenece al rey de Mallorca, segundón de la casa real de Aragón. El rey de Mallorca no puede oponerse al rey de Francia. Después de la publicación de la *Pastoralis praeeminentiae,* hace detener a los templarios.[5]

En Castilla y Portugal, los soberanos defienden la orden. No proceden a las detenciones hasta que llega una nueva bula del papa, *Faciens misericordiam,* publicada en agosto de 1308.

En otros lugares, la actitud de las autoridades depende de sus lazos más o menos estrechos con la corona de Francia. El conde de Provenza y rey de Nápoles, Carlos II de Anjou, imita punto por punto a Felipe el Hermoso. El 13 de febrero de 1308, dirige a sus agentes una carta sellada...

... con motivo de un asunto importante [...]. Las reservaréis y las conservaréis muy secretamente sin abrirlas, guardándolas y manteniéndolas cerradas de la misma manera en que os sean entregadas, hasta el 24 del presente mes de enero. En el día indicado, antes de que amanezca, o más bien en plena noche, las abriréis y, tan pronto hecha su lectura, ejecutaréis sin retraso el contenido, el mismo día [...].[6]

Así se hizo. No obstante, en Toulon, siete templarios, probablemente advertidos por el obispo de la ciudad, Raimundo Rostaing, lograron huir a tiempo.[7]

En Flandes, la orden de detención, publicada el 13 de noviembre de 1307, tuvo que ser renovada el 26 de marzo de 1308. En Bretaña, la detención provocó un conflicto con los agentes del rey de Francia, venidos a embargar los bienes del Temple. Fueron expulsados. En Alemania, las autoridades adoptaron posturas muy diversas. El obispo de Magdeburgo, que acusaba a los templarios de sostener a su rival, el obispo de Halberstadt, les hizo detener en el verano de 1308. No se sabe nada de su suerte en Austria, Polonia y Hungría. En Italia, parece que la mayoría consiguió escapar.[8]

El asunto resultó más complicado en Chipre, puesto que los templarios eran numerosos, estaban armados y poseían castillos. Además, constituían el principal apoyo de Amalrico contra su hermano Enrique. La bula pontificia no llegó a la isla hasta mayo de 1308. El mariscal de la orden, Aymé de Oselier, se negó a obedecer y a entregar las armas, pero acabó por ceder, el 1 de junio de 1308, tras algunas negociaciones. Los templarios fueron encarcelados en sus castillos de Quirolikia y Yermasayia.

Se necesitaron, pues, nueve meses para que la orden del papa fuese aplicada en toda la cristiandad. Todo el mundo obedeció. Sin embargo, fuera de Francia y de los países influidos por ella, se hizo de mala gana. Ahora bien, durante este período, el expediente se había enriquecido notablemente.

Los cargos y los primeros interrogatorios

La carta del 14 de septiembre de 1307 por la cual el rey ordena la detención de los templarios está escrita con habilidad. Al principio, el rey no ha querido creer en los rumores. Pero, poco a poco, «nacen una presunción y una sospecha violenta»; entonces decide investigar; «y cuanto más lo examinábamos amplia y profundamente, como excavando en un muro, más graves eran las abominaciones que encontrábamos». No le quedaba otro recurso que actuar. En cuanto a los medios que han de emplearse para hacer brillar la verdad, el texto del rey se muestra claro:

> ... dado que la verdad no puede ser plenamente descubierta de otra manera, que una sospecha vehemente se ha extendido a todos y que, si hay alguno inocente, importa que sea probado como lo es el oro en el crisol y purgado por el examen del juicio que se impone...

Las instrucciones toman menos precauciones y piden que se utilice la tortura «si fuere necesario» (pp. 19-23).

Las acusaciones han tomado cuerpo a partir de las confesiones obtenidas. Cuando el papado se hace cargo del caso, en agosto de 1308, las acusaciones resumidas en la carta del rey del 14 de septiembre anterior se han convertido en los ciento veintisiete artículos que sirven de base para los interrogatorios.[9] Siguiendo a Malcolm Barber, se pueden clasificar esos artículos en siete apartados:

• Los templarios niegan a Cristo, al que califican de falso profeta, que ha sido crucificado por sus culpas y no por la salvación de los hombres; escupen sobre la cruz, la pisotean, orinan sobre ella en el curso de sus ceremonias.

• Adoran ídolos –gato, cabeza de tres caras–, que ponen en el lugar del Salvador.

• No creen en los sacramentos, y los sacerdotes de la orden «olvidan» las fórmulas de la consagración durante la misa.

• Los maestres y los dignatarios de la orden, aunque laicos, absuelven a los hermanos de sus pecados.

• Se entregan a prácticas obscenas y a la homosexualidad.

• Están obligados a contribuir al enriquecimiento de la orden sin importar el medio.

• Se reúnen de noche, en secreto; toda revelación sobre los capítulos se castiga severamente, incluso con la muerte.

Ya el 15 de octubre de 1307, ante una asamblea de notables reunida en Notre-Dame, Guillermo de Nogaret se ha servido de un arsenal semejante para justificar la detención. Los agentes del rey primero, después los inquisidores, han arrancado a los templarios las confesiones necesarias para sostener estos cargos.

En París, los interrogatorios empezaron una semana después de la detención. En octubre y noviembre, se recogieron ciento treinta y ocho declaraciones, a las cuales hay que añadir las noventa y cuatro reunidas en provincias. El rápido estudio realizado por Malcolm Barber a partir de las declaraciones parisienses demuestra que se trataba de personas cuya media de edad andaba por los cuarenta y dos años y que eran en su gran mayoría hermanos sargentos y hermanos de oficio. De los ciento treinta y ocho, ciento treinta y cuatro confirmaron las acusaciones formuladas contra su orden, en su totalidad o en parte. En provincias, ocho templarios de Renneville se resistieron durante algún tiempo; dos templarios alemanes, interrogados en Chaumont, negaron.

Desde el pastor de Baugy hasta el Gran maestre Jacobo de Molay, todos confiesan cualquier cosa, pero es evidente que las confesiones de los dignatarios resultaron decisivas para la continuación del proceso. Fue el éxito más claro entre los obtenidos por el rey y Nogaret. El primero en confesar, Godofredo de Charney, preceptor de Normandía, lo hace el 21 de octubre. Tiene cincuenta y seis años y ha entrado en la orden de Étampes treinta y seis o treinta y siete años antes.

Después de recibirle, le trajeron una cruz sobre la que había una imagen de Jesucristo, y el mismo hermano que le recibió le dijo que no creyese en aquel cuya imagen estaba allí representada, porque era un falso profeta y no Dios. Y entonces, el que le recibió le hizo negar a Jesucristo tres veces, cosa que hizo de palabra, pero no de corazón, por lo que dice.

Requerido a decir si había escupido sobre la imagen, dice bajo juramento que no lo recuerda y que cree que se debe a que se daban prisa.

Interrogado sobre el beso, dice bajo juramento que besó al maestre en el ombligo y que oyó al hermano Gerardo de Sauzet, preceptor de Auvernia, decir a los hermanos presentes en el capítulo que, en su opinión, era mejor unirse a los hermanos de la orden que entregarse al libertinaje con las mujeres, pero él no lo hizo nunca y nunca se le pidió que lo hiciese, por lo que dice (pp. 31-33).

La declaración de Hugo de Pairaud, que, como visitador general de la orden, había asistido a centenares de recepciones, fue sin duda la que asestó un golpe más duro al Temple. Dijo poco más o menos lo mismo que Charney, precisando que había admitido a los hermanos que recibía de la misma manera, «porque ése era el uso según los estatutos de la orden».

Requerido a declarar si todos los hermanos de la susodicha orden eran recibidos de esta manera, respondió que no lo creía. Más tarde, sin embargo, en el mismo día, compareciendo en presencia del susodicho comisario, de nosotros, los notarios, y de los testigos firmantes, añadió que había comprendido mal y respondido mal y afirmó bajo juramento que creía que todos eran recibidos de esta manera más bien que de otra y que hablaba así para corregir su declaración y no para negarla (pp. 41-43).

Opuesta a estas confesiones, ¿qué valor podía tener la declaración de Juan de Châteauvilliers, quien, interrogado el 9 de noviembre, rechazó todos los cargos presentados contra el Temple?

El 24 de octubre, Molay confirma las declaraciones de Charney y Pairaud; al día siguiente, renueva su confesión en público, ante los maestres de la universidad de París. En esta ocasión, da a todos los hermanos la consigna de decir la verdad y, por lo tanto, de confesar, lo que elimina toda veleidad de resistencia. El 26 de octubre, Felipe el Hermoso escribe triunfante al rey de Aragón.

Formalmente, no hay nada que objetar al procedimiento seguido en París. Los inquisidores Guillermo de París y Nicolás de Enmezat dirigen los interrogatorios. Pero en las provincias, los templarios pasan primero por las manos de los agentes reales, antes de ser presentados a la jurisdicción inquisitorial. En Cahors, el senescal preside las sesiones, y sus subordinados amenazan previamente a los acusados con la tortura, mostrándoles los instrumentos. Con esto basta muchas veces. El preceptor de Gentioux (Limousin), dirá en 1308 que cedió a la sola vista de los instrumentos. Hay que tener en cuenta además las condiciones de la detención: el aislamiento, el régimen a pan y agua durante varios días, los malos tratamientos, las humillaciones... En Cahors, Ato de Salvigny permanece cuatro semanas con los hierros puestos, a pan y agua.

Se aplica la tortura a los obstinados, a los vacilantes, a los que se resisten de una manera u otra. El fragmento de las confesiones de Hugo de Pairaud que acabamos de citar sugiere su empleo. Todavía aparece más claro en lo que se refiere a Raimbaud de Caron, el preceptor de Chipre. Interrogado durante la mañana del 10 de noviembre, niega; se suspende el interrogatorio; cuando se reanuda por la tarde, confiesa todo lo que quieren que confiese. El preceptor de Douzens, Itier de Rochefort, es torturado de nuevo después de su confesión, porque sus verdugos sospechan que no lo ha dicho todo, en particular con respecto a la idolatría.

Ya nos interrogaremos en su momento sobre la realidad de esas acusaciones y, por consiguiente, sobre la inocencia o la culpabilidad de los templarios. Pero nos interesa señalar aquí que, pese a la enormidad de las acusaciones, éstas no son nuevas, que Nogaret y sus agentes las han tomado del viejo arsenal antiherético. No necesitan demostración. Bernardo Saisset, obispo de Pamiers, en 1301, y el papa Bonifacio VIII, en 1302 y 1303, lo han experimentado a su costa. En todas ellas se advierte el estilo de Nogaret, cuyo mérito consiste en transformar en herético al adversario, aunque se trate del papa. Basta después con aprovechar los miedos, los pánicos que la evocación de la herejía desencadena en las poblaciones medievales.

Una carta del papa Gregorio IX describe los rasgos característicos de una herejía diabólica descubierta en Alemania en 1253. Entre ellos figuran la negación de Cristo y de la cruz, los ídolos (sapo o gato negro, encarnación de Lucifer), los desórdenes sexuales y la homosexualidad, el secreto, las reuniones nocturnas. Malcolm Barber hace una sugestiva comparación entre este ejemplo y el de los templarios.[10]

A este fondo antiguo se añaden elementos más recientes, al menos una presentación nueva de dichos elementos, relacionados con la magia, la hechicería, y que se vinculan a la herejía. Las *Grandes Crónicas de Francia*

¿Bafomet? El diablo esculpido en el pórtico de la iglesia de Saint-Merri en París se identifica a veces con el ídolo barbudo que la acusación reprochó a los templarios el adorar. Esta escultura, como el conjunto de las del pórtico de Saint-Merri, data de 1842 (según H. Hillairet, *Dictionnaire historique des rues de Paris,* París, Éd. de Minuit, 1963, t. II, p. 467). En el lugar, se dan cita los defensores del esoterismo templario...

presentan una lista de once artículos de acusación, por ejemplo, la adoración al gato negro con beso obsceno en el ano, que no se incluye en la lista de los ciento veintisiete artículos de 1308.

Los cargos deben ser analizados por separado y como un conjunto coherente. Todos ellos se refieren a cosas conocidas, inmediatamente accesibles a la mayor parte de la población.

La negación de la cruz y del sacrificio de Cristo recuerda las prácticas de los cátaros y, más allá, se refiere a la religión musulmana. Del mismo modo, la acusación de idolatría invita a pensar en los musulmanes, considerados en Occidente como adoradores de ídolos. El gato negro significa, muy clásicamente, la encarnación del demonio.

La historia de la cabeza mágica de los templarios hace referencia a creencias populares elaboradas a partir de la leyenda de Perseo y la Medusa, bien conocida en aquella época.

Fue un notario italiano, Antonio Sicci de Verceil, que permaneció cuarenta años al servicio de los templarios de Siria, quien hizo el relato más preciso en su declaración del 1 de marzo de 1311:

He oído contar varias veces lo que sigue en la ciudad de Sidón. Un noble de esta ciudad había amado a una mujer noble de Armenia. Nunca la conoció mientras vivía, pero, cuando ella murió, la violó secretamente en su tumba la misma noche del día en que había sido enterrada. Terminado el acto, oyó una voz que le decía: «Vuelve cuando haya llegado el momento del parto, porque encontrarás entonces una cabeza, hija de tus obras». Transcurrido el plazo, el caballero volvió a la tumba y encontró una cabeza humana entre las piernas de la mujer sepultada. La voz se dejó oír de nuevo y le dijo: «Guarda bien esta cabeza, porque todos los bienes te vendrán de ella». En la época en que oí esto, el preceptor del lugar (Sidón) era el hermano Mateo, llamado el Sarmage, natural de Picardía. Se había convertido en hermano del sudán (sultán) de Babilonia (El Cairo), que reinaba entonces, porque había bebido la sangre del otro, lo que hacía que se les mirase como hermanos.[11]

El relato presenta algunas variantes en otras declaraciones. En cuanto a la historia, la habían contado ya Gervasio de Tilbury y Gualterio Map un siglo antes en Occidente. Se combinan en ella elementos folklóricos antiguos: la cabeza de la muerta, de una eficacia mágica extrema y que hace invencible a su poseedor, la curiosidad del entorno, la cópula entre vivo y muerto, la idea del mal de ojo.

Salomon Reinach ha demostrado cómo se pudo atribuir la leyenda a los templarios. Encontró huellas de la historia en Siria del Norte, un siglo antes del proceso. Perseo se ha transformado en un caballero, y el caballero por antonomasia es el templario. La gente de Oriente ha oído decir que unos caballeros ocultaban una cabeza mágica y, para ellos, caballeros quiere decir templarios. Dichos caballeros se han convertido secretamente al islam y adoran la cabeza, a la que llaman Mahomet y, por deformación, Bafomet. Para los templarios, que llevan en torno a la cintura cordeles puestos en contacto con ella, significa una cabeza iniciática. «Y se oye decir que esos cordeles han estado colocados y puestos en torno al cuello de un ídolo que tiene la forma de una cabeza de hombre con una gran barba y que besan y adoran esta cabeza en sus capítulos provinciales», se dice en la orden de detención del 14 de septiembre de 1307 (p. 29).

Así que una vez más volvemos al islam. La adoración de la cabeza es la prueba de la conversión al islam, como sugiere claramente la declaración del notario Sicci. El detalle de los cordeles se refiere sin la menor duda al catarismo, puesto que, en esta religión, eso significa que se ha recibido el *consolamentum*.

La ausencia de fórmula de consagración en la misa, que la deja vacía de sentido, puede leerse a diversos niveles: en su interpretación popular, como una prueba más de la convergencia con el catarismo, que niega la eficacia de los sacramentos; a un nivel más docto, la falta de consagración significa que Cristo no está corporalmente presente durante la misa, lo que la priva de todo valor; en particular, las misas por los difuntos que celebran los hermanos capellanes del Temple no valen nada; las ofrendas, las limosnas, las donaciones que las acompañan son vanas; las familias que han hecho esas donaciones han sido expoliadas y pueden pedir cuentas al Temple.

Cerremos el círculo. La hostia consagrada tiene como efecto alejar a demonios y hechiceros. Los templarios rechazan la consagración porque ellos mismos son demonios o hechiceros.

En cuanto a la acusación de homosexualidad, la referencia a Sodoma, la ciudad mancillada por el pecado y que Dios ha castigado, es evidente. De ahí se pasa de forma natural a vincular la caída de Acre y de los Estados latinos con tal pecado. Si el prudente rey Felipe no hubiese tenido cuidado, el reino de Francia (el reino de san Luis) hubiera sufrido la misma suerte. Y volvemos a los cátaros: los «hombres nuevos» van siempre por parejas; y al islam: el tráfico de esclavos, en particular de muchachos.

Los cargos contra los templarios forman un todo coherente, encaminado a desacreditar la orden, emparentando sus prácticas con las de los heréticos, en particular los cátaros, y presentando pruebas de su perversión total por el islam. Añadiendo a la herejía magia y hechicería, Nogaret y sus secuaces podían esperar que captarían a la vez una tradición popular y ciertas ideas extendidas en el mundo de los intelectuales durante la segunda mitad del siglo XIII. Precisemos que esas ideas sobre la magia o la hechicería no son verdaderamente nuevas, pero se basan en nuevas autoridades, santo Tomás de Aquino, por ejemplo.

Las «vehementes sospechas» de Felipe el Hermoso se apoyan en numerosas confesiones convergentes, que adquieren todavía mayor peso porque ponen de manifiesto comportamientos y prácticas conformes a creencias comunes en la sociedad de la época, lo que no podía dejar de convencer incluso a los más escépticos, es decir, los príncipes y el papa. A pesar de todo, el asunto se prolonga, con gran descontento del rey y de sus agentes. Por perfecto que sea, el mecanismo se agarrota.

Los azares del procedimiento: las dificultades de la acusación

El papa ha recuperado la iniciativa gracias a la bula *Pastoralis praeeminentiae*. ¿Las confesiones de los templarios han quebrantado su convicción? Por el momento, está sobre todo furioso por las intrusiones del rey de Francia sobre su jurisdicción.

No cabe duda de que la bula estorba a Felipe el Hermoso. No puede oponerse a ella y, por lo tanto, tiene que maniobrar para ceder lo menos posible al papa. Por ejemplo, elude por dos veces sus peticiones relativas a la transferencia de los templarios bajo el control de la Iglesia. No logra impedir que, en diciembre de 1307, ante dos cardenales enviados por el papa, Molay y los demás dignatarios revoquen sus confesiones. Molay afirma que se debieron al temor de la tortura. El papa sabe ahora a qué atenerse. Clemente V aprovecha su ventaja y suspende la actuación de los inquisidores en febrero de 1308.

Felipe el Hermoso contraataca en dos planos: acentuación de las presiones sobre el papa; movilización de la opinión del reino. Ya había actuado así contra el papa Bonifacio VIII.

Se dirige a los doctores de la universidad de París, formulando siete preguntas sobre la legitimidad de su actuación. ¿El poder laico puede actuar sólo cuando el error es evidente? Obtenida ya la prueba de la culpabilidad del Temple, ¿no tiene derecho el príncipe a detenerlos? Etcétera.

La respuesta de la universidad, que se retrasa hasta el 25 de marzo de 1308, demuestra su embarazo y resulta más bien desfavorable a las iniciativas reales. Defiende la jurisdicción eclesiástica y afirma que el Temple es una orden religiosa. Concede que, debido a las confesiones, hay «sospecha vehemente de que todos los miembros de la orden son heréticos o causantes de herejía». Esto basta para reprobar la orden y justifica que el rey haya iniciado una investigación.

La realeza recurre a otro medio contra el papa: la difamación. Se publican libelos anónimos en los que se acusa a Clemente V de nepotismo (cosa difícil de negar), de favorecer la herejía, etc., todo acompañado con amenazas, de alusiones a las desventuras de Bonifacio VIII.

Paralelamente, el gobierno real convoca en Tours los Estados del reino. El texto de la convocatoria se debe a Guillermo de Nogaret: «El cielo y la tierra están agitados por el soplo de un crimen tan grande, y los elementos están perturbados [...]. Todo debe alzarse contra una peste tan criminal: las leyes y las armas, los animales y los cuatro elementos» (pp. 105-107). La frase había servido contra Bonifacio VIII...

Se convoca al clero, a la nobleza y a las ciudades. Para estas últimas, no se vacila en dirigirse a comunidades minúsculas, con lo que se alcanzará el número de trescientas. No se sabe nada de las deliberaciones (que tienen lugar entre el 5 y el 15 de mayo). Pero representantes de los tres Estados acompañan al rey a visitar al papa en Poitiers. Durante los meses de junio y julio, Felipe, Nogaret y Plaisians ejercen una presión continua sobre Clemente V. Plaisians presenta la posición del rey en el curso de un consistorio celebrado el 29 de mayo, reuniendo todas las acusaciones presentadas contra el Temple. El papa no reacciona. El 14 de junio, Plaisians vuelve a la carga:

> Vuestra Santidad ha respondido de manera general, sin decir nada preciso sobre el caso particular; ya habéis visto que los espíritus de los auditores presentes se han sentido considerablemente sorprendidos [...]. Porque los unos sospechan que queréis favorecer a los templarios [...].

Y amenaza con una acción directa del poder laico, del pueblo, ya que «todos aquellos a quienes afecta la cuestión están llamados a defender la fe» (p. 129).

Plaisians pide que se reanude la investigación en todas las diócesis; el restablecimiento de los inquisidores; la supresión pura y simple de la orden del Temple, secta condenada.

Para incrementar la presión, el 27 de junio de 1308, los consejeros del rey presentan al papa a setenta y dos templarios, bien preparados y cuidadosamente elegidos entre los renegados de la orden o los templarios torturados. La confesión de Esteban de Troyes, uno de los primeros acusadores de la orden, de la que había desertado antes de la detención, es perentoria. Según él, cuando Hugo de Pairaud le recibió en la orden, le dijo mostrándole la cruz:

> «Tienes que renegar de aquel que esta imagen representa.» Me resistí con todas mis fuerzas, pero uno de los hermanos presentes sacó la espada y, tocándome en el costado con la punta, me gritó: «Si no reniegas de Cristo, te atravesaré con esta espada y morirás en el acto». Todos los demás me amenazaron también de muerte, por lo cual acabé por renegar de Cristo, aunque una vez solamente.[12]

Felipe el Hermoso había tomado la precaución de dejar en Chinon a los dignatarios de la orden, enfermos al parecer.

El 5 de julio, Clemente V cede. Los inquisidores, devueltos a sus puestos, actuarán en colaboración con los obispos dentro del marco diocesano. La bula *Facians misericordiam,* del 12 de agosto de 1308, le permite presentar su postura sobre la cuestión. Confía a los concilios provinciales la misión de juzgar a los templarios como personas, basándose en el informe de las comisiones diocesanas. Nombra una comisión apostólica de ocho miembros para investigar sobre la orden en general. Un concilio general convocado por la bula *Regnans in coelis* juzgará y se pronunciará sobre la eventual supresión del Temple. En principio, se reunirá en Vienne, en 1310. Por último, el pontífice se reserva el juicio de los dignatarios de la orden. Los bienes del Temple se pondrán al servicio de la cruzada. Mientras tanto, el rey conservará su control, de la misma manera que, «a petición de la Iglesia», conserva el control de los prisioneros.

La victoria del rey es total. Por lo menos en apariencia, ya que el papa se reserva todo poder para aplazar y retrasar el procedimiento. Y en el mejor de los casos, la cuestión no se resolverá antes de dos años.

En efecto, el nombramiento de las comisiones diocesanas no se termina antes de la primavera de 1309. En cuanto a la comisión apostólica, se reúne por primera vez en noviembre de 1309. Ni los obispos, no muy convencidos de la culpabilidad de los templarios, ni el papa dan muestras de celo. Tampoco Felipe el Hermoso, paradójicamente. Aunque está seguro de controlarla, no facilita la formación de la comisión. Teme que los hermanos se retracten ante ella.

Las investigaciones episcopales empiezan en Francia a mediados de 1309. En otras partes, hay que esperar hasta 1310. Para los prisioneros franceses, se anuncia una segunda serie de interrogatorios; en Inglaterra, España, Italia, se trata de los primeros. Se aplicará de nuevo la tortura, no en todas partes, pero no únicamente en Francia. Las instrucciones dadas por el obispo de París sirven de modelo. Insisten de manera muy particular en la forma en que los templarios han sido recibidos en la orden. En caso de necesidad, «que se les amenace con la tortura, incluso grave, y que se les muestren los instrumentos, pero que no se les someta a ella de inmediato. [...]. La tortura habrá de ser aplicada por un verdugo clérigo e idóneo, a la manera habitual y sin excesos» (p. 143).

En Francia, se recurrió a la tortura en casi todas partes, excepto en Clermont. En Inglaterra, no se empieza nada antes de la llegada de dos inquisidores continentales, en septiembre de 1309 (no hay inquisidores en el país). Los templarios encarcelados en Londres niegan. Los inquisidores piden que se utilice la tortura, y el rey se lo concede el 9 de diciembre. Sin embargo, seis meses más tarde, los inquisidores se quejan: ¡nadie quiere torturar! Piden entonces que se transfiera a los acusados a Ponthieu, posesión continental de los reyes de Inglaterra, pero no sometida a las leyes inglesas. Por fin, se acaba por encontrar un «verdugo idóneo» y se aplica la tortura. La confesión de tres templarios (solamente tres) no se obtiene hasta junio de 1311.[13] En Irlanda, la comisión de investigación está for-

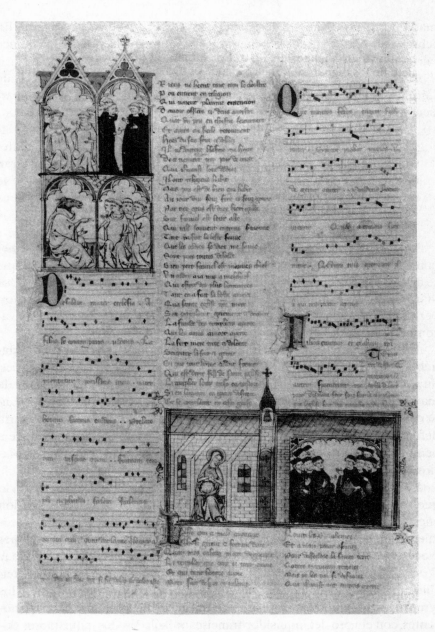

Gervais du Bus, *Le roman de Fauvel*. En la columna de la izquierda, comienzo de un salmo de lamentaciones de Santa Iglesia por las faltas y los crímenes de los templarios, sus hijos. La parte izquierda de la miniatura inferior representa a Santa Iglesia lamentándose; la parte derecha ilustra tal vez el concilio de Vienne, ante el cual el papa Clemente V pronunció la supresión de la orden en 1312.

mada por tres dominicos, dos franciscanos y un canónigo de Kildare. En febrero de 1310, procede a ochenta y siete interrogatorios de los quince hermanos reunidos en la catedral de san Patricio de Dublín.[14]

En Aragón, sólo se conservan los interrogatorios de los templarios de Lérida y del Rosellón. La defensa de los hermanos de esta región fue particularmente virulenta. Pedro Blada declara el 15 de febrero de 1310:

> Las abominaciones atribuidas a la orden por las pretendidas confesiones de sus jefes no han existido nunca, y añado que, si el Gran maestre de la orden del Temple ha hecho las confesiones que se le prestan, lo que por mi parte no creeré jamás, ha mentido por su boca y con toda falsedad.

Un hermano capellán, Raimundo Sapte, pronuncia palabras semejantes.[15] Se necesitó una orden del papa, dada en marzo de 1311, para que se aplicase la tortura a ocho templarios barceloneses. Algunos de ellos tomaron la precaución de declarar que sus confesiones carecerían de valor, pero ninguno cedió.[16] En Castilla y Portugal, los interrogatorios se llevaron normalmente.

En Alemania, se llega a situaciones extremas. El arzobispo de Magdeburgo, que les es muy hostil, les arroja en prisión y pretende juzgarles. Su rival, el obispo de Halberstadt, le excomulga por este motivo. El 11 de mayo de 1310, en Maguncia, el preceptor de la casa de Grumbach y veinte caballeros invaden la sala donde son interrogados los hermanos, para defender la orden. Y uno de los hermanos, Federico de Salm, se ofrece a demostrar su inocencia mediante las ordalías. Los treinta y siete templarios presentes proclaman su inocencia.[17]

En Italia, se aplica la tortura en Nápoles y los Estados del papa, con lo que se obtienen algunas confesiones. En Italia del Norte, una comisión encabezada por el arzobispo de Rávena, Rinaldo da Concorrezzo, comienza sus sesiones en septiembre de 1309 y supervisa las investigaciones diocesanas. Muy pocos de los templarios interrogados están en la cárcel. Después, en el curso de dos sesiones, en enero y en junio de 1311, el concilio provincial examina esas investigaciones y hace comparecer a los templarios aprisionados en Plasencia, Bolonia y Faenza. Les declaran inocentes, con el voto del inquisidor franciscano; sólo los dos inquisidores dominicos juzgan a los templarios culpables y critican la manera en que Concorrezzo ha dirigido la investigación y el proceso. Se remiten al papa, el cual, en una carta al arzobispo, le reprocha no haber empleado la tortura. Ordena que se proceda a nuevos interrogatorios. Concorrezzo se niega, pero sus colegas de Pisa y Florencia aprovechan la ocasión para abrir de nuevo el proceso de los templarios toscanos, esta vez con tortura. En Venecia, la ciudad sin hoguera, la Inquisición se halla en manos del Estado. No se inquieta a los templarios que incluso permanecen en su casa.[18]

En Chipre, por último, los templarios no confiesan. También allí fue precisa una orden de Clemente V para recomenzar el procedimiento.

Los procesos llevados a cabo en Francia se caracterizan por la ausencia de testigos no templarios. Sólo seis de las doscientas treinta y una declaraciones de 1309-1310 proceden de tales testigos. Fuera de Francia, al contrario, se recibieron numerosos testimonios exteriores a la orden: sesenta en Inglaterra, cuarenta y uno en Irlanda, cuarenta y cuatro en Escocia (para dos templarios). Los testimonios favorables y desfavorables se igualan en número y, en la mayoría de los casos, se limitan a repetir habladurías y rumores. Los cuarenta y un testigos irlandeses se distribuyen en treinta y siete clérigos y cuatro laicos, uno de ellos antiguo sargento del Temple. Entre los testigos de cargo, tres forman parte también de la comisión de investigación.[19]

La reacción del Temple

Tras esta rápida ojeada al horizonte europeo, hemos de volver un poco atrás, a Francia, ya que es allí donde se juega todo. Paralelamente a las investigaciones diocesanas semejantes a aquellas de las que acabamos de hablar, se desarrolla la encuesta sobre la culpabilidad de la orden como tal orden, encuesta dirigida por la comisión de los ocho.

Cuando esta comisión se reúne por primera vez, en noviembre de 1309, no está completa, y ningún templario se presenta para defender la orden. Tras haber procedido a buscar un poco de información entre los hermanos que se hallan en las prisiones del rey, se presenta uno el 22 de noviembre; después, el 26, el propio Jacobo de Molay. Está dispuesto a defender al Temple, pero quiere un consejo, ya que no es lo bastante docto.[20] Le traducen al francés diversos documentos. Como por azar, Guillermo de Plaisans ronda por la sala, «aunque no por orden de los susodichos señores comisarios, como dijeron ellos mismos» (p. 153). Molay regresa dos días más tarde y adopta entonces la postura de la que no volverá a apartarse: puesto que el papa se ha reservado el derecho a juzgarle, sólo hablará ante él. Cuando comparece por tercera vez, el 2 de marzo de 1310, unos quinientos hermanos han manifestado su intención de proclamar la inocencia del Temple. Molay sigue callando. Actitud que, como comprenderá demasiado tarde, carece de salida.

A finales de 1309, reina el optimismo en el campo del rey. Molay no dice nada; muy pocos templarios se han presentado ante los ocho. Todo peligro de desliz parece eliminado. El 26 de noviembre, el rey da a sus bailíos y senescales la orden de enviar a París a los templarios que quieran prestar testimonio.

La comisión reanuda sus trabajos el 3 de febrero, con la comparecencia de dieciséis templarios de Mâcon. La sorpresa es total: quince de ellos quieren defender su orden. Se trata del comienzo de un verdadero mar de fondo, puesto que, a finales de mes, quinientos treinta y dos hermanos, venidos de todo el reino, se declaran dispuestos a hacer otro tanto. A finales de marzo, son quinientos noventa y dos, más de seiscientos después.

Los templarios delegan en cuatro de ellos la presentación de la defensa de la orden: Pedro de Boulogne (de Bolonia, en realidad), sin duda versado en derecho, y Rimaldo de Provins, ambos hermanos capellanes, Beltrán de Sartigues y Guillermo de Chanbonnet, hermanos caballeros de la provincia de Auvernia. Los dos últimos, juzgados por el obispo de Clermont, no han confesado nada; los dos sacerdotes habían confesado en 1307. Su defensa se vuelve cada vez más firme, cada vez más argumentada, y galvaniza la resistencia de los demás.

La situación adquiere un sesgo alarmante para el rey. Más aún, en abril, el papa aplaza el concilio general hasta 1312. El rey se lanza entonces sobre la opinión de un teólogo de la universidad de París, muy minoritaria y que se expresa así: «¿Por qué se ha de dar un defensor sino –Dios no lo quiera– para defender los errores de los templarios, puesto que la evidencia de los hechos hace el crimen notorio? ¡Que la Iglesia elimine, pues, el escándalo! ¡Que se apresure a hacerlo!» (p. 79).[21] Todos los argumentos jurídicos son barridos de un manotazo por un silogismo imparable: defender la orden significa que puede no ser culpable; ahora bien, es culpable; por consiguiente, no se puede defenderla. La cosa vale lo que vale, pero el rey pasa inmediatamente a los actos.

El arzobispado de Sens está vacante. Felipe obtiene del papa que lo dé a Felipe de Marigny, obispo de Cambray y hermano del todopoderoso Enguerrand de Marigny, el hombre que sucede a Nogaret en el Consejo. Lo que equivale a decir que el nuevo arzobispo está absolutamente entregado a la causa del rey.

El obispado de París depende de la provincia de Sens. Le toca a Felipe de Marigny cerrar, mediante un concilio, las investigaciones diocesanas de su provincia sobre las personas de los templarios. Sin previo aviso, el

arzobispo convoca ese concilio el 10 de marzo. Confundiendo voluntariamente el procedimiento iniciado ante la comisión apostólica de los ocho
y el iniciado ante las comisiones diocesanas, Marigny hace condenar a la
hoguera a cincuenta y cuatro templarios de la provincia de Sens, que habían confesado sus crímenes en 1307, pero que, al defender la orden ante
la comisión de los ocho, han vuelto a caer en el error. En opinión de Marigny, son relapsos, idea que rechazan muchos teólogos. El 12 de mayo, los
condenados son llevados en carretas fuera de París, junto a la puerta de
Saint-Antoine, donde se ha instalado la hoguera.

Ni uno solo de ellos –no hubo excepción– reconoció ninguno de los
crímenes que se les imputaba, sino que, al contrario, persistieron en sus
negativas, diciendo siempre que se les condenaba a muerte sin causa e
injustamente, lo que mucha gente pudo comprobar, no sin gran admiración y una inmesa sorpresa .[22]

Otras hogueras arderían en los días siguientes.

El rey ha triunfado, el resorte se ha roto. Los pocos templarios que
comparecen ante la comisión en los días que siguen balbucean y pronuncian palabras incoherentes. Los dos principales defensores de la orden, Pedro de Boulogne y Rinaldo de Provins, desaparecen, raptados,
huidos o asesinados. Los templarios renuncian a defender la orden. La
comisión retrasa sus sesiones, celebrando una de vez en cuando. Los escasos templarios que comparecen todavía, previamente preparados por
sus carceleros, confiesan todo lo que se quiere que confiesen, se contradi-
cen, hasta el punto de suscitar el malestar entre los propios comisarios.
A veces, un grupo de templarios, como el de La Rochelle, resiste; a veces,
un testigo exterior, como el dominico lionés Pedro de la Palud por ejemplo, defiende la orden.

La comisión pone punto final a sus sesiones el 26 de mayo de 1311, con
el acuerdo del papa y del rey. Cierra así un voluminoso expediente de
doscientos diecinueve folios, que servirá de base para los trabajos del concilio. El 16 de octubre de 1311, el papa pronuncia el discurso de apertura.
La orden del día incluye tres cuestiones: el Temple, la cruzada y la reforma de la Iglesia. Una comisión *ad hoc*, reunida en Orange, ha resumido
los textos que se le han dirigido. Resúmenes tendenciosos, si se juzga por
el de los procedimientos ingleses. Se incluyen complacientemente todas
las habladurías y todos los rumores que van contra la orden, pero no aparece ninguna de las denegaciones, casi unánimes, de los templarios ingleses. El papa desea ahora que se termine lo más pronto posible.

G. Villani, *Crónica*. Miniatura de principios del siglo XVI representando la hoguera de los templarios. Se observa a la derecha, encima del pórtico de la casa, el escudo con las armas del rey de Francia (las flores de lis sobre fondo de azur).

Progresivamente, la situación evoluciona en otro sentido, y el papa pierde el control de la asamblea. Si bien algunos obispos, como Jacobo Duèze, el futuro papa Juan XXII, olvidan todo escrúpulo y aconsejan al papa suprimir el Temple sin esperar más, la mayoría de los padres del concilio quieren juzgar y, por consiguiente, oír a la defensa. Y precisamente, a finales de octubre, siete templarios hacen irrupción en el concilio y afirman su voluntad de defender la orden. Añaden –¿jactancia o realidad?– que de mil quinientos a dos mil hermanos se han reunido en los alrededores de Vienne, todos ellos dispuestos a prestar testimonio en favor del Temple. Ptolomeo de Lucca, obispo de Torcello y dominico, escribe:

> Los prelados fueron llamados a conferenciar con los cardenales a propósito de los templarios. Las actas relativas a este tema fueron leídas a los prelados, y se les convocó individualmente a éstas, y el pontífice les preguntó si se debía admitir a los templarios para que presentasen su defensa. Todos los prelados de Italia, a excepción de uno, de España, de Alemania, de Suecia, de Inglaterra, Escocia e Irlanda fueron de esta opinión. También los franceses, salvo tres metropolitanos, los de Reims, Sens y Rouen, estuvieron de acuerdo.[23]

Clemente V prevé el peligro. Si tiene tanta prisa por terminar, se debe a que quiere ocuparse de la cruzada y, sobre todo, no desea dar pretexto al rey de Francia para intervenir y sacar a relucir de nuevo ciertas cuestiones ya viejas, como el proceso en memoria de Bonifacio VIII. Porque, Clemente lo sabe bien, el rey de Francia se está exasperando.

Como siempre en semejantes casos, Felipe recurre a un método que ha demostrado su eficacia: en marzo de 1312, convoca los Estados del reino en Lyon. En la misma fecha, los representantes del rey, entre ellos Nogaret, se reúnen en secreto con los del papa. El 20 de marzo, Felipe anuncia su llegada a Vienne, acompañado de su ejército. El tiempo urge. El 22 de marzo, por su propia autoridad, el papa publica la bula *Vox in excelso* para abolir la orden del Temple, «no sin amargura y tristeza en el corazón, no por vía de juicio, sino por vía de provisión o de decisión apostólica». El 3 de abril, con Felipe el Hermoso y su hijo Luis de Navarra a ambos lados, el papa pronuncia públicamente la sentencia, una vez que un «clérigo se hubiera levantado y prohibiese, bajo pena de excomunión mayor, que nadie en el concilio dijese una palabra, salvo con el permiso o por requerimiento del papa».[24]

El problema de la devolución de los bienes del Temple prolongó el concilio hasta el 6 de mayo de 1312. Para entonces, el Temple había dejado de existir.

Faltaba juzgar a los hombres. La bula *Considerantes dudum,* del 6 de mayo, distinguía:

• Los reconocidos como inocentes o los que, después de confesar, se reconciliaron con la Iglesia. Recibirían una pensión y podrían residir en las antiguas casas de la orden o en el monasterio de su elección. Los votos monásticos que habían pronunciado al entrar en el Temple seguían siendo válidos.

• Los que habían negado, o eran relapsos, serían perseguidos con todo rigor.

El papa se había reservado el juicio de los cuatro dignatarios de Temple encarcelados en París. Molay piensa que podrá explicarse por fin, como ha pedido siempre, ante la única persona que le inspira confianza, el papa. Por desgracia, Clemente V espera al 22 de diciembre de 1313 para nombrar una comisión de tres cardenales, que juzgarán en su nombre, entre ellos Nicolás de Fréauville, hombre de paja del rey. Por consiguiente, Molay se presenta ante los mismos hombres, poco más o menos, que ha rechazado hasta entonces. De hecho, el 18 de marzo de 1314 no comparece para ser juzgado y, por lo tanto, oído. Comparece para oír la sentencia del concilio presidido por Felipe de Marigny:

El lunes después de la fiesta de san Gregorio, fueron condenados a prisión perpetua y severa. Pero cuando los cardenales creían que todo había terminado en este asunto, inmediatamente y de manera inesperada, dos de esos hombres, el Gran maestre (Molay) y el maestre de Normandía (Charney), se opusieron con obstinación al cardenal que había predicado el sermón y al arzobispo de Sens, volviendo sobre su confesión y sobre todo lo que habían dicho hasta entonces...

Sorprendidos, los cardenales dejaron la cuestión para el día siguiente. El rey, informado del caso, no esperó:

Aquel mismo día, a la hora de vísperas, en una pequeña isla del Sena situada entre los jardines del rey y la iglesia de los hermanos ermitaños de san Agustín, se les condenó a ser quemados [...]. Se les vio tan resueltos a sufrir el suplicio del fuego, con una tal voluntad, que despertaron en todos los que asistieron a su muerte admiración y sorpresa por su constancia en la muerte y su negativa final.[25]

Los otros dos dignatarios, Pairaud y Gonneville, que se habían callado, terminaron sus días en prisión.

El cronista florentino Villani, que toma a veces por dinero contante todo cuanto oye, afirma que sus cenizas y sus huesos fueron recogidos por algunas religiosas y santas personas y considerados como reliquias. El 20 de abril, moría Clemente V. El 29 de diciembre siguiente, moría Felipe el Hermoso... ¡La Maldición![26]

3

La sucesión del Temple

La devolución de los bienes del Temple al Hospital

Antes incluso de que Molay pereciese en la hoguera, se habían iniciado ya en toda Europa ásperas disputas a propósito de los bienes del Temple. Dichos bienes habían sido confiscados por los agentes reales, el 13 de octubre de 1307 en Francia, un poco más tarde en las demás naciones. Clemente V los reivindicó de inmediato para la Iglesia, ya que debían servir a la causa de Tierra Santa. Pero faltaba saber quién los administraría mientras se esperaban los resultados del proceso. Los soberanos no cedieron y conservaron su administración. El rey de Aragón anunció incluso sin ambages que, de todas formas, reservaría una parte para la corona.

Las ganancias que se puedan conseguir corresponden, pues, a los príncipes. En Inglaterra, entre 1308 y 1313, el rey recibió nueve mil doscientas cincuenta libras esterlinas de renta sobre los bienes del Temple, lo que representaba anualmente el 4 % de los recursos del dominio. Una parte de esas rentas se utilizó para ayudar a los templarios encarcelados.

Sin embargo, la administración real es poco rigurosa. Ciertos bienes son cedidos o vendidos, incluso usurpados por señores laicos o establecimientos religiosos. En Castilla, en Inglaterra, no escasean los ejemplos de este tipo. Eduardo II recompensará a ciertos nobles escoceses partidarios suyos con bienes del Temple.[1] Al prolongarse la cuestión, las tentaciones de este tipo se multiplican. Más aún teniendo en cuenta que nadie está de acuerdo sobre la manera de utilizar tales bienes en provecho de Tierra Santa.

Para el papa, la solución más sencilla y más rápida consiste en entregar esos bienes al Hospital. Éste ha permanecido callado durante el desarrollo del asunto, no queriendo dejar creer que se alegra del infortunio templario.

Los soberanos de Occidente se muestran poco favorables a esta solución, que no es otra que la fusión de las órdenes. Por una parte, entienden conservar una parte de los bienes de la orden abolida. La evolución de Eduardo II y de Jaime II de octubre a diciembre de 1307 se explica en parte por el atractivo de estos recursos suplementarios. Tampoco Felipe el Hermoso –ya hablaremos de ello– se «desinteresa» a este respecto, a pesar de lo que digan sus turiferarios. Pero los reyes pueden difícilmente reivindicar la totalidad de los bienes del Temple. Equivaldría a una expoliación de la Iglesia. Por lo tanto, sigue siendo posible un arreglo. Jaime II está dispuesto a aceptar cualquier solución, excepto una: la devolución al Hospital. Ha experimentado la amenaza que puede hacer pesar sobre la autoridad real una orden militar.[2] Se comprende que no quiera fortalecer la orden subsistente. La cuestión del Temple permite, pues, a Jaime II plantear el problema de la orden del Hospital y su inserción en el estado aragonés. El rey militará por la creación de una nueva orden, aragonesa, a la que se entregará no sólo los bienes de los templarios, sino también los pertenecientes a los hospitalarios. Tal es la postura que sus representantes en el concilio de Vienne están encargados de defender.

Los objetivos de Felipe el Hermoso conducen a un resultado idéntico. Piensa en la cruzada, con una orden militar depurada, reformada, cuyo Gran maestre sería un príncipe de sangre o, por qué no, él mismo.[3] Ahora bien, a los ojos de Felipe, los hospitalarios no valen más que los templarios. Se necesita una orden nueva.

El papa se encuentra en minoría en el concilio en lo que se refiere al problema. Los padres, poco convencidos de la culpabilidad del Temple, prefieren también una orden nueva. Enguerrand de Marigny consigue resolver la situación, convenciendo al rey de que acepte un compromiso con el papado. A cambio de algunas décimas, el rey se conforma con la solución de Clemente V. El concilio puede terminar. El 2 de mayo de 1312, la bula *Ad providam* transfiere los bienes del Temple al Hospital, quedando reservado el caso de la Península Ibérica.

Pero al Hospital le queda por hacer lo más difícil: recuperar los bienes de los que ahora es legítimo propietario. No todos los templarios han desaparecido después de 1307. En San Savinio, dentro de los Estados pontificios, el hermano Vivolo sigue administrando la encomienda en 1310, cuando le interrogan los investigadores. Les responde que no sabe nada de eso, puesto que él es *ruralis homo et agricola*... El Hospital no recuperará nunca esa propiedad.[4] El 6 de noviembre de 1312, el dux de Venecia, Giovanni Soranzo, promete a los hospitalarios ayudarles a expulsar a los templarios que ocupan todavía su casa de Santa María in Broilo.[5] También en Alemania habrá que expulsarles algunas veces por la fuerza.

En Francia, hay que contar con el rey y sus agentes. El rey presenta una nota de gastos de doscientas mil libras, lo que le ha costado, según dice, la conservación de los bienes confiscados. El Hospital paga. Pero los agentes del rey se hacen los desentendidos. El rey tiene que ordenar a Juan de Vaucelles, bailío de Turena, que entregue a los hospitalarios los bienes templarios de Bretaña.[6] La orden está firmada en marzo; el bailío no envía dos agentes hasta mayo. El 27 de diciembre de 1313, Deodato de Rouveix, burgués de Tolosa, que tenía a su cargo los bienes del Temple, levanta el embargo y entrega a los hospitalarios una casa y una iglesia. Pero en 1316 continúan aún las protestas ante el Parlamento. El propio rey retiene el Torreón del Temple en París, para convertirlo en la viudedad de la reina Clemencia (se trata del rey Luis X el Obstinado). En Irlanda, Eduardo II tuvo que reunir una conferencia con los barones y los prelados para acelerar la devolución. Los hospitalarios no tomaron posesión de Ballantrodach, la principal encomienda de Escocia, hasta 1351.[7]

El caso de la Península Ibérica había quedado reservado. La solución no se encontró hasta después de morir Clemente V, quien no podía honorablemente conceder a los españoles lo que había negado al rey de Francia. En 1317 (el 10 de junio), se llega a un compromiso: en el reino de Valencia, los bienes del Temple, a los que se unen los del Hospital, irán a la nueva orden aragonesa de Montesa. Gracias a esta concesión, el Hospital recibió los bienes de los templarios de Aragón y Cataluña. En Portugal, se aplicó una solución casi idéntica. Las propiedades del Temple fueron entregadas a la nueva orden de Cristo, heredera más directa del Temple que la de Montesa. Por último, en Castilla, los bienes del Temple habían sido ampliamente dilapidados. Costó mucho trabajo recuperarlos en favor de las órdenes locales. En 1361, todavía se hablaba de ellos.

¿Qué fue de los templarios?

Lo que ocurrió con ellos después de su proceso excitó muchas imaginaciones y provocó una gran compasión. No cabe duda de que la mayoría de ellos trataron de hacerse olvidar. Y les sucedió lo que sucede a toda mayoría silenciosa, que se habló mucho, y muy mal, en nombre de ella.

Algunos habían abandonado el Temple antes del proceso. No les califiquemos a todos de renegados y traidores. Esquieu de Floyrán era un sinvergüenza. Pero otros dejaron la orden porque, en ciertas encomiendas, se daban abusos manifiestos que ellos no soportaban. Hubo injusticias con respecto a algunos de ellos, por ejemplo Roger de Flor, saqueado literalmente por Molay (es posible, sin embargo, que su amigo Muntaner haya exagerado el retrato y las hazañas de Roger). Molay, por último, no sólo se mostró torpe con el papa o con el rey de Francia. Pudo ofender a ciertos caballeros y sargentos de la orden.[8]

Una vez iniciadas las pesquisas, algunos huyeron y se esforzaron por borrar su rastro. Pero los ejemplos de los templarios catalanes e ingleses, capturados dos o tres años después, demuestran que no basta con afeitarse la barba para pasar inadvertido. Se cita con frecuencia el ejemplo, único y por lo tanto poco significativo, de un templario de Aragón, Bernardo de Fuentes, que huyó en 1310 y se convirtió en el jefe de una milicia cristiana al servicio del amo musulmán de Túnez. En 1313, reapareció en Aragón como embajador.[9]

La mayoría de ellos fueron encarcelados. Se apartó de las rentas confiscadas de la orden lo necesario para su manutención. En Tolosa, se asignaron dieciocho denarios por día a los caballeros y nueve a los sargentos.[10] En Irlanda, disponían de las rentas de tres casas: Kilclogan, Crook y Kilburny.[11]

Los templarios juzgados se distribuyen en tres grupos: los que fueron reconocidos inocentes, los que confesaron sus errores y se reconciliaron con la Iglesia y los condenados.

En Rávena, donde se les declaró inocentes, se decidió que los templarios se presentasen a su obispo y se purgasen ante siete testigos de las acusaciones presentadas contra ellos. Se impuso ese juramento purgatorio porque no faltaban entre los templarios, lo mismo que en todas partes, elementos corrompidos. Por ejemplo, el 26 de junio de 1311, Bartolomé Tencanari, templario de Bolonia, se presentó ante el obispo Uberto. Se le leyó la carta del arzobispo de Rávena, Rinaldo. Doce personas, entre ellas ocho clérigos, vinieron a declarar en su favor.[12]

En otras partes, declarados inocentes o reconciliados con la Iglesia, se les autorizó a vivir en las casas del Temple o en el monasterio de su elección. Una vez que recuperó los bienes del Temple, el Hospital tuvo que pagarles una pensión. Raimundo de Sa Guardia, el preceptor de Mas Deu, declarado inocente lo mismo que todos los templarios del Rosellón, continuó viviendo en su encomienda «sin pagar renta ni alquiler, con el disfrute de los productos del huerto y los frutos de los árboles, solamente para su alimentación». Podía también coger leña en el bosque y recibía trescientas cincuenta libras de pensión.[13]

Algunos se corrompieron. Colgando los hábitos, se casaron, sin preocuparse de sus votos monásticos. El papado reclamó a las autoridades eclesiásticas y laicas una mayor vigilancia en 1317. Se estableció una relación entre las malas acciones de los individuos y las pensiones demasiado altas de que disfrutaban. Por lo tanto, las disminuyeron.

En cuanto a los condenados a la prisión «en régimen severo», se pudrieron en ella durante mucho tiempo, como Pons de Bures, capellán del Temple de Langres, que pasó doce años detenido en condiciones muy duras. No fue liberado hasta 1321.[14] Otros murieron en la cárcel, como el mariscal de la orden de Chipre, Oselier (en 1316 o 1317), y probablemente Hugo de Pairaud.

Por último, hubo los que perecieron en la hoguera, cosa que ocurrió exclusivamente en Francia, en París, en Senlis, en Carcasona, el 20 de junio de 1311, por ejemplo.

4

¿Por qué el Temple?

El historiador no está obligado a juzgar, sólo le corresponde explicar. Sin embargo, no puede por menos de dar su opinión sobre este proceso. Ordinariamente, se fecha a finales del siglo XIII, en Francia durante el reinado de Felipe el Hermoso (en realidad, conviene remontarse al reinado de san Luis), el nacimiento del Estado moderno. Se subraya en éste la idea de soberanía, la administración, la fiscalidad, la eficacia, la unión de la nación, a la que se atrae. Pero hay también el reverso de la medalla, que ocupan por completo bajo Felipe el Hermoso algunas cuestiones oscuras, la más espectacular de las cuales es la de los templarios.

¿Inocente o culpable?

En 1914, Victor Carrière, uno de los mejores historiadores del Temple, afirmaba: «Hoy en día, está definitivamente demostrado que el Temple, en cuanto orden, es inocente de los crímenes que durante tanto tiempo se le han imputado». Desde entonces, se han publicado numerosos estudios, que confirman, pero matizan también, esta afirmación perentoria.[1] Dejaré de lado toda una corriente «sectaria» que, para defender su causa, necesita la culpabilidad de los templarios (al menos a los ojos de la opinión de la época), los que dicen, por ejemplo, que el Temple sabía que Cristo era un malandrín ejecutado por sus crímenes, razón por la cual la Iglesia «oficial» condenó el Temple.

En primer lugar, hay que situar bien el proceso, que no es un proceso criminal ordinario, sino lo que se denominaría en la actualidad un proceso político, siguiendo un procedimiento de excepción, el procedimiento de la Inquisición. No se propone «descubrir la verdad, sino convertir a un sospechoso en culpable», como escribió en febrero de 1308 un templario inglés.[2]

Las instrucciones dadas por el rey el 14 de septiembre de 1307 carecen de toda ambigüedad. Los comisarios reales harán primero una investigación sobre los templarios detenidos y luego «llamarán a los comisarios de la Inquisición y examinarán la verdad con cuidado, recurriendo a la tortura si fuere necesario...». Se interrogará a los templarios «con palabras generales hasta que se les saque la verdad y perseveren en esa verdad». Y el rey pide que se le envíe lo más de prisa posible «la copia de la declaración de aquellos que confirmen dichos errores, principalmente la negación de Cristo» (pp. 27-29). Los dos templarios alemanes detenidos e interrogados en Chaumont negaron los cargos presentados contra la orden; no fueron torturados, pero el inquisidor se negó a poner su sello en las declaraciones, porque no hubo confesión. Se conoce la verdad por adelantado. «Se les dirá que el papa y el rey están informados a través de testigos muy dignos de fe, miembros de la orden, sobre el error...» (p. 27). Los templarios se ven así ante un dilema: los comisarios «les prometerán el perdón si confiesan la verdad volviendo a la fe de la santa Iglesia o, de otro modo, que sean condenados a muerte» (p. 27).

Tal es el cuadro que fijan tanto Felipe el Hermoso y sus consejeros como la Inquisición, a la que aquéllos controlan en Francia. La veracidad de los cargos debe ser examinada teniendo en cuenta este contexto.

Ciertos cargos se refieren al comportamiento de los individuos: desenfreno, homosexualidad, avaricia, orgullo. Se puede afirmar sin temor a equivocarse que hubo templarios que no respetaron su voto de castidad, que sedujeron a damas o se entregaron a la homosexualidad. Recordemos la frase que el historiador árabe Ibn al-Atir achaca al rey de Aragón Alfonso I el Batallador: «El hombre que se dedica a la guerra necesita la compañía de hombres, no de mujeres».[3] Sin embargo, no hay que tomar al pie de la letra la acusación de sodomía. Constituye un estereotipo, empleado, antes o después del proceso del Temple, cada vez que se quiere «probar» la herejía de aquel a quien se ataca.

La misma evidencia se aplica a la acusación de avaricia y de dureza. La actitud del maestre de Escocia, Brian de Jay, en 1298 demuestra sin ambigüedades que los templarios recurrieron a la violencia para expoliar a los demás. Pero también este cargo, lo mismo que el referente a la negativa a dar limosna, pertenece al viejo fondo del anticlericalismo medieval.

Se encuentran testimonios contradictorios sobre todos estos aspectos. Hay templarios que dan magnánimas limosnas y, por supuesto, no todos los templarios son sodomitas. Los hechos tomados aisladamente no prueban nada.

Las acusaciones contra las prácticas religiosas parecen más serias. Los templarios en general reconocieron haber cometido un error, y el propio Molay se lo había confesado al rey poco antes de su detención: la práctica de la absolución de los pecados por laicos. El maestre de la orden, los preceptores de provincias, los de algunas encomiendas importantes, aunque laicos, han dado la absolución a los hermanos templarios venidos a confesarse. William de la Forbe, preceptor de Denney (Cambridge), lo admite así. Y William Middleton, uno de los templarios escoceses detenidos, no reconoce más que este cargo.[4]

Esta falta, que los acusadores convierten en un crimen, resulta de la ignorancia de ciertos preceptores, que creían obrar bien, y de una confusión. Al terminar el capítulo dominical, en el que se señalaban, discutían y sancionaban las faltas, el preceptor perdonaba al hermano culpable. Se pudo fácilmente confundir el perdón con la absolución, que sólo un sacerdote puede dar. No había hermano capellán en todas las encomiendas. Bien explotado, este pecado venial permitió obtener otras confesiones.

El reproche hecho a los templarios de negarse a confesarse con otros que no fueran su capellán, es infundado, como demuestran los testimonios de los franciscanos de Lérida.[5]

Los inquisidores que llevaron el proceso en Inglaterra descubrieron que John Mohier, preceptor de Duxworth, había pronunciado palabras heréticas. Un testigo, un monje agustino, recordaba haberle oído negar la inmortalidad del alma.[6] Un templario entre ciento cuarenta...

Los acusadores hicieron recaer lo esencial de sus preguntas sobre el problema de la negación de Cristo y el escupir sobre la cruz. La mayoría de los templarios confesaron que se habían visto obligados a realizar esos actos y que lo hicieron de mala gana. Así lo dice Esteban de Troyes, recibido por Hugo de Pairaud hacia 1297, el cual le «ordenó que negase a los apóstoles y a todos los santos del Paraíso». El abate Petel ve en este testimonio una broma, una especie de novatada para probar al postulante. Cuenta que, después de la ceremonia, los templarios decían riendo al aterrorizado recién llegado: «Vete a confesar, imbécil».[7] Las novatadas existían ya entonces. Los hospitalarios de Acre disfrazaban al postulante y le llevaban, al son de trompetas y tambores, desde los Baños al Albergue del Hospital. La práctica se prohibió en 1270.[8] En este mismo sentido, se puede señalar la pregunta formulada por un inquisidor a uno de los templarios: ¿no sería un medio de probaros? Si os hubierais negado, ¿no os hubieran enviado antes a Tierra Santa? Otro testimonio: Beltrán Guasc, interrogado en Rodez, cuenta que fue recibido en la orden en Sidón (Siria). Mientras que le pedían que negase a Cristo, un brutal ataque de los musulmanes contra la ciudad obligó a interrumpir la ceremonia para ir a combatirles. Al regresar, el preceptor le dijo que no hablase de aquello, que se trataba de una broma y de una prueba.[9]

¿Broma de un gusto dudoso? ¿Rito iniciático? Probablemente nos enfrentamos a un rito simbólico, cuyo sentido se ha perdido (¿un recuerdo de san Pedro, que negó a Cristo?).[10] La confesión de Godofredo de Charney se puede interpretar en este sentido:

> Dijo también bajo juramento que al primero que recibió en la orden le recibió de la misma manera que él había sido recibido y que a todos los demás los recibió sin ninguna negación, ni ningún escupitajo ni ninguna otra cosa deshonesta, conforme a los estatutos primitivos de la orden, ya que se daba cuenta de que la manera en que le habían recibido a él era vergonzosa y sacrílega y contraria a la fe católica (p. 33).

En cuanto a Hugo de Pairaud, declara que, para recibir a los nuevos hermanos, se ha conformado al rito de la negación y el escupitajo porque tal «era el uso según los estatutos de la orden» (p. 41). ¿No son reveladoras esas contradicciones (no olvidemos la tortura) de un ritual que ha perdido su significación?

Pasemos ahora a las afinidades con el catarismo, que suelen explicarse por el contacto con Oriente. El catarismo, como se sabe, tiene sus fuentes en el maniqueísmo oriental y se ha hecho a veces a los templarios responsables de su introducción en Occidente. Pero la influencia cátara pudo penetrar en el Temple durante el siglo XIII de otra manera. Muchos sospechosos fueron enviados a Tierra Santa para expiar sus faltas. Tal vez allí contaminaron la orden. Resultaba relativamente fácil entrar en ella. Incluso en Languedoc, donde la represión fue muy dura, algunos cátaros, o simplemente personas que corrían el peligro de ser sospechosas de catarismo, pudieron entrar en la orden por precaución. Pero ¿por qué sólo los templarios habían de ser contaminados? ¿Y los hospitalarios? ¿Y los teutónicos? En el Midi cátaro, los templarios apoyaron más bien a los cruzados del Norte que a los herejes. ¿No se ha dicho que el odio de Nogaret contra el Temple se explicaba por el hecho de que el abuelo de ese «patarino» (la expresión es de Bonifacio VIII) murió como hereje en la hoguera a causa de los templarios?

Pero a finales de siglo se produce una evolución. Un estudio reciente ha demostrado que la herejía, pese a haber sido combatida vigorosamente durante sesenta años, no sólo no había desaparecido por completo del Languedoc, sino que había ganado a ciertas familias de la nobleza cruzada, las familias de barones del Norte venidos con Simón de Montfort y que se habían aposentado en el Midi.[11] Si hay influencia cátara, más vale explicarla por el hecho de que el Temple encuentra sobre todo sus reclutas entre la pequeña y la mediana nobleza (véanse las indicaciones del cartulario de Douzens), que, en el Languedoc, fueron muy permeables al catarismo, lo cual pudo afectar al Temple. Pero no únicamente a él. En este aspecto como en muchos otros, me niego a clasificar aparte al Temple. En resumen, quizá se dieron casos aislados de herejía, pero la orden en conjunto no era herética. Ni siquiera Clemente V lo pensaba así.[12] Jacobo de Molay, en su declaración del 28 de noviembre de 1309, tenía todo el derecho de defender la ortodoxia de la orden y hacer una profesión de fe católica. Los errores de los templarios en materia de fe se refieren a la conducta, no a la creencia. Además, último argumento a este propósito, si el Temple se hubiera convertido en una secta herética, se hubiera encontrado al menos un hermano que muriese por su fe, como entre los cátaros o los dolcinistas. Tanto los cincuenta y cuatro condenados a la hoguera en 1310 como Molay y Charney murieron por la fe católica.[13]

En cuanto a la idolatría, la adoración de la cabeza, la breve historia siguiente debe inducirnos a la desconfianza: Guillermo de Arrablay, antiguo limosnero real, dio una descripción tan precisa de la cabeza que la comisión de investigación pidió al guardián de los bienes del Temple de París que la buscase. Era una cabeza-relicario de plata...[14]

Quedan los contactos con el islam, que sería vano negar. Dos siglos de combate contra el infiel en Oriente dejan huellas. Los templarios empleaban mano de obra musulmana, con frecuencia esclava, en sus dominios de Siria-Palestina y España. Negociaban treguas por su propia cuenta y, por lo tanto, tenían que desarrollar una diplomacia adaptada a las costumbres del mundo musulmán. Mantenían una red de agentes secretos (Guillermo de Beaujeu). Tampoco en esto se singularizaron. Los hospitalarios y los barones locales hacían lo mismo.

Ya he puesto de manifiesto la incomprensión demostrada por los occidentales en cuanto a la política oriental. Para ellos, los latinos de Tierra Santa son amigos de los sarracenos. Un templario irlandés explicará la impopularidad de la orden por su buen entendimiento con los musulmanes.[15] El diálogo siguiente entre Nogaret y Molay, el 28 de noviembre de 1309, resulta esclarecedor. Nogaret...

... dice al maestre que se contaba en las crónicas de Saint-Denis que, en tiempos de Saladino, sudán de Babilonia, el que entonces era maestre de la orden y otros dignatarios habían rendido homenaje a Saladino y que éste, enterado de la gran desgracia que habían sufrido en-

tonces los templarios, había dicho públicamente que los templarios la
habían padecido porque estaban carcomidos por el vicio de sodomía y
porque habían faltado a su ley y a su fe; el susodicho maestre quedó
en extremo estupefacto y declaró que nunca hasta entonces lo había
oído decir, pero que sabía bien, sin embargo, que, encontrándose en ultramar en la época en que el maestre de la susodicha orden era el hermano Guillermo de Beaujeu, él mismo, Jacobo, y muchos otros hermanos del convento de los susodichos templarios, jóvenes deseosos de
hacer la guerra, como es costumbre en los jóvenes caballeros [...], habían murmurado contra dicho maestre porque, durante la tregua que
el difunto rey de Inglaterra había establecido con los sarracenos, dicho
maestre se mostraba sumiso al sudán y conservaba su favor; pero que,
finalmente, el susodicho hermano Jacobo y otros del susodicho convento de los templarios quedaron satisfechos, viendo que el susodicho
maestre no podía obrar de otra manera, porque en aquel tiempo su orden tenía bajo su mano y bajo su guarda muchas ciudades y fortalezas
de la tierra del susodicho sudán [...] y no hubiera podido guardarlas de
otra forma... (pp. 169-171).

Un texto apasionante, ya que se ve en él el foso que separa a los latinos de Oriente de los cruzados, un foso que aparece en el seno del propio
Temple. Se observa también la renovación constante del mismo. De todos
modos, adviértase la mala fe de Nogaret. En las *Crónicas de Saint-Dionis*
no se hace ninguna alusión a lo que él cuenta.

Se comprende muy bien cómo pudo servirse la acusación de la impopularidad de estas prácticas para sugerir un lazo todavía más fuerte con
el islam, cuando no una conversión secreta. ¡Cuántas especulaciones aza-
rosas se han hecho a este respecto! Ya me he referido al problema a propósito de las relaciones con la secta de los asesinos y, más en general, a
propósito de las relaciones entre cristianos y musulmanes. Sólo vuelvo sobre ello para precisar que todas las elucubraciones sobre una pretendida
«ósmosis dogmática» entre templarios y musulmanes carecen de fundamento. Por lo demás, la reacción de Molay ante las invenciones de Nogaret confirma lo que ya se sabía: la renovación de los hombres en el Temple es demasiado rápida para permitir la menor ósmosis. Esteban de
Troyes, que profesó en el Temple en 1297, indica en su declaración que
asistió a un capítulo en París (probablemente en 1300). «En ese capítulo,
se decidió enviar trescientos hermanos a ultramar.»

Si hubiesen tenido lazos privilegiados con el islam, ¿se puede creer que Saladino, Baibars, Qalawun y al-Ashraf hubieran matado sistemáticamente a sus prisioneros templarios u hospitalarios? No, los templarios constituyen el duro núcleo de la ofensiva cristiana contra el islam, no el caballo de Troya del islam en el mundo cristiano.

La acusación no era nueva. Paradójicamente, uno de los primeros en formularla fue el emperador Federico II, bien conocido por sus relaciones amistosas con el sultán y que sorprendió incluso a los musulmanes por sus blasfemias contra el cristianismo cuando visitó el Sepulcro de Cristo, Mathieu Paris se apresuró, claro está, a propagar la acusación de traición formulada por Federico II con ocasión de la derrota de Gaza, en 1240. Nogaret no tuvo que buscar muy lejos para encontrar sus argumentos.

¿Culpable o no culpable?

Tomadas una por una, ninguna de las acusaciones presentadas contra el Temple es falsa. Siempre se encontraría un templario sodomita, un templario avaro, un templario violento, un templario que, en un día de gran cólera, hablase imprudentemente sobre la fe (recordemos a Ricaut Bonomel). Por lo demás, numerosos artículos de la regla están dedicados a la represión de esas faltas y delitos, prueba de que existen. Los acusadores del Temple echan abajo una puerta abierta, que hubieran podido derribar, de la misma manera en cualquier otra casa religiosa.

Se comprueba además que, cuanto más se retrasa el proceso, más se recargan las tintas. En 1307, los acusados confiesan los besos obscenos en la boca, el ombligo, la parte inferior de la espina dorsal: en 1311 se añaden el ano, la entrepierna, el sexo. Se entera uno también de que, desde hace veinte años, si no más, todos conocen las pequeñas manías del Temple. Un franciscano, Esteban de Néry, cuenta que, en 1291, cuando uno de sus parientes se preparaba para entrar en el Temple, sus parientes y amigos le embromaban: «¿Así que mañana vas a besar el ano del comendador?»[16] Ni siquiera la comisión pontificia se lo cree ya.

Por consiguiente, consideradas una a una las acusaciones no significan nada. Para que se conviertan en operatorias, se precisa que una voluntad política las reúna en un sistema coherente, ajustándose a la opinión corriente a fuerza de deformaciones, de añadidos, de mentiras. Tal es la obra de Guillermo de Nogaret y sus adjuntos, que trabajan por cuenta de la realeza francesa. Sólo elucidando los motivos del rey se llega a una explicación racional de la cuestión del Temple.

Los motivos del rey

Durante mucho tiempo, se ha afirmado que el móvil principal de la actuación de Felipe el Hermoso contra el Temple se encontraba en el interés material. La historiografía reciente ha tendido, por el contrario, a conceder menos importancia a este factor. Dejemos de lado la opinión de los aficionados al esoterismo, a las «doctrinas secretas», para quienes los templarios «se proponían la conquista de Dios y sus poderes mediante el ejercicio de la voluntad»,[17] y que no tienen más que desprecio por los móviles bajamente materiales. Otros admiten con dificultad que uno de los «grandes reyes que hicieron Francia» pudiese cometer tales abominaciones para echar mano a un tesoro. No sin razón los historiadores han buscado otras explicaciones, puesto que una cuestión semejante sólo pudo tener motivaciones complejas. Ahora bien, el árbol no debe ocultar el bosque. Que la actuación del rey no estuviese dictada únicamente por la avidez, que haya habido después algunos errores en la administración de los bienes confiscados, de acuerdo.[18] Pero no olvidemos que la cuestión de los bienes del Temple se planteó el mismo día de la detención de los templarios.

Por consiguiente, y en mi opinión, Malcolm Barber tiene razón al subrayar de nuevo la importancia de los móviles financieros, sin convertirlos por eso en el móvil único. El ataque contra el Temple debe situarse en el contexto de los métodos empleados por el gobierno real para resolver sus problemas, en esencia un problema de poder y un problema de medios. M. Barber compara la posición de los templarios con la de otros grupos minoritarios –lombardos, judíos, usureros–, igualmente ricos, igualmente impopulares, igualmente implicados en el funcionamiento de las finanzas reales.[19] Se comprende mal que un rey que ha buscado dinero con tanto encarnizamiento vacile ante el supuesto pacto de los templarios.

Cuando en octubre de 1307 el rey hace «retener muy rigurosamente» los bienes confiscados por sus agentes, ¿tiene la intención de quedarse con ellos? Se ha dicho que no.[20] Sin embargo, la sexta de las siete preguntas formuladas a la universidad en febrero de 1308 no deja lugar a dudas: «Se pregunta si los bienes que los susodichos templarios poseían en común y que eran de su propiedad deben ser confiscados en provecho del príncipe en la jurisdicción del cual se han constituido, o bien atribuidos ya sea a la Iglesia, ya sea a Tierra Santa, en consideración de las cuales los adquirieron o los buscaron» (p. 61). La respuesta de la universidad fue clara: los bienes deben servir a Tierra Santa. Pero el simple hecho de que el rey haya pensado en plantear la pregunta dice mucho sobre sus intenciones.

No faltaban consejeros para afirmar que el rey tiene todo el derecho a conservarlos. El denunciante de la orden, Esquieu de Floyran que, llegada su hora de gloria, se pasa el tiempo escribiendo a los soberanos europeos, se lo dice sin ambages a Jaime II el 21 de enero de 1308:

> Que Vuestra Dominación sepa que, si el papa trata de conseguir una parte de los bienes de los templarios, en tanto que personas religiosas, se ha aconsejado al rey de Francia que no está obligado a darle nada, ya que nunca ha sido una orden religiosa; sus mismos fundamentos están mancillados por la herejía. Y los que dicen que lo que se les ha dado lo fue como limosna no dicen bien, ya que le fue dado a los demonios, y no a Dios. Los donadores no deben recobrar nada, todo debe ir a los príncipes de la tierra.[21]

Felipe el Hermoso no siguió estos consejos extremistas. Aun así, pasó todo su reinado buscando dinero. Aunque no falsificó moneda, como se repite con frecuencia de manera absurda, aprovechó el derecho de regalía de proceder a mutaciones monetarias. Utilizó todos los medios, todas las presiones para imponer tasas y décimas al clero, para sangrar a los judíos, los lombardos y los usureros. ¿Por qué no al Temple? Las denuncias de Esquieu de Floyran le dieron la ocasión de apoderarse de sus riquezas.

Los resultados son decepcionantes. Lo esencial de los fondos está en Chipre (me refiero a los fondos propios del Temple); los inventarios hechos en las casas de la orden no han revelado ninguna riqueza particular. Algunos han imaginado que los templarios, advertidos con tiempo por algún signo del destino, ocultaron sus «tesoros». ¡Qué extraño que no pensaran en poner en seguridad sus personas! Sin embargo, el rey empleó en su provecho las rentas del Temple. Desde el momento de su detención, Felipe pagó asignaciones sobre las propiedades de los templarios. Por último, el regateo con el Hospital le proporcionó doscientas mil libras. Sin duda Felipe el Hermoso, como todos sus contemporáneos, se hizo algunas ilusiones sobre la riqueza del Temple. Pero al emprender su batalla contra él, mataba dos pájaros de un tiro: encontrar dinero (por lo menos así lo creía) y ajustar sus cuentas con el papado. Recordemos la fórmula de Malcolm Barber: el rey tiene dos problemas, el poder y los medios. El Temple se halla en el centro de ambos problemas.

Los historiadores se inclinan cada vez más a buscar la explicación de la cuestión en las creencias, en la fe de Felipe el Hermoso. El rey, sus consejeros, la opinión en general creen, están convencidos de la culpabilidad de los templarios. Felipe, Nogaret, el inquisidor Guillermo de París se consideran realmente los campeones de Cristo combatiendo al demonio.[22] «Nos, que hemos sido establecidos por el Señor en el puesto de observación de la eminencia real para defender la libertad de la fe de la Iglesia y que deseamos, antes que la satisfacción de todos los deseos de nuestro espíritu, el acrecentamiento de la fe católica...», dice, y con qué énfasis, la orden de arresto (p. 21). En 1308, en Poitiers, Guillermo de Plaisans explica la victoria sobre los templarios «por el testimonio incontestable de un príncipe tan grande y tan católico, ministro de Cristo en esta cuestión, en el cual hay que creer por lo que pertenece a la fe» (p. 121). Las mismas ideas habían sido ya desarrolladas durante el conflicto con Bonifacio VIII.

Malcolm Barber, a partir de documentos procedentes de la cancillería real, ha tratado de describir la «visión del mundo» que podían tener Felipe el Hermoso y sus allegados, la visión de un mundo unitario, obra de Dios y cimentado por la fe católica, un mundo organizado lógicamente, ordenado y jerarquizado por la razón. Desde Dios hasta el menor arbusto, todo forma una escala, una cadena. En ese mundo, coexisten diversos poderes. La idea tradicional de dos poderes bajo la autoridad del papa queda sustituida por la de una cristiandad que forma cuerpo, un cuerpo subdividido en cuerpos más pequeños, pero igualmente naturales. El estado monárquico, la monarquía de Francia, es uno de esos cuerpos naturales, dirigido por el «rey cristianísimo».

Los crímenes de los templarios, su herejía, sus depravaciones han roto la unidad de la creación y la arquitectura ordenada del universo. Atacan la fe; desprecian la Creación (por los besos obscenos); se entregan a la sodomía, un acto contra natura. Dios, que es luz, que inunda cada criatura con su luz, se siente ofendido por sus reuniones secretas y nocturnas. Los templarios han renunciado a la razón, han abandonado el lugar que ocupaban en la escala de la Creación, cuya perfección han puesto en duda.[23]

En virtud del juramento de la consagración, el rey, ministro de Cristo, no puede faltar a sus deberes. ¿Puede actuar sin el papa? Felipe el Hermoso sugiere que sí, con el consentimiento del pueblo cristiano. Pero no lo desea. De ahí la presión continua que ejerce sobre el pontífice. Los templarios han transgredido las leyes, han trastornado el orden del mundo del que es garante el rey cristianísimo, sucesor de Cristo. Deben ser eliminados.

¿Felipe el Hermoso creía en lo que decía? Hombre piadoso, muy piadoso incluso, austero y riguroso en materia de fe y de moral, compartía las ideas de su tiempo. ¿Pero no aprovecharon él y sus consejeros esas creencias para alcanzar su objetivo? Se dice que el rey era fácil de manipular.[24] Todo buen cristiano de principios del siglo XIV creía en los demonios. Sin embargo, Rinaldo da Concorrezzo, que era buen cristiano, no creyó que los templarios fueran demonios. Jaime II de Aragón, Eduardo II de Inglaterra (un homosexual) no creyeron ninguna de las fábulas extendidas por los celosos agentes de Felipe el Hermoso.

Para decirlo todo, dudo de la sinceridad de Felipe el Hermoso en esta cuestión. Y no creo en absoluto en la de Nogaret y Plaisians. Se trata de fanáticos, cierto, pero del Estado, no de Dios. A través del Temple, el rey y su entorno se proponen otro objetivo. ¿Cuál?

Tal vez la cruzada. Felipe el Hermoso, rey cristianísimo, nieto de san Luis, muerto en cruzada, hijo de Felipe III, muerto asimismo en cruzada (contra el rey de Aragón), no podía dejar de pensar en ella. En el concilio de Vienne, ha prometido solemnemente prepararla. Pero quiere disponer de medios eficaces: dinero, mucho dinero, y un instrumento militar satisfactorio. Con ello volvemos al problema de las órdenes. Raimundo Lulio, en su *Liber de jure,* ha propuesto la fusión de las dos órdenes bajo la autoridad de un Gran maestre, que sería un rey no casado, un *rex bellator* electo. Felipe el Hermoso es viudo desde 1305. Tal vez en esta fecha pensó en ponerse a la cabeza de tal orden para dirigir la cruzada. Esto condenaba al Temple.[25]

Las decisiones del concilio de Vienne realizan *de facto* la unificación de las órdenes. Al aceptar esta decisión, el rey ha exigido que el Hospital, beneficiario de la misma, sea «regularizado y reformado por la sede apostólica, tanto en su jefe como en sus miembros» (p. 201). No olvidemos, sin embargo, que Felipe el Hermoso hubiese preferido una orden nueva, que él hubiera controlado. En esto compartía el punto de vista de Jaime II de Aragón.

En mi opinión, hay que buscar de ese lado los motivos de la actitud de Felipe con respecto al Temple. La orden no representa en Francia un peligro militar, a diferencia de lo que pasa en España. Pero el problema no es de orden militar, sino de orden ideológico y político. Felipe el Hermoso, Eduardo I, Eduardo II y Jaime II adoptan todos la misma política frente a las órdenes, Temple y Hospital: reducir sus privilegios. Las órdenes se mantienen a la defensiva a causa de los fracasos de Tierra Santa, cuya culpa se les achaca. Los reyes se aprovechan de esta actitud.

Todos esos soberanos tienen al mismo tiempo litigios más o menos graves con el papado, algunos de los cuales toman un giro violento. Aragón se enfrenta a una cruzada iniciada por el papa a causa de la parte que aquél tomó en las Vísperas Sicilianas. Eduardo I pasa por dificultades a propósito de las décimas sobre el clero. Felipe el Hermoso atiza deliberadamente las querellas con Bonifacio VIII acerca de esas mismas décimas y el problema de las jurisdicciones eclesiásticas. Las órdenes militares están situadas directamente bajo la autoridad del papa. Éste, aunque debilitado por los rudos golpes que Felipe el Hermoso ha asestado a Bonifacio VIII, tal vez pueda servirse de las órdenes. Los templarios de Francia sostuvieron al rey en su combate contra Bonifacio VIII, pero éste estuvo protegido en Anagni por los templarios y los hospitalarios. Cualesquiera que sean sus posiciones, el Temple y el Hospital no dejan de constituir órdenes independientes y poderosas, bajo la autoridad del papa.

Las monarquías centralizadas presentan todas la misma actitud, salvo algunos matices. Felipe el Hermoso se atrevió a atacar por la violencia a Bonifacio VIII. Era el mejor situado para atacar con la misma violencia a los instrumentos potenciales del papado, las órdenes militares. Eduardo II, que acaba de suceder a su padre, y Jaime II, que nunca ha creído en las acusaciones contra el Temple, siguen los pasos de Felipe porque comprenden muy pronto que significa para ellos la ocasión de reducir la influencia del Temple en sus Estados y, de un modo más general, la influencia de las órdenes militares.

En efecto, la actitud de esos reyes es idéntica en lo que se refiere al Hospital. No quieren en modo alguno favorecer a este último, por la buena y simple razón de que sienten las mismas prevenciones contra él que contra el Temple y le reprochan poco más o menos los mismos defectos. Para ellos, no es cuestión de suprimir al uno para reforzar el otro. De ahí la voluntad de Felipe y de Jaime II (el problema resulta menos acuciante en Inglaterra) de crear una nueva orden sobre las ruinas del Temple. Existe, sin embargo, una diferencia entre ellos. Jaime II piensa en primer lugar en la Reconquista e inscribe su proyecto en la tradición de las órdenes nacionales ibéricas. Felipe tiene forzosamente miras más amplias: la cruzada, Jerusalén, un cierto magisterio sobre Occidente. Desea una orden controlada, incluso dirigida por él.

En la carta del 24 de agosto de 1312, por la cual acepta al fin la devolución de los bienes del Temple al Hospital, Felipe amenaza; el Hospital tiene que ser «hecho aceptable a Dios y a las personas eclesiásticas y laicas, y no peligroso, sino tan útil como sea posible para la ayuda de Tierra Santa» (pp. 201-203). El Hospital era tan impopular como el Temple. A principios del siglo XIV, se encontraba en una situación moral tan poco envidiable como la que se reprochaba a este último. Pudo sufrir un destino idéntico. Georges Lizerand, editor del *Dossier de l'affaire des Templiers*, advierte ya, comentando la frase de Felipe el Hermoso que acabamos de citar: «Esta reserva suponía tal vez, en el pensamiento de los consejeros del rey, el esbozo del nuevo proceso, dirigido ahora contra la orden del Hospital» (p. 201, n. 2).

Las órdenes militares internacionales suponen un obstáculo para el desarrollo de las monarquías centralizadas; no hay lugar para ellas en el Estado moderno; deben someterse, incluso desaparecer. El Temple fue el «chivo expiatorio».[26] Si pagó por las otras órdenes, se debió a fin de cuentas a poca cosa, al hecho de que el Hospital fuese también una orden caritativa y a que, sin reformarse, supiera reconvertirse (Rodas). Se disponía contra el Temple, de las denuncias de Esquieu de Floyran, que se ajustaban perfectamente a todos los estereotipos relativos a la herejía. Por último, Plaisians no lo ha ocultado, intervino la suerte. «La victoria fue alegre y admirable, porque Dios trajo a todos los dignatarios de la orden criminal desde diversas partes del mundo, con el pretexto de otra cuestión, al susodicho reino, para afrontar en él a la justicia a propósito de lo que precede» (p. 117). La eliminación del Temple no era sin duda más que la primera etapa. Si la segunda, la eliminación del Hospital, no pudo ser franqueada, se debe a que el proceso de los templarios se prolongó y no tomó exactamente el cariz que deseaban Felipe el Hermoso y sus consejeros. Sin embargo, habían puesto en marcha una máquina implacable para destrozar el Temple. ¿No es acaso el Estado totalitario uno de los avatares posibles del Estado moderno?

Acerca de la tortura

La tortura no significa ninguna novedad en los procedimientos judiciales de la Edad Media. «Formaba parte del arsenal normal de la justicia. A nadie se le ocurría que las confesiones estaban viciadas por los medios gracias a los cuales se obtenían», escribe Jean Favier.[27] En el proceso de los templarios, la tortura pasa a primer plano. En la misma época del proceso, se duda abiertamente de las confesiones obtenidas con ella. Ahí radica la novedad. Hay dos mundos. En primer lugar el de la tortura, donde los templarios confiesan todo lo que se quiere que confiesen: el reino de Francia y sus satélites, Navarra, Provenza y Nápoles, y los Estados pontificios. En segundo lugar, el mundo donde no se aplica, a no ser muy tarde y con reticencia, y donde los templarios no confiesan: Península Ibérica, Italia del Norte, Alemania, Inglaterra. No obstante, el segundo no es menos violento, menos salvaje que el primero.

Los templarios que se alzan para defender la orden saben distinguir entre ambos mundos. Los cuatro representantes de la orden que declaran ante la comisión pontificia el 7 de abril de 1310 en París...

> ... dicen que no han encontrado ningún hermano del Temple en todo el universo, fuera del reino de Francia, que diga o haya dicho esas mentiras, por lo cual se ve muy claramente la razón por la cual es en el reino de Francia donde esas mentiras son pronunciadas: porque aquellos que las dicen han prestado testimonio cuando estaban corrompidos por el miedo, por las súplicas o por el dinero (p. 183).

La tortura «moderna» nació en el Estado moderno, a finales del siglo XIII. Procede de la Inquisición, definitivamente organizada en 1235 con el fin de extirpar la herejía. Fue confiada entonces a las órdenes mendicantes, franciscanos y sobre todo dominicos, ya que esta última orden tenía como vocación la lucha contra la herejía.

La bula *Ad extirpendam*, que publica en 1252 Inocencio IV, prevé explícitamente la tortura como medio de obtener la verdad. Prescribe su uso, al tiempo que codifica su empleo. Clemente IV confirma la bula en 1265. En 1311, Clemente V ordena que se aplique la tortura a los templarios en donde no se haya hecho todavía. Por lo tanto, ha sido ya aplicada en las naciones en que la Inquisición es todopoderosa y en aquellas en que está en manos de un Estado que desea servirse de ella. Así sucede en Francia, no en Venecia.

Felipe el Hermoso declara que actúa a petición del inquisidor Guillermo de París. En realidad, le controla por completo. Al suspender el poder de los inquisidores, en noviembre de 1307, el papa elimina la cobertura legal para obtener el restablecimiento de los poderes de los inquisidores.

En Inglaterra, no había inquisidores. Por consiguiente, hubo que enviar inquisidores continentales, que no consiguieron aplicar la tortura más que a costa de largos meses de esfuerzo (sin grandes resultados, por lo demás). No fue utilizada ni en España ni en Venecia, por la voluntad de los poderes públicos. En Rávena, el arzobispo Rinaldo da Concorrezzo, que dirige la instrucción, se niega también a emplearla.

Los contemporáneos no comprendieron apenas el papel de la tortura. La mayoría de los historiadores de la época son clérigos, en general conformistas, que encuentran normal que se torture a los herejes. Como, tanto en Francia como en Inglaterra, han aceptado la versión de los hechos presentada por el rey de Francia, no se extrañan de las confesiones.[28] Consideran la tortura como algo normal. Para el autor de la *Chronographia regum Francorum*, «los templarios son guerreros que no sucumben fácilmente al miedo».

Un buen número de historiadores modernos comparte más o menos este punto de vista. Molay, dicen, nunca fue torturado. Sin embargo, confesó los enormes pecados reprochados al Temple. ¿Y qué demuestra eso? O bien dijo la verdad, y entonces los templarios son culpables y Felipe el Hermoso tuvo razón al perseguirles. O bien cedió al miedo y, por lo tanto, es un cobarde. La orden estaba dirigida por un hombre mediocre, reflejo de su propia mediocridad. A fin de cuentas, la inocencia o la culpabilidad del Temple importan poco. Sin embargo, a mi entender, los historiadores han juzgado con demasiado apresuramiento su proceso, reducido al de Molay.[29]

¿Cómo olvidar que, en el momento de su detención, Molay tiene más de sesenta años, lleva en la orden más de cuarenta y es maestre desde hace veinticinco? Un hombre agotado, al que van a zarandear de un interrogatorio a otro, de una comisión en la que se niega a tener confianza –y en eso se equivoca– a otra comisión en la que cree poder tener confianza –y se equivoca también–. Ha adoptado un sistema de defensa que consiste en ponerse enteramente en manos del papa. De inteligencia más bien escasa, no ha comprendido nada del forcejeo entre el papa y el rey, forcejeo para el cual da pretexto el proceso de su orden. De pronto, ya tarde, demasiado tarde, en marzo de 1314, se da cuenta de que la confianza ciega ha sido vana, que se han burlado de él. Cuando todo ha terminado, cuando el Temple ya no existe, cuando ya no tiene nada que hacer, cuando todo lo que ha sido su vida se ha hundido en la infamia, dice «no», sabiendo muy bien lo que le aguarda: la hoguera. Ese itinerario merece otra cosa que el desprecio en que suele tenerse a Molay, lo que no atenúa en nada sus responsabilidades. Merece también que nos interroguemos de nuevo sobre la tortura. La historia del siglo XX, más que suficiente en esta materia, nos aporta nuevos esclarecimientos.

En efecto, si los clérigos que escriben la historia no han comprendido gran cosa de la tortura, los agentes de Felipe el Hermoso y los inquisidores conocen sus efectos, saben usarla y saben dosificarla. Interrogado una mañana, un templario no recuerda haber cometido un acto determinado. Se suspende la audiencia y se reanuda por la tarde. El templario ha recuperado la memoria. Ningún documento nos dice lo que ha pasado entretanto. El testimonio de Arthur London en *La confesión* nos da la respuesta. Aunque el texto pertenezca a nuestro siglo, no resulta anacrónico. Nogaret y Plaisians saben que les basta hacer acto de presencia durante el interrogatorio para que el acusado, que acaso quería decir otra cosa de lo que se pretende hacerle decir, vuelva al camino recto de la «Verdad». Cuando los cardenales representantes del papa interrogan a Molay en Chinon durante el verano de 1308, Nogaret y Plaisians se encuentran allí. Molay confirma su confesión. La víctima no es animosa. ¿Pero Nogaret y Plaisians dejan por eso de ser verdugos?

Los verdugos, caballeros del rey o inquisidores, saben que mostrando primero los instrumentos de tortura se puede evitar el servirse de ellos. Saben «preparar» a un prisionero para mostrarlo al papa, de la misma manera que hoy saben condicionar a un acusado para mostrarlo en la televisión. Las declaraciones de los templarios hablan por sí mismas. Almerico de Villiers-le-Duc teme a la muerte. Se ha presentado voluntario para defender la orden, pero comparece ante la comisión pontificia el 13 de mayo de 1310, al día siguiente de la ejecución de cincuenta y cuatro de sus compañeros. «Pálido y aterrorizado», declara...

> ... que todos los errores imputados a la orden eran enteramente falsos, aunque, a causa de las numerosas torturas que le infligieron, por lo que dice, G. de Marsillac y Hugo de la Celle, caballeros reales, que le interrogaron, tuvo que confesar, él, el testigo, algunos de los susodichos errores. Afirmó que había visto la víspera con sus propios ojos conducir en un vehículo a cincuenta y cuatro hermanos de la susodicha orden para ser quemados [...] y que él mismo, temiendo no ofrecer una buena resistencia si era quemado, confesó y declaró bajo juramento, por miedo a la muerte [...], que todos los errores imputados a la orden eran ciertos, y que confesaría incluso haber matado al Señor si se lo pidieran (pp. 189-191).

Interrogado antes, el 27 de noviembre de 1309, Ponsard de Gizy, el primero en presentarse para defender la orden, declara:

> Aunque estaba dispuesto a sufrir, con tal de que el suplicio fuese corto, la decapitación, o el fuego, o el ser escaldado, era incapaz de soportar los largos tormentos por los cuales había pasado ya al sufrir un encarcelamiento de más de dos años (pp. 157-159).

La tortura practicada por la Inquisición no es sólo un mal momento por el que se ha de pasar dentro del procedimiento judicial ordinario, ni el supremo grado de crueldad consistente en hacer morir a fuego lento a un culpable. No se propone únicamente obtener una información. Está destinada, «no a hacer surgir la verdad, sino a convertir a un sospechoso en culpable». Repetimos aquí la frase, ya citada, que pronunció en 1308 un templario inglés, a la que hace eco un texto del siglo XX:

Bajo el efecto de la tortura, vives como bajo el imperio de las hierbas que causan visiones. Todo lo que has oído contar, todo lo que has leído te vuelve a la mente, como si fueras transportado, no hacia el cielo, sino hacia el infierno. Bajo la tortura, dices no sólo lo que quiere el inquisidor, sino también lo que te imaginas que le será agradable, puesto que se establece un lazo –cierto que verdaderamente diabólico– entre tú y él... Bajo la tortura, X puede haber dicho las mentiras más absurdas, ya que no era él quien hablaba, sino su lujuria, los demonios de su alma... Si les hizo falta tan poco a los ángeles rebeldes para cambiar su ardiente adoración y humildad en orgullo y rebelión candente, ¿qué decir de un ser humano?[30]

Evidentemente, nuestros clérigos historiadores de principios del siglo XIV no podían comprender que unos guerreros «que no sucumbían con facilidad al miedo» se condujesen de manera tan lamentable en las mazmorras de Felipe el Hermoso. Desde luego, los templarios de 1307 no tienen más que una experiencia limitada de la lucha contra el infiel. Pero quedan muchos todavía de los que combatieron en Safed, Acre o Ruad (en 1301-1302). Conocen la gesta de los templarios de Acre, sepultados bajo los escombros de su «casa presbiterial»; conocen la suerte de los de Ruad y, antes que ellos, los de Safed, los de Trípoli. De los templarios prisioneros, ¿cuántos alzaron el dedo y recitaron la ley (del infiel) para no verse entregados al verdugo? Una ínfima minoría. No cabe duda de que, entre los templarios torturados en 1307-1311 que confesaron toda suerte de enormidades, muchos se hubieran comportado heroicamente en los muros de Acre.

Eran guerreros formados para un tipo de combate y acostumbrados a un enemigo: el infiel. Estaban preparados para un tipo de sacrificio. Los musulmanes no perdían el tiempo en torturar a sus prisioneros templarios y hospitalarios. Les cortaban ritualmente el cuello. Todo templario prisionero sabía la suerte que le esperaba.

Ahora bien, esos hombres se ven envueltos en un mecanismo que, en el siglo XX, ha desmontado claramente el análisis de los procesos estalinianos. Miles de ellos han muerto por Tierra Santa. A los demás, se les dice ahora que son aliados «objetivos» de los sarracenos y que, a causa de eso y de sus pecados, han perdido Tierra Santa. Defensores de la fe católica, se les clasifica de herejes. Escupir en el suelo se convierte en pecado mortal, y las bromas cuarteleras les son imputadas como un crimen. Se les demuestra que el único servicio que pueden hacer todavía a la humanidad consiste en confesar. El rey de Francia, rey cristianísimo, y el papa, su protector, se lo piden. Y como no comprenden nada, se recurre a la gehenna.

Los templarios se muestran incapaces de combatir a tal enemigo. Desorientados, zarandeados por los acontecimientos, sin entender el motivo de tales acusaciones, se han visto para colmo privados de guías. A este respecto, la responsabilidad de Molay y de los dignatarios de la orden es terrible. Y los templarios se «derrumban». ¿Los héroes están cansados? Sin duda. Pero, más simplemente, se puede ser héroe en los muros tambaleantes de los últimos bastiones de Tierra Santa y no serlo sobre el potro de los verdugos de Nogaret. Sobre todo si, además, se tiene la vaga conciencia de que el ideal por el que se lucha se ha desmoronado.

En el momento mismo del proceso, hubo hombres que se alzaron contra el procedimiento seguido y rechazaron las confesiones obtenidas bajo tortura.

Raimundo Sa Guardia, el preceptor de Mas Deu (Rosellón), el que dirige la resistencia de los templarios de Aragón, declara a sus acusadores:

> No habiendo podido probar ninguno de los crímenes que nos imputan, esos seres perversos apelaron a la violencia y a la tortura, ya que sólo mediante ellas arrancaron confesiones a algunos de nuestros hermanos...[31]

Raimundo Sa Guardia era templario.

Rinaldo da Concorrezzo, arzobispo de Rávena, no lo era. Juzgó a los templarios de su provincia y los declaró inocentes. A pesar de las órdenes del papa, se negó a abrir de nuevo el proceso y a utilizar la tortura. Y pronunció contra el empleo de ésta una condena sin apelación:

> Se debe considerar como inocentes a los que confesaron por temor a las torturas si, más tarde, se desdijeron de sus confesiones; o a aquellos que no se atrevieron a desdecirse de sus confesiones por miedo a esta clase de tortura, por temor a que le fuesen infligidos nuevos suplicios, siempre, claro está, que esto sea demostrado (18 de junio de 1311).[32]

Más revelador quizá de la opinión común es este bellísimo texto escrito durante el concilio de Vienne por el cisterciense Jacobo de Therines y con el cual quiero concluir este libro. Jacobo de Therines duda. Sin llegar a decir que la propaganda de Felipe el Hermoso fue un fracaso, su duda demuestra que dicha propaganda encontró sus límites:[33]

> Los hechos reprochados a los templarios y que muchos de ellos, en el reino y fuera de él, en especial los principales maestres de la orden, confesaron públicamente, esos hechos son sin la menor duda execrables. Deben inspirar horror a todo cristiano. Si lo que se dice es cierto, esos hombres habían caído en un error vergonzoso y criminal desde el doble punto de vista de la fe y de la moral natural [...]. Extraño tema que causa asombro, estupor. ¿Cómo? ¿Cómo pudo de pronto la luz de la fe, qué digo, la antorcha de la ley natural oscurecerse de manera tan vergonzosa y horrible en tantos hombres, algunos tan considerables, tan avanzados en la carrera, unos plebeyos, otros nobles, pertenecientes a diversas razas, hablando diversas lenguas, pero todos criados en familias legítimas, todos crecidos en medio de muy fieles cristianos? Entraban en esta orden para vengar las injurias hechas a Cristo, para defender o recuperar los Santos Lugares, para combatir a los enemigos de la fe. ¿Y el Príncipe de las Tinieblas pudo pervertirlos tan pronto, transformarlos hasta ese punto y, de esta manera vergonzosa, poseerlos de una manera tan desdichada y prodigiosa?
>
> Por otra parte, si todo esto no fuera más que mentira, ¿cómo puede ser que los principales miembros de la orden, hombres ejercitados en el oficio de las armas, de los cuales no debía apoderarse fácilmente un temor desordenado, hayan confesado tales torpezas, tales horrores ante toda la universidad de París, confesión que otros muchos renovaron después ante el soberano pontífice, para su confusión y la confusión de su orden? Pero entonces, si esto es cierto, y si esto es cierto para todos, ¿cómo puede ser que, en los concilios provinciales de Sens y de Reims, muchos templarios se hayan dejado quemar voluntariamente, retractándose de sus primeras confesiones, cuando sabían que escaparían al suplicio con sólo renovar esas confesiones? Todo esto induce a mucha gente, de una parte y de otra, a concebir dudas.
>
> Otra cosa: después de la apertura del concilio general, se han leído públicamente en la catedral de Vienne los resultados de las investigaciones efectuadas en diversos reinos. Ahora bien, sobre muchos puntos, son contradictorios. Quiera Aquel que conoce todos los corazones y a quien ningún secreto se le escapa, el Esposo de la Iglesia, Jesucristo, revelar la entera y pura verdad a este respecto antes de la clausura de este concilio, a fin de que la Iglesia salga glorificada, purificada, pa-

cificada. Que una vez conocida la verdad, el celo muy puro y muy ardiente del rey procure un resultado saludable y conforme a la razón; que, en fin, el soberano pontífice, vicario de Jesucristo, dirija en medio de las tempestades la nave que le ha sido confiada de forma que evite el naufragio y la conduzca al puerto de la eterna felicidad, definiendo y disponiendo todas las cosas, en esta coyuntura y en otras, por el honor de Jesucristo y la exaltación de la fe...[34]

Notas

LISTA DE LAS ABREVIATURAS
más utilizadas en las notas

BEC	*Biblioteca de la École Française des Chartes.*
ORF	*Ordenanzas de los reyes de Francia.*
RHF	*Recueil des historiens de France.*
RHC	*Recueil des historiens des croisades.*
G. de Tiro	Guillermo de Tiro, *Historia rerum in partibus transmarinis gestarum,* RHC, París, 1844-1849, 2 t. en 3 vols.
Ambrosio	Ambrosio, *L'estorie de la guerre sainte,* historia en verso de la tercera cruzada, editada y traducida al francés por G. Paris, 1897.
Templario de Tiro	*Chronique du Templier de Tyr, 1242-1309,* publicada por G. Raynaud en *Les gestes des Chiprois, Recueil de chroniques françaises écrites en Orient aux XIIIe-XIVe siècles,* Ginebra, 1887.
Cart. de Douzens	*Le cartulaire des templiers de Douzens,* publicado por P. Gérard y E. Magnou, París, 1966.
Barber, *Trial*	Barber, M., *The Trial of the Templars,* Cambridge, 1978.
M. L. Bulst-Thiele	Bulst-Thiele, M. L., *Sacrae domus militiae Templi Hierosolymitani magistri, Untersuchungen zur Geschichte des Templerordens,* Gotinga, 1974.
Lizerand	Lizerand, G., *Le dossier de l'affaire des templiers,* París, 1923.
Michelet	Michelet, J., *Procès des templiers,* París, 1841-1851, 2 vols.
Forey	Forey, A. J., *The Templars in the Corona de Aragon,* Oxford, 1973.

PRIMERA PARTE

Capítulo 1

1. G. de Tiro, XII, 7.

2. Jacobo de Vitry, *Historia Hierosolymitana,* citado por M. Melville, *La vie des templiers,* París, 1951, pp. 18-19.

3. En J. Richard, *L'esprit de la croisade,* París, 1969, p. 63. Sólo conocemos de la alocución del papa en Clermont lo que dicen los historiadores de la época. Foucher pasa por ser el más fiel al espíritu, si no a la letra, del discurso. Tal como él lo relata, la predicación no menciona Jerusalén como objetivo. Pero ¿podía haber otro?

4. J. Richard, *Ibid.,* pp. 99-101.

5. J. Riley-Smith, *The Knights of Saint John in Jerusalem and Cyprus, c. 1050-1310,* Londres, 1967.

6. M. L. Bulst-Thiele, pp. 19-29. M. Barber, «The Origins of the Order of the Temple», *Studia Monastica,* 12 (1970), pp. 219-240.

7. A. J. Martin, «Le premier grand maître des templiers était-il vivarois?», *Revue du Vivarais,* 1982.

8. Ernoul, p. 8.

9. Se ha puesto en duda la autenticidad de esta carta. Algunos la creen más tardía. M. Barber la considera auténtica y sitúa su fecha en 1127-1128.

Capítulo 2

1. M. Melville, «Les débuts de l'ordre du Temple», en *Die geistlichen Ritterorden Europas,* «Vorträge und Forschungen», XXVI, Sigmaringen, 1980, p. 23.

2. R. Regout, *La doctrine de la guerre juste, de saint Augustin à nos jours,* París, 1935. Los textos citados provienen de este libro.

3. J. Leclercq, «Saint Bernard's Attitude Toward War», *Studies in Medieval Cistercian History,* 2, *Cistercians Studies,* 24 (1976).

4. G. Sicard, «Paix et guerre dans le droit canonique», en *Cahiers de Fanjeaux,* 4 (1969), p. 82.

5. *Ibid.,* p. 81.

6. Suger, *Vie de Louis VI le Gros*, editada y traducida al francés por H. Waquet, París, 1929, pp. 131-141.

7. En este apartado, resumo las principales conclusiones de I. J. Robinson, «Gregory VII and the Soldier of Christ», *History*, 58 (1973).

8. P. Alphandéry y A. Dupront, *La chrétienté et l'idée de croisade*, París, 1954-1959. A. Waas, *Geschichte des Kreuzzüge*, Friburgo, 1956. F. Cardini, «Gli studi sulle crociate dal 1945 ad oggi», *Rivista storica italiana*, 80 (1968).

9. P. Vial, «L'idéologie de la guerre sainte et l'ordre du Temple», *Mélanges Etienne Fournial*, Saint-Étienne, 1978.

10. Guillermo de Tudela, *Chanson de la croisade contre les Albigeois*, editada y traducida al francés por P. Meyer, París, Société de L'Histoire de France, 1875, t. I, pp. 71-78.

11. E. Lourie, «The Confraternity of Belchite, the Ribat and the Temple», *Viator, Mediaeval and Renaissance Studies*, 13 (1982).

12. Forey, p. 3.

13. E. Lourie, «The Confraternity of Belchite, the Ribat and the Temple», art. cit.

Capítulo 3

1. G. de Valous, «Quelques observations sur la toute primitive observance des templiers et la *Regula pauperum commilitinum Christi Templi Salomonis*», *Mélanges saint Bernard*, Dijon, 1954. A. Linage Conde, «Tipología de la vida monástica en las órdenes militares», *Yermo*, 12 (1974).

2. Recojo aquí algunas fórmulas contundentes de la obra, bastante discutible, de D. Seward, *The Monks of War: The Military Religious Orders*, Londres, 1972.

3. J. Leclercq, «Saint Bernard's Attitude Toward War», art. cit., p. 29.

4. *Lettres des premiers chartreux, Sources chrétiennes*, 1962, pp. 155-160.

5. J. Leclercq, «Un document sur les débuts des templiers», *Revue d'histoire ecclésiastique*, 52 (1957).

6. J. Fleckenstein, «Die Rechtfertigung der geistlichen Ritterorden nach der Schrift *De laude militiae* Bernards von Clairvaux», en *Die geistlichen Ritterorden Europas, op. cit.*, pp. 9-22.

7. E. de Solms, *Saint Bernard, Textes choisis et présentés par Dom J. Leclercq*, Namur, 1958.

8. Citado y traducido al francés por P. Vial, «L'idéologie de la guerre sainte et l'ordre du Temple», art. cit., p. 330.

9. *Cart. de Douzens*, A 40.

10. J. Richard, «Les templairs et hospitaliers en Bourgogne et Champagne du Sud», en *Die geistlichen Ritterorden Europas, op. cit.*

Segunda parte

Capítulo 1

1. M. L. Bulst-Thiele, p. 25.
2. *Ibid.*
3. *Ibid.*, p. 28.
4. Forey, p. 7.
5. *Cart. de Douzens*, p. 357.
6. D. Le Blévec, «Les templiers en Vivarais, les archives de la communauté de Jalès et l'implantation de l'ordre du Temple en Cévennes», *Revue du Vivarais*, 84 (1980), pp. 36-40.
7. M. M. Carof, *L'ordre du Temple en Occident, des origines à 1187*, École Nationale des Cartes, *Positions des thèses*, 1944, pp. 17-22.
8. Forey, p. 8.
9. E. Lourie, «The Will of Alfonso I, "el Batallador", King of Aragon and Navarre: A Reassessment», *Speculum*, 50 (1944), pp. 636-651.

Capítulo 2

1. *Cart. de Douzens*, A 115. Los hombres del siglo XII cayeron probablemente en esa confusión. Dos actas del cartulario lo demuestran. La primera (C 4) es un acta de donación efectuada en 1133 «a Dios y al Santo Sepulcro y a la caballería del Temple»; la segunda (C 6), una copia tardía de la primera, suprime la referencia al Santo Sepulcro.
2. M. Benvenisti, *The Crusaders in the Holy Land,* Jerusalén, 1970, pp. 49-73.
3. Ernoul, p. 118; J. Prawer, *Histoire du royaume latin de Jérusalem,* París, Ed. del CNRS, 1969-1970, t. I, p. 624.
4. A. Hatem, *Les poèmes èpiques des croisades,* París, 1932, p. 312.
5. Templario de Tiro, p. 171.
6. En 1172, Raimundo de Rieux hace una donación a Dios, a la milicia y al *magistro majori* (*Cart. de Douzens,* B 75). Y en el siglo XIII, el traductor de Guillermo de Tiro utiliza la expresión Gran maestre cuando Guillermo escribe simplemente maestre.
7. G. de Valous, «Quelques observations sur la toute primitive observance des templiers et la *Regula pauperum commilitinum Christi Templi Salomonis»*, art. cit., pp. 34-40.
8. G. Schnürer, *Die Ursprünglischen Templeregel,* Görres Gesellschaft, III, 1903, pp. 135-153. Recogido por M. Barber, «The Origins of the Order of the Temple».
9. M. Melville, *La vie des templiers, op. cit.,* p. 44, y R. Pernoud, *Les templiers,* París, PUF, col. «Que sais-je?», 1974, p. 24, se equivocan sobre este punto.
10. Véase a este propósito G. Duby, *Le dimanche de Bouvines,* París, 1973, y G. Duby, «Les "jeunes" dans la société aristocratique de la France au

Nord-Ouest au XIIe siècle», *Hommes et structures du Moyen* Âge, París, 1973, pp. 213-226.

11. R. Pernoud, *Les templiers, op. cit.,* p. 24; M. Melville, *La vie des templiers, op. cit.,* p. 44.

12. J. H. Round, *Geoffrey of Mandeville. A Study of the Anarchy,* Londres, 1892. W. C. Hollyster, «The Misfortunes of the Mandevilles», *History,* 58 (1973), pp. 18-28. J. G. Nicols, «The Effigy Atributed to G. de Magnaville and the Other Effigies in the Temple Church», *Herald and Genealogist,* 4 (1865), pp. 97-112.

13. B. Alart, «La suppression de l'ordre du Temple en Roussillon», *Bulletin de la Société Agricole, Scientifique et Littéraire des Pyrénées-Orientales,* 15 (1867), pp. 22-115. J. Delaville Le Roulx, «Un noveau manuscrit de la règle du Temple», *Annuaire-bulletin de la Société de l'Histoire de France,* 26 (1889), p. 186.

14. J. Oliver, «The Rule of the Templars and a Courtly Ballade», *Scriptorium,* 35 (1981), pp. 303-306.

15. L. Dailliez, Les *templiers et les règles de l'ordre du Temple,* París, 1972, p. 11.

16. I. Sterns, «Crime and Punishment among the Teutonic Knights», *Speculum,* 57 (1982). J. Riley-Smith, *The Knights of Saint John in Jerusalem and Cyprus, c. 1050-1310, op. cit.,* pp. 249-250.

17. H. de Curzon, *La règle du Temple,* París, 1886, p. XV.

18. M. Melville, *La vie des templiers, op. cit.,* p. 28.

19. D. Seward, *The Monks of War: The Military Religious Orders, op. cit.,* p. 61.

20. *ORF,* t. I, p. 54.

21. B. de Cotton, *Historia Anglicana,* R. Luard (ed.), Londres, 1859, p. 60. Se invoca a este propósito el testimonio más prestigioso de Mathieu Paris, pero no aparece rastro de su posible texto.

22. Y. Metman, «Le sceau des templiers», *Club Français de la Médaille, Bulletin,* 39-40 (1973).

23. L. Gautier, *La chevalerie,* París, 1895, p. 625. El artículo 42 de los estatutos del Hospital de París incluye una disposición semejante.

24. F. Tommasi, «L'ordine dei templari a Perugia», *Bolletino della Regia Deputazione di Storia Patria per l'Umbria,* 78 (1981), puntualiza de manera definitiva la cuestión del pendón del Temple, representado en un fresco de la iglesia templaria de san Bevignate (véanse las fotos de las páginas 166-167).

25. M. L. Dufour-Messimy, «Sous le signe de Baussant (étendard des templiers)», *Amis de Villedieu,* 5 (1973).

26. P. Vial, «L'idéologie de la guerre sainte et l'ordre du Temple», art. cit., p. 331. Cita ampliamente el texto. Durante mucho tiempo, se ha fechado la bula en 1162. Ciertos autores (T. Parker, por ejemplo) hacen aún referencia a esa fecha errónea.

27. *Cart. de Douzens,* B 9.

28. A. J. Forey, «The Order of Mountjoy», *Speculum,* 46 (1971), p. 234.

29. Devic y Vaissette, *Histoire du Languedoc,* t. V, *Preuves,* columna 1718.

30. P. Vial, «Les templiers en Velay aux XIIe et XIIIe siècles», *Actes du 98e*

Congrès National des Sociétés Savantes, Saint-Étienne, 1973, París, Biblioteca Nacional, t. II, pp. 79-80.

31. G. de Tiro, XVIII, 3.

32. C. J. Hefele, *Histoire des conciles,* t. V, 2.ª parte, pp. 1095-1096.

33. *Registres de Clement IV (1265-1268),* E. Jordan (ed.), París, 1914, n.º, 836.

34. Forey, p. 131.

35. J. Petit, «Le mémoire de Foulques de Villaret sur la croisade», *BEC,* 60 (1899), pp. 602-610.

Capítulo 3

1. I. Sterns. «Crime and Punishment among the Teutonic Knigths», art. cit., pp. 89-111.

2. Forey, p. 272.

3. *Cart. de Douzens,* A 159. P. Vial, «Les templiers en Velay aux XIIᵉ et XIIIᵉ siècles», art. cit., p. 73.

4. J. Riley-Smith, *The Knights of Saint John in Jerusalem and Cyprus, c. 1050-1310, op. cit.,* p. 243, hace la distinción entre *confratres* y donados en la orden del Hospital. Precisa, sin embargo, que no es demasiado clara y que tiende a desaparecer con el tiempo.

5. *Cart. de Douzens,* A 173-175 y 181. Véase también la p. XXXIII.

6. Forey, pp. 289-290.

7. Forey, pp. 36 y 376.

8. É. Magnou, «Oblature, classe chevaleresque et servage dans les maisons méridionales du Temple au XIIᵉ siècle», *Annales du Midi,* 73 (1961), pp. 388-394.

9. *Cart. de Douzens,* A 199, B 75, A 158.

10. É. Magnou, «Oblature, classe chevaleresque et servage...», art. cit., pp. 389-391. El artículo 55 de la regla precisa muy bien la originalidad del Temple sobre este punto en comparación con las demás órdenes.

11. P. Ourliac, «Le pays de la Selve à la fin du XIIᵉ siècle», *Annales du Midi,* 80 (1968).

12. Forey, pp. 285 y 303, n. 190.

13. *Cart. de Douzens,* A 1, B 75.

14. P. Vial, «Les templiers en Velay aux XIIᵉ el XIIIᵉ siècles», art. cit., p. 73.

15. P. Ourliac, «Le pays de la Selve à la fin du XIIᵉ siècle», art. cit., p. 582.

16. Véase Cabié (Vaours); Higounet, «Le cartulaire des templiers de Montsaunès», *Bulletin philologique et historique du Comité des Travaux Historiques et Scientifiques,* 1955-1956, París, 1957 (Montsaunès); Vial, art. cit. (Velay); Ourliac, art. cit. (país de la Selve).

17. Forey, p. 312. T. Parker, *The Knights Templars in England,* Tucson (Arizona), 1963.

18. J. Edwards, «The Templars in Scotland in the 13ᵗʰ Century», *Scottish Historical Review,* 5 (1907), pp. 18-19.

19. Abate C. Guéry, *La commanderie de Saint-Étienne de Renneville (Eure)*, Évreux, 1896; citado por M. Bertrand, «Les templiers en Normandie», *Heimdal*, 26 (1978), p. 32.

20. Ernoul, p. 437.

21. Michelet, I, pp. 379-386; publicado y traducido al inglés por Barber, *Trial*, pp. 253-257. Indico entre paréntesis los artículos de la regla que corresponden a las fases de la ceremonia.

22. Templario de Tiro, p. 181.

23. R. Aitken, «The Knights Templars in Scotland», *Scottish Review*, 32 (1898), p. 15.

24. M. Melville, «Les débuts de l'ordre du Temple», art. cit., p. 26.

25. T. Parker, *The Knights Templars in England, op. cit.* Hace de Normandía, Aquitania, Poitou, Francia y Provenza las cinco provincias inscritas en el marco de la Francia actual. Para L. Dalliez, son Poitou, Provenza, Francia y Borgoña. Yo sigo la clasificación adoptada por E. G. Léonard, *Gallicarum militiae Templi domorum*, París, 1930.

26. A. Soutou, «Les templiers de l'aire provençale: à propos de la Cabane de Monzon (Tarn-et-Garonne)», *Annales du Midi*, 88 (1976), pp. 93-96. Véase también *supra*, segunda parte, capítulo 11, «Una regla».

27. E. G. Léonard, *Gallicarum militiae Templi domorum, op. cit.*, pp. 96 y 115: «Juan el Francés, maestre de Aquitania» (1269-1276), después «comendador de las casas de la caballería del Temple en Francia».

28. *Ibid.*, p. 116.

29. *Ibid.*, pp. 15-17.

30. Mathieu Paris, *Chronica majora*, H. K. Luard (ed.), Londres, 1872-1883, t. IV, p. 291. Repetido también en su *Historia Anglorum*, F. Madden (ed.) Londres, 1866-1869, t. I, p. 484.

31. L. Dailliez, *Les templiers: 1. En Provence*, Niza, 1977, y *La France des templiers*, París, 1974, p. 29. Barber, *Trial*, p. 103.

32. *Cart. de Douzens*, pp. XL, XLI.

33. Forey, cap. III.

34. M. Melville, *La vie des templiers, op. cit.*, p. 100.

35. Forey, pp. 22 y 33. R. Burns, *The Crusader Kingdom of Valencia*, Harvard, 1976, pp. 190-196.

36. L. Dailliez, *Les templiers: 3. En Flandre, Hainaut, Brabant, Liège et Luxembourg*, Niza, 1978, p. 228. El autor se contradice al decir (p. 228) que los grandes ejes no están jalonados por encomiendas (había emitido precedentemente la misma idea con relación a Provenza) y luego (p. 229): «Las vemos concentrarse en los grandes ejes».

37. R. Caravita, *Rinaldo da Concorrezzo, arcivescovo di Ravenna (1303-1321) al tempo di Dante*, Florencia, 1964. F. Bramato, «Registre diplomatici per la storia dei templari in Italia», *Rivista araldica*, Roma, 77 (1978), 78 (1979), 80 (1981), 81 (1982).

38. P. Barrau de Lordre, «L'hospice de France», *Revue de Comminges*, 64 (1951), pp. 265-272.

39. F. Guériff, «Les chevaliers templiers et hospitaliers dans l'ancien pays de

Guérande», *Bulletin de la Société Archéologique et Historique de Nantes et de Loire-Atlantique,* n.º 106 para 1967, 1970, pp. 6-32.

40. M. Decla, «Deux maisons du Temple et de Saint-Jean en Chalosse: Camon (commune de Labatut) et Gaas», *Bulletin de la Société de Borda (Dax),* 96 (1972), pp. 435-441.

41. J. A. Durbec, «Les templiers en Provence; formation des commanderies et répartition géographique de leurs biens», *Provence historique,* 8 (1959), pp. 123-129, y «Les templiers dans les Alpes-Maritimes», *Nice historique,* 1938.

42. A. Soutou, «Les templiers de Tiveret», *Annales du Midi,* 83 (1971), pp. 87-94.

TERCERA PARTE

Capítulo 1

1. C. Cahen, *La Syrie du Nord à l'époque des croisades et la principauté franque d'Antioche,* París, 1940, p. 369.

2. En efecto, al lado de las cruzadas dirigidas a Tierra Santa, se inician otras cruzadas, asimismo alentadas por el papado: una cruzada anglo-flamenca ayuda a Alfonso I de Portugal a apoderarse de Lisboa el 24 de octubre de 1147; una cruzada española conquista Almería el 17 de octubre de 1147 y va fuego a sitiar Tortosa. En estas operaciones participan templarios portugueses y aragoneses. W. G. Berry, *The Second Crusade,* en K. M. Setton, *A History of the Crusades,* t. I, University of Wisconsin Press, 1969, pp. 482-483. G. Constable, «The Second Crusade as Seen by Contemporaries», *Traditio,* 9 (1953), p. 227. M. L. Bulst-Thiele, pp. 42-43.

3. M. L. Bulst-Thiele, p. 38.

4. Eudes de Deuil, *La croisade de Louis VII, roi de France,* editada por H. Waquet, París, 1949. Este texto está íntegramente traducido en Duque de Castries, *La conquête de la Terre sainte par les croisés,* París, «Le mémorial des siècles», 1973, pp. 425-426. Según M. L. Bulst-Thiele, p. 43, Gilberto es sin duda un templario flamenco, Gislebert de Druisencourt.

5. Bella expresión, que sirve de título al capítulo de J. Prawer, *Histoire du royaume latin de Jérusalem, op. cit.,* p. 343.

6. J. Riley-Smith, «The Templars and the Castle of Tortosa in Syria: An Unknown Document Concerning the Acquisition of the Fortress», *The English Historical Review,* 84 (1969), pp. 284 ss.

7. San Bernardo, en una carta al obispo de Lincoln. Véase *supra,* primera parte, capítulo III.

Capítulo 2

1. J. Riley-Smith, «The Templar and Teutonic Knights in Cilician Armeny», en T. S. R. Boase (ed.), *The Cilician Kingdom of Armenia,* Edimburgo, 1978. En la misma colección, A. W. Lawrence, «The Castle of Baghras».

2. G. Constable, «The Second Crusade as Seen by Contemporaries», art. cit., p. 232.

3. Forey, cap. IV.

4. J. Prawer, *Histoire du royaume latin de Jérusalem, op. cit.,* t. I, p. 333.

5. Oliverio el Escolástico, *Historia Damiatina* Hoogeweg (ed.), 1984, cap. V, 169.

6. A. Hatem, *Les poémes èpiques des croisades, op. cit.,* p. 386.

7. M. L. Bulst-Thiele, pp. 47-51.

8. J. Prawer, *Histoire du royaume latin de Jérusalem, op. cit.,* t. I, pp. 391-394.

9. *Ibid.,* p. 392.

10. Citado por M. Melville, *La vie des templiers, op. cit.,* p. 63.

11. Ernoul, p. 12; G. de Tiro, XVII, 5 y 6. El problema del sitio de Damasco ha dado lugar en conjunto a hipótesis nuevas, cf. A. J. Forey, «The Failure of the Siege of Damascus», *Journal of Medieval History,* 10 (1984). Forey piensa que fueron los contraataques musulmanes los que obligaron a los francos a abandonar el sector de los huertos por una posición menos favorable. Se habló de traición exclusivamente para enmascarar un fracaso militar. El autor concede además un gran valor al testimonio de Guillermo de Tiro.

12. H. E. Mayer, «Queen Melisende of Jerusalem», *Dumbation Oaks Papers,* 26 (1972), pp. 127ss. Señalemos que A. J. Foyer (artículo precedente) no utiliza, para criticarla, más que una parte de la argumentación de Mayer. No dice nada del conflicto entre Melisenda y Balduino III, lo que limita el alcance de su demostración.

13. San Bernardo mantiene una relación epistolar continuada con la reina. En 1152, la pone en guardia contra los peligros de una sensualidad excesiva. Le recomienda también que proteja a los templarios. Cf. J. Prawer, *Histoire du royaume latin de Jérusalem, op. cit.,* t. I, p. 401.

14. H. E. Mayer, «Queen Melisende of Jerusalem», art. cit., p. 144.

15. M. L. Bulst-Thiele revisa los problemas planteados por el texto de Guillermo de Tiro, p. 56.

16. *Ibid.,* pp. 55-56.

17. Véase J. Richard, *Le comté de Tripoli sous la dynastie toulousaine (1102-1187),* París, 1945; C. Cahen, *La Syrie du Nord à l'époque des croisades et la principauté franque d'Antioche, op. cit.;* J. Riley-Smith, «The Templar and Teutonie Knights in Cilician Armeny», art. cit.

18. La expresión es de M. L. Bulst-Thiele, p. 53.

Capítulo 3

1. G. de Tiro, XVII, 26.

2. J. Petit, «Le mémoire de Foulques de Villaret sur la croisade», art. cit., p. 606.

3. M. W. Baldwin, *Raymond III of Tripolis and the Fall of Jerusalem (1140-1187),* Princeton, 1936, p. 21. J. Prawer, *Histoire du royaume latin de Jérusalem, op. cit.,* t. I, p. 574.

4. Todos los autores lo subrayan. Véase en particular J. Riley-Smith, *The*

Knights of Saini John in Jerusalem and Cyprus, c. 1050-1310, op. cit., pp. 22 y 80-81.

5. G. de Tiro, XXI, 18-20; Ernoul, pp. 34-42.

6. J. Prawer, *Histoire du royaume latin de Jérusalem, op. cit.,* t. I, p. 556; Ernoul, pp. 53-54.

7. J. Prawer, *Histoire du royaume latin de Jérusalem, op. cit.,* t. I, p. 561, n. 32, citando a Abú Chama.

8. M. W. Baldwin, «The Latin States under Baldwin III and Amalric I (1143-1174)», en K. M. Setton, *A History of Crusades, op. cit.,* t. I, p. 552.

9. J. Riley-Smith, *The Knights of Saint John in Jerusalem and Cyprus, c. 1050-1310, op. cit.,* p. 74.

10. G. de Tiro, XX, 5.

11. *Cartulaire général de l'ordre des hospitaliers de Saint-Jean de Jérusalem (1100-1310),* J. Delaville Le Roulx (ed.), París, 1894-1906, 4 vols., t. I, pp. 275-276.

12. S. Runciman, *A History of the Crusades,* Cambridge, 1951-1955, t. II, p. 380.

13. J. Riley-Smith, *The Knights of Saint John in Jerusalem and Cyprus, c. 1050-1310, op. cit.,* p. 80.

14. G. de Tiro, XXII, 7.

15. J. Richard, *Le comté de Tripoli sous la dynastie toulousaine (1102-1187), op. cit.,* pp. 62-65.

16. Véase *supra,* tercera parte, capítulo II, n. 17.

17. G. de Tiro, XIX, 11.

18. G. de Tiro, XVIII, 9.

19. G. de Tiro, XX, 32. Sobre la secta de los asesinos, véase B. Lewis, «The Ismaelites and the Assassins», en K. M. Setton, *A History of the Crusades, op. cit.,* t. I, pp. 99-132, y recientemente B. Lewis, *Les Assassins. Terrorisme et politique dans l'Islam médiéval,* París, 1982.

Capítulo 4

1. Sobre los problemas de la guerra en la Edad Media, véase P. Contamine, *La guerre au Moyen Âge,* París, PUF, col. «Nouvelle Clio», 1980.

2. De creer a Guillermo el Bretón, los occidentales ignoran todavía la ballesta hacia 1180. Guillermo el Bretón, *La Philippide,* en H. F. Delaborde (ed.), *Oeuvres de Rigord et Guillaume le Breton,* París, 1885, t. II, p. 52.

3. Ana Comneno, *L'Alexiade,* editada y traducida al francés por B. Leib. París, «Belles Lettres», 1945, t. III, p. 198.

4. *De expugnatione Terrae Sanctae per Saladinum libellus,* editado por J. Stevenson. Londres, 1875, p. 224; citado por J. Prawer, «The Battle of Hattin», *Crusader Institutions,* Oxford, 1980, p. 497.

5. R. C. Smail, *Crusading Warfare (1097-1193),* Cambridge, 1956. F. Cardini, «Gli studi sulle crociate dal 1945 ad oggi», art. cit., p. 98.

6. *Cartulaire général de l'ordre de l'Hôpital de Saint-Jean de Jérusalem (1100-1310), op. cit.,* t. I, pp. 275-276.

7. G. de Tiro, XX, 20 y XXI, 21, 22.

8. *Les gestes des Chiprois*, p. 20.

9. Ambrosio, pp. 398-402.

10. G. de Tiro, XXII, 2.

11. M. W. Baldwin, *Raymond III of Tripolis and the Fall of Jerusalem (1140-1187), op. cit.,* pp. 61 ss.

12. M. Melville, *La vie des templiers, op. cit.,* pp. 108-109.

13. Ernoul, p. 131.

14. J. Prawer, *Histoire du royaume latin de Jérusalem, op. cit.,* t. I, p. 635.

15. M. L. Bulst-Thiele, p. 110, n. 16.

16. M. W. Baldwin, *Raymond III of Tripolis and the Fall of Jerusalem (1140-1187), op. cit.,* pp. 82 ss, analiza en detalle la cuestión.

17. M. L. Bults-Thiele, pp. 112-117, demuestra, en contra de la opinión corriente, que Jacquelin de Mailly no era mariscal del Temple.

18. H. E. Mayer, «Henry II of England and the Holy Land», *English Historical Review,* 97 (1982), pp. 720-738. Los hospitalarios se negaron entonces a ceder su parte del tesoro de Enrique II; lo utilizaron un poco más tarde para pagar el rescate de los habitantes de Jerusalén. Fuera como fuese, el tesoro no se desperdició.

19. Ernoul, p. 162.

20. J. Prawer, «The Battle of Hattin», art. cit.

21. Abú Chama, *RHC, Historiens orientaux,* t. IV, p. 277.

22. B. Lewis, en K. M. Setton, *A History of the Crusades, op. cit.,* t. I, p. 129, que cita a Joinville.

23. Tomo la expresión de M. Rodinson (*Israël et le refus arabe,* París, 1968), que la emplea evidentemente en el contexto de los años sesenta de nuestro siglo.

24. M. Melville, *La vie des Templiers, op. cit.,* pp. 63-64.

25. D. Seward, *The Monks of War: The Military Religious Orders, op, cit.,* p. 45. Sobre los problemas de conjunto de la «batalla» a finales del siglo XII y principios del XIII, véase G. Duby, *Le dimenche de Bouvines, op. cit.,* pp. 145-159.

26. Ernoul, pp. 226-230.

27. Ambrosio, pp. 367-381.

28. M. W. Baldwin, «The Latin States under Baldwin III and Amalric I (1143-1174)», *op. cit.,* p. 527.

29. M. Benvenisti, *The Crusaders in the Holy Land, op. cit.,* pp. 46-47.

CUARTA PARTE

Capítulo 1

1. L. Delisle, *Actes de Henri II,* t. I, pp. 234 y 89-91. *Catalogue des actes des comtes de Bar,* n.os 306 y 141. A du Bourg, *Histoire du grand prieuré de Toulouse,* Toulouse, 1883, p. 142. M. de Gelibert, «La commanderie templière de Campagne-sur-Aude», *Bulletin de la Société d'Études Scientifiques de l'Aude,* 73 (1973),

p. 180. V. Carrière, *Cartulaire de Provins,* n.ᵒˢ LXXXII, LXXXIII, LXXXVIII. F. Bramato, «Registre diplomatici per la storia dei templari in Italia», art. cit., 79 (1980), p. 48. Marqués de Albon, *Cartulaire général de l'ordre du Temple,* París, 1913, 1922, n.º 20. *Cartulaire de l'Yonne,* t. II, p. 413. *Cartulaire de Douzens,* A 156 y B 74.

2. *Cart. de Douzens,* A 1, 6, 37, 46, 47, 49, 63, 87, 90.

3. M. Castaing-Sicard, «Les donations toulousaines du Xᵉ au XIIᵉ siècle», *Annales du Midi,* 70 (1958), pp. 57-64; véase también *Cart. de Douzens,* introducción, p. XXVII, y A 30 y 31.

4. Forey, p. 39.

5. C. Higounet, «Le cartulaire des templiers de Montsaunès», art. cit., p. 218.

6. Forey, pp. 24-36. Véase también R. Burns, *The Crusader Kingdom of Valencia, op. cit.* Los templarios de la corona de Aragón pudieron resistirse a las tentativas hechas para detenerles en 1307-1309 gracias a que poseían muchos y numerosos castillos.

7. H. Wood, «The Templars in Ireland», *Proceedings of the Royal Irish Academy,* 27 (1907), p. 375.

8. J. Richard, «Les templiers et hospitaliers en Bourgogne et Champagne du Sud», art. cit., p. 235.

9. *Cart. de Douzens,* D 4.

10. F. Bramato, «Registre diplomatici...», art. cit., 79 (1980), p. 46.

11. P. Vial, «Les templiers en Velay aux XIIᵉ et XIIIᵉ siècles», art. cit, pp. 82-83.

12. *Cart. de Douzens,* estudio basado en unas treinta actas relativas a Brucafel: lista p. 310.

13. Potey, p. 50.

14. F. L. Carsten, *The Origins of Prussia,* Oxford, 1954, p. 14.

15. F. Bramato, «Registre diplomatici...», art. cit., 78 (1979).

16. F. L. Carsten, *The Origins of Prussia, op. cit.,* p. 18. P. Vial, «Les templiers en Velay aux XIIᵉ et XIIIᵉ siècles», art. cit. pp. 68-69.

17. *Cartulaire de Silvanès,* en *Archives historiques de Rouergue.*

18. R. Aitken, «The Knights Templars in Scotland», art. cit., pp. 23-25. Este relato se encuentra en una carta de los hospitalarios que data de 1354. Éstos habían recibido los bienes del Temple en 1312, entre ellos la tierra de Esperton. El texto fue publicado por J. Edwards, «The Templars in Scotland in the 13ᵗʰ Century», art. cit., pp. 18-19.

19. Lizerand, p. 13.

20. Lizerand, pp. 46-55. R. Filoux, «Les templiers dans l'arrondissement d'Abbeville», *Bulletin de la Société d'Émulation Historique et Littéraire d'Abbeville,* 24 (1978), pp. 343-348. T. Parker, *The Knighits Templars in England, op. cit.,* p. 53.

21. *Cart. de Douzens,* A 120.

22. A. Higounet-Nadal, «L'inventaire de la commanderie de Sainte-Eulalie en 1307», *Annales du Midi,* 68 (1956), pp. 255-262. R. Pernoud, *Les templieres, op. cit.,* p. 80. C. Higounet, «Le cartulaire des templiers de Montsaunès», art. cit., pp. 220-223. T. Parker, *The Knights Templars in England, op. cit.,* p. 56.

23. A. Amelli, *Quaternus excadenciarum capitinate de mandato imperialis*

maiestatis, 1903 (Biblioteca del Vaticano), A. Luttrelli, «Two Templar-Hospitaller Preceptories, North of Tuscania», *Collected Essays of A. Luttrell*, Londres, Variorum Reprints, 1978, p. 102.

24. T. Parker, *The Knights Templars in England*, op. cit., p. 56.

25. *Cart. de Douzens*, A 141.

26. J. A. Durbec, «Introduction à une liste des biens du Temple saisis en 1308 dans la région des Alpes Maritimes», *Nice historique* (1938), pp. 45-52.

27. R. Burns, *The Crusader Kingdom of Valencia*, op. cit., p. 192.

28. J. A. Durbec, «Introduction à une liste des biens du Temple...», art. cit., pp. 45-52.

29. T. Parker, *The Knights Templars in England*, op. cit., p. 57.

30. B. A. Lees (ed.), *Records of the Templars in England in the 12th Century. The Inquest of 1185 with Illustrative Charters and Documents*, Londres, 1981.

31. T. Parker, *The Knights Templars in England*, op. cit., pp. 32-40. H. Wood, «The Templars in Ireland», art. cit., pp. 349-360.

32. A. de Charmasse, «État des possessions des templiers et des hospitaliers en Mâconnais, Charollais, Lyonnais et Forez», *Mémories de la Société Éduenne*, 7 (1878). M. Rey, «L'ordre du Temple en Franche-Comté à la lumière des documents écrits», *Académie des Sciences, Belles-Letres et Arts de Besançon. Procès-verbaux et mémoires*, 180 (1972-1973).

33. J. A. Durbec, «Introduction à une liste des biens du Temple...», art. cit. pp. 45-52.

34. Forey, p. 222.

35. *Ibid.*, p. 190.

36. T. Parker, *The Knights Templars in England*, op. cit., p. 52.

37. Forey, p. 190. M. Decla, «Deux maisons du Temple et de Saint-Jean en Chalosse: Camon (commune de Labatut) et Gaas», art. cit. pp. 435-441.

38. L. Dailiez, *Les templiers: 1. En Provence*, op. cit., p. 248. *Cart. de Douzens*, A 155 y 156.

39. R. Burns, *Moors and Crusaders in Mediterranean Spain*, Londres, Variorum Reprints, 1978, XI, p. 111; II, p. 30; III, p. 394; II, p. 25. E. Lourie, «The Moslems in the Baleares under Christian Rule in the 13th Century», *Speculum*, 45 (1970), p. 624.

40. Forey, p. 192.

41. A. du Bourg, *Histoire du grand prieuré de Toulouse*, op. cit., pp. 184-185.

42. J. Laurent, *Un monde rural en Bretagne au XVe siècle: la quévaise*, París, 1972, pp. 28-37. M. Delatouche, «Une tenure bretonne originale: la quévaise médiévale», *Comptes rendus des séances de l'Académie d'Agriculture de France*, 65 (1979), pp. 1482-1493.

43. T. Parker, *The Knights Templars in Englad*, op. cit., p. 54.

44. V. Carrière, *Histoire et cartulaire des templiers de Provins*, París, 1919, p. XXXIV.

45. Véase P. Ourliac, «Le pays de la Selve à la fin du XIIe siècle», art. cit., pp. 591-595. P. Vial, «Les templiers en Velay aux XIIe et XIIIe siècles», art. cit., p. 72. C. Higounet, «Une bastide de colonisation des templiers dans les Prépyré-

nées: Plagne», *Revue de Comminges,* 62 (1949), pp. 81-97. *Cart. de Douzens,* B 26.

46. Lizerand, p. 49. R. Soulet, «La terre et son exploitation dans une commanderie templière en Picardie (à Montecourt)», *Comptes rendus des séances de l'Académie d'Agriculture de France,* 65 (1979), pp. 1243-1249.

47. *Cart. de Douzens,* introducción, pp. XXIX-XXXII.

48. A. Higounet-Nadal, «L'inventaire de la commanderie de Sainte-Eulalie en 1307», art. cit., p. 262.

49. F. Castillón Cortada, «Política hidráulica de templarios y sanjuanistas en el valle del Cinca», *Cuadernos de Historia,* 35 (1980), pp. 388-394.

50. T. N. Bisson, «Credit, Prices and Agrarian Production in Catalonia: A Templar Account (1180-1188)», en *Order and Innovation in the Middles Ages, Essays in Honor J. R. Strayer,* W. C. Jordan et al. (eds.), Princeton, 1976, pp. 87-102.

51. V. Carrière, *Histoire et cartulaire des templiers de Provins, op. cit.,* p. XXXV.

52. *Cart. de Douzens,* A 76; véase también A 50 y A 11.

53. Abate Petel, *Les templiers et les hospitaliers dans le diocèse de Troyes. Le Temple de Bonlieu,* 1912.

54. L. Delisle, *Catalogue des actes de Philippe Auguste,* París, 1856, n.º 2089. V. Carrière, *Histoire et cartulaire des templiers de Provins, op. cit.,* pp. LVIII-IV.

55. P. Vial, «Les templiers en Velay aux XIIe et XIIIe siècles», art. cit., pp. 70-75.

56. C. Petit-Dutaillis, *Étude sur la vie et le règne de Louis VIII,* París, 1894, p. 476.

57. Forey, cap. IV.

58. T. Parker, *The Knights Templars in England, op. cit.,* pp. 26-31.

59. *Cart. de Douzens,* A 56; A 201; A 167; C 6.

60. M. Bertrand, «Les templiers en Normandie», art. cit. Otro ejemplo en *Catalogue des actes des comtes de Bar,* n.º 401 (fechado en 1228).

61. F. Bramato, «Registre diplomatici...», art. cit., 79 (1980), pp. 45-48; 80 (1981), p. 41.

62. F. Guériff, «Les chevaliers templiers et hospitaliers dans l'ancien pays de Guérande», art. cit., p. 20.

63. E. Boutaric, *Actes du Parlement de Paris,* Hildesheim-Nueva York, 1975 (reimp.), 2 vols.; lista en el tomo 11, p. 778.

Capítulo 2

1. G. Bordonove, *Les templiers,* París, 1977, p. 10. J. Charpentier, *L'ordre du Temple,* París, Tallandier, reedic. 1977, p. 70.

2. F. Castillón Cortada, «Política hidráulica de templarios y sanjuanistas en el valle del Cinca», art. cit., pp. 381-445; según un inventario de 1192.

3. A. Luttrell, *The Hospitallers in Cyprus, Rhodes, Greece and the West, 1291-1440, Collected Essays of A. Luttrell, op. cit.,* p. 167. H. Wood, «The Templars in Ireland», art. cit., pp. 349-350. A. Higounet-Nadal, «L'inventaire de la commanderie de Sainte-Eulalie en 1307», art. cit., pp. 255-262. Lizerand, pp. 46-55.

4. B. Alart, «La supression de l'ordre du Temple en Roussillon», art. cit., p. 6. Forey, pp. 422 y 442.

5. Lizerand, pp. 46-55.

6. M. Aubrun, *L'ancien diocèse de Limoges des origines au milieu du XIᵉ siècle*, Clermont-Ferrand, 1981, pp. 387-388.

7. R. Burns, *The Crusader Kingdom of Valencia, op. cit.*, p. 175.

8. E. Lambert, «L'architecture des templiers», *Bulletin monumental*, 112 (1954). Número especial de la revista *Archeologica*, 1969, C. Higounet y J. Gardelles, «L'architecture des ordres militaires dans le sud-ouest de la France», *Actes du 87ᵉ Congrès des Sociétés Savantes Poitiers, 1962, Section d'Archéologie*, París, 1963, pp. 173-194. R. Pernoud, *Les templiers, op. cit.*, pp. 34-36. Puntualización reciente en *Les ordres religieux. La vie et l'art*, bajo la dirección de G. Le Bras, París, 1979, t. I. El capítulo sobre las órdenes militares se debe a Dom M. Cocheril (pp. 654-727).

9. G. Sieffert, *«Ecclesia ad instar Dominici Sepulchri»*, *Revue du Moyen Âge latin*, 5 (1949), p. 198. El autor comete un error al atribuir al Temple las capillas de Eunate y Torres del Río, en Navarra.

10. C. Higounet y J. Gardelles, «L'architecture des ordres militaires dans le sudouest de la France», art. cit., p. 178.

11. Son respectivamente las capillas de Momsaunès, Bouglon-Vieux, Romestang; Nomdieu, Port-Sainte-Marie, Burdeos, La Grave, Magrigne, Marcenais; Le Templesur-Lot.

12. J. Schelstraete, «Les templiers en Brie champenoise», *Monuments et Sites de Seine-et-Marne*, 9 (1978), pp. 27-29. R. Pernoud, *Les templiers, op. cit.*, p. 37.

13. P. Descamps, «Combats de cavalerie et épisode des croisades dans les peintures murales des XIIᵉ et XIIIᵉ siècles», *Orientalia Christiana Periodica*, Roma, 13 (1947). F. Tommasi, «L'ordine dei templari a Perugia», *op. cit.*, p. 70. F. Laborde, «L'église des templiers du Montsaunès (Haute-Garornne)», *Revue de Comminges*, 92 (1979) y 93 (1980).

14. A. Lecoy de la Marche, *L'esprit de nois aïeux*, París, s. f., p. 138.

15. M. Melville, *La vie des templiers, op. cit.*, p. 188.

16. T. Parker, *The Knights Templars in England, op. cit.*, p. 40.

17. Lizerand, pp. 166-167.

18. Forey, p. 274.

19. *Ibid.* Mencionemos a este propósito que los hermanos del Hospital sólo pueden confesarse con un sacerdote exterior a su orden previo permiso de un dignatario. J. Riley-Smith, *The Knights of Saint John in Jerusalem and Cyprus, c. 1050-1310, op. cit.*, p. 259.

20. M. Melville, *La vie des templiers, op. cit.*, p. 174.

21. E. Magnou, «Oblature, classe chevaleresque et servage dans les maisons méridionales du Temple au XIIᵉ siècle», art. cit., p. 382.

22. M. Melville, *La vie des templers, op. cit.*, p. 61.

23. *Ibid.*, p. 195. El autor toma esta expresión extraída de la regla del temple, como título de su capítulo XVIII.

24. I. Sterns, «Crime and Punishment among the Teutonic Knights», art. cit.,

pp. 89-111. J. Riley-Smith, *The Knights of Saint John in Jerusalem and Cyprus, c. 1050-1310, op. cit.,* p. 160.

 25. H. Wood, «The Templars in Ireland», art. cit., pp. 333 y 376.

 26. R. Pernoud, *Les templiers, op. cit.,* p. 29.

Capítulo 3

 1. Sobre el conjunto de la cuestión, véase L. Delisle, *Mémoire sur les opérations financières des templiers,* París, 1889. J. Piquet, *Des banquiers au Moyen Âge, les templiers. Étude de leurs opérations financières,* París, 1939. A. Sandys, «The Financial and Administrative Importance of the London Temple in the 13th Century», *Essays in Medieval History Presented to T. F. Tout,* Manchester, 1925, pp. 147-162. M. Vilar Bonet, «Actividades financieras de la orden del Temple en la Corona de Aragón», VIIº *Congreso de Historia de la Corona de Aragón,* Barcelona, 1962. D. M. Metcalf, «The Templars as Bankers and Monetary Transfers between West and East in the 12th Century», *Coinage in the Latin East, the Fourth Oxford Symposium on Coinage and Monetary History,* Oxford, 1980, pp. 1-14.

 2. Forey, pp. 319-320. J. Riley-Smith, *The Knights of Saint John in Jerusalem and Cyprus, c. 1050-1310, op. cit.,* p. 51.

 3. Abate Petel, *Les templiers et les hospitaliers dans le diocèse de Troyes, op. cit.*

 4. Joinville, *Saint Louis,* editado por Andrée Duby, París, 1963, pp. 96-97.

 5. J. Piquet, *Des banquiers au Moyen Âge, les templiers, op. cit.,* p. 32.

 6. *Ibid.,* pp. 36-37.

 7. Véase *infra,* quinta parte, capítulo 2.

 8. L. Delisle, *Mémoire sur les opérations financières des templiers, op. cit.,* pp. 15-17.

 9. D. M. Metcalf, «The Templars as Bankers...», art. cit., p. 12. M. Vilar Bonet, «Actividades financieras...», art. cit.

 10. Forey, *op. cit.,* pp. 350-351.

 11. R. Morozzo della Rocra y A. Lombardo, *Documenti del commercio veneziano nei secoli XI-XIII,* Turín, 1940.

 12. *Actes du Parlement,* t. I, n.º 2184.

 13. R. Morozzo della Rocea y A. Lombardo, *Documenti del commercio veneziano..., op. cit.,* n.º 324.

 14. J. Piquet, *Des banquiers au Moyen Âge, les templiers, op. cit.,* p. 102.

 15. D. M. Metcalf, «The Templars as Bankers...», art. cit., p. 9.

 16. *Ibid.,* p. 12.

 17. J. Piquet, *Des banquiers au Moyen Âge, les templiers, op. cit.,* pp. 76-77.

 18. M. Vilar Bonet, «Actividades financieras...», art. cit., p. 577.

 19. M. Cocheril, «Les ordres militaires cisterciens au Portugal», *Bulletin des études portugaises,* 28-29 (1967-1968), p. 25.

 20. J. Piquet, *Des banquiers au Moyen Âge, les templiers, op. cit.,* pp. 64-66. D. M. Metcalf. «The Templars as Bankers...» (art. cit., p. 6) piensa que se pidió por

primera vez a los templarios que asegurasen esa transferencia en 1188, con ocasión del diezmo de Saladino.

21. J. Piquet, *Des banquiers au Moyen Âge, les templiers, op. cit.,* p. 85.

22. Forey, p. 321.

23. R. S. López y M. Raymond, *Medieval Trade in the Mediterranean World,* Nueva York, 1955, p. 202.

24. G. Yver, *Le commerce et les marchands dans l'Italie méridionale au XIIIᵉ et au XIVᵉ siècle,* París, 1903, p. 118.

25. J. H. Pryor, «Transportation of Horses by Sea during the Era of the Crusades, 8th Century to 1255», *Mariner's Mirror,* 68 (1982), p. 110.

26. C. Perrat y J. Longnon, *Actes relatifs à la principauté de Morée (1289-1300),* París, 1967, «Collection des documents inédits de l'histoire de France», n.ᵒˢ 86, 96, 119.

27. R. Morozzo della Rocca y A. Lombardo, *Documenti del commercio veneziano..., op. cit.,* n.ᵒ 158. R. H. Bautier, «Notes sur le commerce du fer en Europe occidentale, du XIIIᵉ au XVIᵉ siècle», *Revue d'histoire de la sidérurgie,* 1 (1960), p. 10.

28. D. Seward, *The Monks of War: The Military Religious Orders, op. cit.,* pp. 38-39. M. Mollat, «Problèmes navals de l'histoire des croisades», en *Études d'histoire maritime,* Turín, 1977, p. 365.

29. R. Morozzo della Rocca y A. Lombardo, *Documenti del commercio veneziano..., op. cit.,* n.ᵒ 482.

30. Champollion-Figeac, *Lettres des rois, reines et autres personnages des cours de France et d'Angleterre,* París, 1839-1847, «Collection des documents inédits de l'histoire de France», t. I, p. 68 (acta de 1242).

31. P. Grimaud, «À propos des templiers dans le Var», *Bulletin de la Société des Sciences Naturelles et d'Archéologie de Toulon et du, Var,* 29 (1973), p. 8.

32. S. García Larragueta, «Relaciones comerciales entre Aragón y el Hospital de Acre», VIIᵒ *Congreso de Historia de la Corona de Aragón,* Barcelona, 1962, t. II, p. 507.

33. L. Blancard, *Documents inédits sur le commerce de Marseille au Moyen Âge,* Marsella, 1884, t. I, n.ᵒˢ 8, 22, 87; t. II, n.ᵒ 952.

34. J. Piquet, *Des banquiers au Moyen Âge, les templiers, op. cit.,* p. 20.

35. Forey, pp. 326 ss.

36. G. Yver, *Le commerce et les marchands dans l'Italie méridionale au XIIIᵉ et au XIVᵉ siècle, op. cit.,* p. 165.

37. L. Blancard, *Documents inédits sur le commerce de Marseille au Moyen Âge, op. cit.,* t. II, n.ᵒ 952; t. IV, n.ᵒˢ 49, 69.

38. *Chronographia magna,* Venecia, Marciana, fol. 77; citado por J. H. Pryor, «Transportation of Horses by Sea...», art. cit.

39. Joinville, *Saint Louis, op. cit.,* p. 36. Según J. H. Pryor, es dudoso que la puerta y la cala en que van los caballos queden enteramente sumergidos.

40. J. H. Pryor, «Transportation of Horses by Sea...», art. cit.

41. J. A. Buchon (ed.), *Collection des chroniques françaises,* t. VI, *Chronique de Ramon Muntaner,* París, 1827, pp. 113-173.

42. L. F. Salzman (ed.), *The Victoria History of the County of Cambridge and the Isle of Ely,* Londres, 1948, vol. II, pp. 260-263.

43. R. C. Smail, «Latin Syria and the West, 1149-1187», *Transactions of the Royal Historical Society, 5ᵗʰ Series,* 19 (1969), pp. 5 y 7-20.

44. Mathieu Paris, *Historia Anglorum,* t. I, pp. 483-495.

45. Champollion-Figeac, *Lettres des rois, reines et autres personnages..., op. cit.,* p. 253.

46. Véase V. Carrière, *Histoire et cartulaire des templiers de Provins, op. cit.* L. Perriaux, «Les templiers à Beaune (1177-1307)», *Société d'Archéologie de Beaune, Histoire, Lettres, Sciencies et Arts. Mémories,* 58 (1975-1976). B. Defages, «Les ordres religieux militaires dans l'Yonne», *L'Écho d'Auxerre,* 94 (1971). P. Ourliac, «Le pays de la Selve à la fin du XIIᵉ siècle», art. cit. Forey.

47. *Catalogue des actes des comtes de Bar,* n.º 306. M. Castaing-Sicard, «Les donations toulousaines du Xᵉ au XIIIᵉ siècle», art. cit., p. 28, n.º 11.

48. Barber, *Trial,* p. 58.

QUINTA PARTE

Capítulo 1

1. Véase K. M. Setton, *A History of the Crusades,* t. II, *The Later Crusades 1189-1311.* R. L. Wolff y H. W. Hazard (eds.), The University of Wisconsin Press, 1969.

2. J. Prawer, «Military Orders and Crusader Politics in the Second Half of the 13ᵗʰ Century», en *Die geistlichen Ritterorden Europas, op. cit.,* pp. 226-227.

3. Ernoul, pp. 296-298.

4. *Ibid.,* pp. 309-311 y 407; J. Riley-Smith, *The Knights of Saint John in Jerusalem and Cyprus, c. 1050-1310, op. cit.,* pp. 113-115.

5. C. Caben, *La Syrie du Nord à l'époque des croisades et la principauté franque d'Antioche, op. cit.,* pp. 579-626.

6. J. Riley-Smith, «The Templar and Teutonic Knights in Cilician Armeny», *op. cit.*

7. S. Runciman, A *History of the Crusades, op. cit.,* t. III, I, 4.

8. Véase G. Hill, *A History of Cyprus,* Cambridge, 1940-1942, 4 vols.

9. Ernoul, p. 462.

10. J. Riley-Smith, *The Knights of Saint John in Jerusalem and Cyprus, c. 1050-1310, op. cit.,* p. 168.

11. Ernoul, pp. 462-465.

12. *Les gestes des Chiprois,* p. 87.

13. J. Prawer, *Histoire du royaume latin de Jérusalem, op. cit.,* t. II. p. 326.

14. Joinville, *Saint Louis, op. cit.,* p. 128.

15. M. L. Bulst-Thiele, pp. 225-230. M. Melville, *La vie des templiers, op. cit.,* p. 121, se equivocan en este punto.

16. Joinville, *Saint Louis, op. cit.,* p. 147.

17. Templario de Tiro, p. 206.

18. J. A. Buchon (ed.), *Collection des chroniques françaises*, t. VI. *Chronique de Ramon Muntaner, op. cit.*, p. 119.

19. J. Prawer, *Histoire du royaume latin de Jérusalem, op. cit.*, t. II, pp. 359-374.

20. Templario de Tiro, pp. 150-154. Gerardo de Montréal, el autor de esta crónica no era templario, sino, al parecer, el secretario del maestre Guillermo de Beaujeu.

21. Mathieu Paris, *Historia Anglorum*, t. II, p. 328.

22. Templario de Tiro, p. 206.

23. J. Riley-Smith, *The Knigths of Saint John in Jerusalem and Cyprus, c. 1050-1310, op. cit.*, pp. 161-162.

24. *Ibid.*, pp. 150ss.

25. *Ibid.*, p. 151. «A primera vista, las órdenes militares parecen haber estado perpetuamente en conflicto. Pero la historia de la Siria latina demuestra que, la mayor parte del tiempo, colaboraron tanto en el campo de batalla como en los consejos y que actuaron como conciliadores y negociadores.» Véase también P. W. Edbury, «The Cartulaire de Manosque: A Grant to the Templars in Latin Syria and a Charter of King Hugues of Cyprus», *Bulletin of International Historical Research*, 51 (1978), pp. 174-181.

26. Ambrosio, pp. 107, 157, 162...

27. A. J. Forey, «Constitutional Conflict and Change in the Hospital of St. John during the 12th and 13th Centuries», *Journal of Ecclesiastical History*, 33 (1982), pp. 15-29.

28. S. Runciman, *A History of the Crusades, op. cit.*, t. III, II, 4. J. Prawer, «Military Orders and Crusader Politics in the Second Half of the 13th Century», *op. cit.*, p. 221, que cita a Guillermo de Tiro (continuación), II, p. 549.

29. *Les gestes de Chiprois*; Felipe de Novara, p. 112.

30. J. Prawer, «Military Orders and Crusader Politics in the Second Half of the 13th Century», *op. cit.*, pp. 223-224, n. 17.

31. *Ibid.*, p. 228.

Capítulo 2

1. *Actes de Henri II*, t. I, pp. 252-253.

2. No perdamos el tiempo en leer toda esa literatura... Un excelente resumen de la oscura historia de los subterráneos embrujados se encontrará en el número especial de la revista normanda *Heimdal*, 26 (1978), dedicado a «Los templarios en Normandía».

3. M. Melville, *La vie des templiers, op. cit.*, pp. 74-75.

4. *Actes de Henri II*, t. II, pp. 275-276.

5. C. Petit-Dutaillis, *Étude sur la vie et le règne de Louis VIII, op. cit.*, pp. 235-244.

6. R. Aitken, «The Knigths Templars in Scotland», art. cit., p, 23.

7. F. Bramato, «Registre diplomatici...», art. cit., 80 (1981), p. 505; 81 (1982), p. 125.

8. J. Riley-Smith, *The Knights of Saint John in Jerusalem and Cyprus, c. 1050-1310, op. cit.*, pp. 163-164.

9. H. Pratesi, *Carte calabresi dell'archivio aldobrandini. Studi e Testi.* Se trata de la carta n.º 171, fechada en 1240, que se refiere a la situación de los años 1228-1229.

10. Ernoul, p. 467.

11. A. Amelli, *Quaternus excadenciarum capitinate de mandato imperialis maiestalis, op. cit.*

12. *Ibid.*, p. 20. J. Riley-Smith, *The Knigths of Saint John in Jerusalem and Cyprus, c. 1050-1310, op. cit.*, pp. 172-176. F. Bramato, «Registre diplomatici...», art. cit., 81 (1982), pp. 154-158. F. Tortunasi, «L'ordine del templari a Perugia», art. cit., pp. 14-16.

13. J. Prawer, «Military Orders and Crusader Politics in the Second Half of the 13th Century», *op. cit.*, p. 228.

14. A. Luttrell, «Two Templar-Hospitaller Preceptories... », art. cit., p. 105. F. Tommasi, «L'ordine del templari a Perugia», art. cit., pp. 18-19 y 41-42.

15. Estudio de conjunto en D. W. Lomax, *The Reconquest of Spain*, Londres, 1978.

16. R. Burns, *The Crusader Kingdom of Valencia, op. cit.*, p. 176.

17. A. Chassaing, «Cartulaire des templiers du Puy-en-Velay», *Annales de la Société d'Agriculture du Puy,* 33 (1876-1877).

18. D. W. Lomax, *The Reconquest of Spain, op. cit.*, p. 108.

19. M. Cocheril, «Les ordres militaires cisterciens au Portugal», art. cit., p. 25.

20. Forey, p. 27.

21. *Ibid.*, pp. 139-140.

22. N. J. Housley, «Politics and Heresy in Italy: Anti-Heretical Crusades, Orders and Confraternities (1200-1500)», *Journal of Ecclesiastical History,* 33 (1982), pp. 193-208.

23. A. Luttrell, «Two Templar-Hospitaller Preceptories...», art. cit., p. 105.

24. E. Delaruelle, «Templiers et hospitaliers en Languedoc pendant la croisade des Albigeois», en *Paix de Dieu et guerre sainte en Languedoc au XIIIe siècle, Cahiers de Fanjeaux,* 4 (1969), pp. 315-332. A. du Bourg, *Histoire du grand prieuré de Toulouse, op. cit.*, p. XXI.

25. Guillermo de Tudela, *Chanson de la croisade contre les Albigeois, op. cit.*, hacia 9337 ss.

26. Guillermo de Puylaurens, *Historia Albigensium*, editada por J. Duvernoy, París, 1976, pp. 88-89 y 126-129.

27. R. Aitken, «The Knights Templars in Scotland», art. cit., p. 25; J. Edwards, «The Templars in Scotland in the 13th Century», art. cit., p. 19.

28. G. I. Bratianu, «Le conseil du roi Charles: Essai sur l'Internationale chrétienne et les nationalités à la fin du Moyen Âge», *Revue historique du Sud-Est européen,* 19 (1942), p. 349.

29. Forey, pp. 135-136.

30. E. Turk, *Nugae Curialium*, Ginebra, 1977, p. 29. Mathieu Paris, *Historia Anglorum,* t. II, p. 150. F. Tommasi, «L'ordine del templari a Perugia», art. cit., pp. 4 ss.

31. *RHF,* t. XXIV, p. 37.

32. *Ibid.,* t. XV, pp. 496-501. Precisemos que el Hospital prestó también al rey mil marcos (*ibid.,* p. 508). El mecanismo del empréstito demuestra que el Temple, al menos en el siglo XII, no disponía de cantidades importantes en Oriente. Véase *supra,* cuarta parte, capítulo III, p. 187.

33. E. Ferris, «The Financial Relations of the Knights Templars to the English Crown», *American Historical Review,* 8 (1902).

34. A Sandys, «The Financial and Administrative Importance of the London Temple in the 13th Century», art. cit., p. 150.

35. J. Favier, *Philippe le Bel,* París, 1978, p. 75.

36. L. Delisle, *Mémoire sur les opérations financières des templiers, op. cit.,* p. 43.

37. J. Favier, *Philippe le Bel, op. cit.,* pp. 75-78. El tesorero del Temple tiene ahora a su lado agentes reales. No es nada nuevo; data de Luis IX.

38. E. Ferris, «The Financial Relations of the Knigths Templars to the English Crown», art. cit., p. 6.

39. P. L. Menou, «Les templiers et le Trésor du roi», *Bulletin de liaison et d'information de l'Administration Centrale de l'Économie et des Finances,* París, 52 (1970), pp. 172-187.

40. G. Étienne, *Étude topographique sur les possessions de la maison du Temple à Paris (XIIᵉ-XVIᵉ siècles),* École National des Chartes, *Position des théses,* 1974, pp. 83-90. H. de Curzon, *La maison du Temple à Paris. Histoire et description,* París, 1888.

41. Esto engañó a todos los que querían dejarse engañar. He aquí lo que escribe, en medio de elucubraciones científicas, un digno caballero de la orden de las Artes y las Letras: «A partir de 1313, la orden del Temple ha estado siempre presente. Numerosos documentos lo demuestran... A título de ejemplo, citaremos una decisión del Parlamento, fechada el 6 y el 24 de febrero de 1618 (Archivos nacionales franceses, n.º 5070), que da fe de un proceso entre el clero de Saint-Gervais y el "gran prior del Temple" a propósito de la capilla Saint-Eutrope. Ahora bien, en esta fecha la orden del Temple llevaba disuelta oficialmente más de trescientos años». L. M. Estèbe, «Sur l'ordre mystérieux des templiers», *L'information historique,* 34 (1972), p. 25. Se trata, claro está, del gran prior de la orden de Malta. Y además, ¿cuándo se ha visto que una orden clandestina comparezca ante el Parlamento? Para colmo, el número de los Archivos nacionales que se da como referencia es falso...

Capítulo 3

1. A. J. Forey, «Constitutional Conflict and Change in the Hospital of Saint John during the 12th and 13th Centuries», art. cit., p. 28.

2. J. Riley-Smith, «The Templar and Teutonic Knights in Cilician Armeny», *op. cit.*

3. A. Luttrell, «Hospitaller's Intervention in Cilician Armeny», en T. S. R. Boase, *The Cilician Kingdom of Armenia, op. cit.,* p. 121.

4. A. Bon, *La Morée franque,* París, 1969, t. I; texto, pp. 92-100.

5. Ernoul, pp. 273-285.

6. J. Riley-Smith, *The Knights of Saint John in Jerusalem and Cyprus, c. 1050-1310, op. cit.,* p. 204.

7. Ernoul, pp. 27-28.

8. Mathieu Paris, *Historia Anglorum,* t. I, pp. 483-484.

9. Templario de Tiro, pp. 147-162.

10. M. Benvenisti, *The Crusaders in the Holy Land, op. cit.,* p. 283.

11. Ernoul, p. 417.

12. T. S. R. Boase, «Military Architecture in the Crusader States en Palestine and Syria», en K. M. Setton, *A History of the Crusades,* t. IV, Wisconsin University Press, 1977, pp. 157 ss. M. Benvenisti, *The Crusaders in the Holy Land, op. cit.,* p. 176.

13. R. B. C. Huygens, «Un nouveau texte du traité *De constructione castri Saphet»*, *Studi Medievali,* 6 (1965), pp. 355-387.

14. T. E. Lawrence, *Crusader Castles,* Londres, 1936, 2 vols. T. S. R. Boase, «Military Architecture in the Crusader States in Palestine and Syria», *op. cit.*

15. P. Jackson, «The Crisis in the Holy Land in 1260», *English Historical Review,* 95 (1980), pp. 481-517.

16. *Ibid.,* p. 509.

Capítulo 4

1. G. B. Flahiff, *«Deus non vult:* A Critic of the Third Crusade, *Mediaeval Studies,* 9 (1947), p. 163.

2. P. A. Throop, *Criticism of the Crusade,* Amsterdam, 1940, pp. 6-7.

3. D. M. Lomax, *The Reconquest of Spain, op. cit.,* p. 156.

4. Mathieu Paris, *Historia Anglorum,* t. III, p. 89.

5. A. de Bastard, «La colère et la douleur d'un templier en Terre sainte, *I're dolors s'es dans mon coranza»*, *Revue des langues romanes,* 81 (1974), pp. 333-374.

6. Rutebeuf, «La dispute du croisié et du décroisié», en J. Bastins et E. Fatal. *Onze poémes de Ruterbeuf concernant la croisade,* París, 1946, pp. 84-94.

7. P. Throop, *Criticism of the Crusades, op. cit.,* pp. 67-104.

8. A. Jeanroy, *Anthologie des troubadours,* París, 1974, pp. 119-126.

9. P. Throop, *Criticism of the Crusades, op. cit.,* pp. 140-181.

10. *Ibid.*

11. J. Richard, *La papauzé et les missions d'Orient au Moyen Âge (XIIe-XVe siècles),* Roma, 1977.

12. Templario de Tiro, p. 148.

13. P. Meyer, «Les derniers troubadours de Provence», *BEC,* 30 (1869), pp. 281 ss.

14. A. de Bastard, «La colère et la douleur d'un templier de Terre Sainte...», art. cit., pp. 333-374.

15. Templario de Tiro, p. 183.

16. J. Michelet, *Histoire de France,* París, 1840, t. III, p. 82.

17. Templario de Tiro, p. 183.

18. G. de Tiro *(Continuation dite du manuscrit de Rothelin), RHC,* t. II, pp. 604-605.

19. A. J. Forey, «The Military Orders in the Crusading Proposals of the Late 13th and Early 14th Centuries», *Traditío,* 36 (1980), p. 319.

20. P. Meyer, «Les derniers troubadours de Provence», art. cit., p. 285.

21. A. J. Forey, «The Military Orders in the Crusading Proposals...», art. cit., pp. 317 ss.

22. Referencia perdida. El autor pide al lector que tenga a bien excusarle.

23. A. Hatem, *Les poèmes épiques des croisades, op. cit.,* p. 393.

24. J.-C. Payen, «La satire anticléricale dans les œuvres françaises de 1250 a 1300», en *1274, année charnière; mutations et continuité,* París, 1977, p. 272.

25. A. J. Forey, «The Military Orders in the Crusading Proposals...», art. cit., p. 321, n. 18.

26. G. I. Bratianu, «Le conseil du roi Charles...», art. cit.

27. S. García Palau, «Ramón Llull y la abolición de los templarios», *Hispania Sacra,* 26 (1973).

28. La memoria de Molay sobre la cruzada fue editada por S. Baluze y G. Mollat, *Vitae paparum Avenionensium,* 1916-1922, t. II, p. 76. La relativa a la fusión de las órdenes fue editada por Lizerand, pp. 3-15. Para las memorias de Villaret, véase J. Petit, «Le mémoire de Foulques de Villaret sur la croisade», art. cit. B. Z. Kedar y S. Schein, «Un projet de "passage particulier" proposé par l'ordre de l'Hôpital, 1306-1307», *BEC* 137 (1979).

29. J. Favier, *Philippe le Bel, op. cit.,* p. 434. M. Barber, «James of Molay, the Last Grand Master of the Order of the Temple», *Studia Monastica,* 14 (1972).

30. P. Meyer, «Les derniers troubadours de Provence», art. cit., pp. 484-485.

31. H. Wood, «The Templars in Ireland», art. cit., p. 344.

32. Cr. A. Crapelet, *Proverbes et dictons populaires aux XIIIe et XIVe siècles,* París, Collection des anciens monuments de l'histoire et de la langue française, 1831.

33. Forey, pp. 292 y 300, n. 248.

34. J. Favier, *Philippe le Bel, op. cit.,* p. 182.

35. Mathieu Paris, *Historia Anglorum,* t. I, pp. 386-388.

36. *Ibid.,* pp. 483-484.

37. T. Parker, *The Knights Templars in England, op. cit.,* p. 173, n.º 283.

38. M. Melville, *La vie des templiers, op. cit.,* p. 182.

39. J. Prawer, «Military Orders and Crusader Politics in the Second Half of the 13th Century», *op. cit.,* pp. 222-223.

40. P. Amargier, «La défense du Temple devant le concile de Lyon», en 1274, *année charnière: mutations et continuité, op. cit.,* pp. 495-501.

41. Lizerand, pp. 3-15. J. N. Hillgarth, *Ramon Llull and Llullism in Fourteenth-Century France,* Oxford, 1971, p. 87, n. 152.

SEXTA PARTE

Capítulo 1

1. Todos los textos citados en este apartado están tomados y adaptados del Templario de Tiro, pp. 202, 250-251.
2. Sobre Jacobo de Molay, véase particularmente M. L. Bulst-Thiele, pp. 295-359. M. Barber, «James of Molay, the Last Grand Master of the Order of the Temple», art. cit., pp. 91-122.
3. Hay dos Molay posibles: Molay, cantón de Vitry, departamento de Haute-Saône, y Molay, cantón de Dole, departamento del Doubs.
4. Templario de Tiro, pp. 309-310.
5. J. H. Pryor, «The Naval Battles of Roger of Lauria», *Journal of Medieval History,* 9 (1983), pp. 179-216.
6. J. Petit, «Le mémoire de Foulques de Villaret sur la croisade», art. cit. S. M. Kedar y S. Schein, «Un projet de "passage particulier" proposé par l'ordre de l'Hôpital, 1306-1307», art. cit., pp. 222-226.
7. Templario de Tiro, p. 323.
8. J. Riley-Smith, *The Knights of Saint John in Jerusalem and Cyprus, c. 1050-1310, op. cit.,* p. 216.
9. Templario de Tiro, p. 329.

Capítulo 2

1. Barber, *Trial,* p. 51.
2. Lizerand, pp. 17-25. En los tres capítulos que siguen, y salvo indicación en contrario, todos los textos citados están tomados de este libro. Indico las páginas entre paréntesis.
3. M. Bertrand, «Les templiers en Normandie», art. cit., p. 14.
4. Barber, *Trial,* p. 46.
5. Forey, p. 277. B. Alart, «La suppression de l'ordre du Temple en Roussillon», art. cit., p. 9.
6. L. Dailliez, *Les templiers: 1. En Provence, op. cit.,* p. 311.
7. P. Grimaud, «À propos des templiers dans le Var», art. cit.
8. M. L. Bulst-Thiele, «Der Prozess gegen den Templerorden», en *Die geistlichen Ritterorden Europas, op. cit.,* pp. 380-381; Barber, *Trial,* pp. 213-216; Caravita, *Rinaldo da Concorrezo, archivescovo di Ravenna (1303-1321) al tempo di Dante, op. cit.,* pp. 97 ss.
9. Michelet, t. I, pp. 89-96. Barber, *Trial,* pp. 248-256.
10. M. Barber, «Propaganda in the Middles Ages: the Charges against the Templars», *Nottingham Medieval Studies,* 17 (1973), pp. 42-57.
11. S. Reinach, «La tête magique des templiers», *Revue de l'histoire des religions,* 63 (1911), pp. 25-39. Barber, *Trial,* pp. 181-192.
12. Abate Petel, *Les templiers et les hospitaliers dans le diocèse de Troyes, op. cit.,* pp. 324-327.

13. Barber, *Trial,* pp. 198-200.

14. H. Wood, «The Templars in Ireland», art. cit., pp. 351-352.

15. B. Alart, «La suppression de l'ordre du Temple en Roussilion», art. cit., pp. 26-30.

16. Forey, p. 358.

17. Barber, *Trial,* pp. 215-216.

18. R. Caravita, *Rinaldo da Concorrezzo, arcivescovo di Ravenna (1303-1321) al tempo di Dante, op. cit.*

19. H. Wood, «The Templars in Ireland», art. cit., p. 359.

20. A. Luttrell, *The Hospitallers in Cyprus, Rhodes, Greece and the West, 1291-1440, op. cit.,* p. 450, subraya que esta incultura (jurídica y más en general científica) supuso un grave inconveniente para el Temple en el momento de su proceso.

21. G. Lizerand, que publica el texto, se equivoca en cuanto a la fecha. M. Barber la rectifica y da la exacta.

22. *Continuation de Guillaume de Nangis,* t. I, pp. 377-378.

23. Ptolomeo de Lucca, *Historia ecclesiastica,* I, p. 42; citado en Barber, *Trial,* p. 226.

24. *Ibid.,* p. 229, citando a Walter de Heningborough.

25. *Continuation de Guillaume de Nangis,* t. I, pp. 402-403.

26. La Maldición... Ya se sabe que constituye un potente resorte dramático en el teatro y la ópera románticos. En el caso que nos ocupa, proporcionó el título para una sólida novela histórica. El historiador, negándose a mezclar los géneros, se contentará con señalar que Felipe «el maldito» murió a los cuarenta y seis años. Su padre, Felipe III, había muerto a los cuarenta, y su abuelo, Luis IX, a los cincuenta y seis. Clemente V, enfermo desde hacía mucho tiempo, murió a los cincuenta y cuatro años. En aquel tiempo, no parecía escandaloso morir a esa edad. Ni siquiera morir por las buenas.

Capítulo 3

1. R. Aitken, «The Knights Templars in Scotland», art. cit., pp. 35-36.

2. Forey, p. 361.

3. Barber, *Trial,* p. 227.

4. A. Luttrell, «Two Templar-Hospitaller Preceptories...», art. cit., p. 106.

5. R. Caravita, *Rinaldo da Concorrezzo, arcivescovo di Ravenna (1303-1321) al tempo di Dante, op. cit.,* p. 163.

6. Archivos nacionales franceses, series MM3, pieza n.º 82.

7. H. Wood, «The Templars in Ireland», art. cit., p. 359. J. Edwards, «The Templars in Scotland in the 13th Century», art. cit., pp. 20-21.

8. Templario de Tiro, p. 343.

9. Forey, pp. 277 y 298, n. 114.

10. A. du Bourg, *Histoire du grand prieuré de Toulouse, op. cit.,* pp. 74-75.

11. H. Wood, «The Templars in Ireland», art. cit., pp. 74-75.

12. R. Caravita, *Rinaldo da Concorrezzo, arcivescovo di Ravenna (1303-1321) al tempo di Dante, op. cit.*, p. 154.

13. Barber, *Trial*, pp. 238-239.

14. *Ibid.*, p. 239.

Capítulo 4

1. Por ejemplo, los trabajos de Malcolm Barber y Peter Partner, los de Forey sobre Aragón, los de Caravita sobre Italia y, por último, los de J. Riley-Smith.

2. C. R. Cheney, «The Downfall of the Templars and a Letter in Their Defence», *Medieval Texts and Studies*, Oxford, 1973, pp. 324-325.

3. E. Lourie, «The Will of Alfonso I el Batallador, King of Aragon and Navarre: A Reassessment», art. cit., p. 639, n. 14.

4. *The Victoria History of the Counties of England, Cambridge and the Isle of A. Ely*, vol. 2, ed. L. F. Salzman, Londres, 1948, p. 261.

5. Forey, p. 274.

6. *The Victoria History...*, p. 262.

7. Abate Petel, *Les templiers el les hospitaliers dans le diocèse de Troyes, op. cit.*, pp. 324-325.

8. J. Riley-Smith, *The Knigths of Saint John in Jerusalem and Cyprus, c. 1050-1310, op. cit.*, p. 246.

9. Barber, *Trial*, p. 165.

10. R. Finzi, «I templari a Reggio Emilia ed il processo a Fra Nicolao», *Atti e memorie della Deputazione di Storia Patria per le Antiche Provincie Modenerie*, serie II (1979).

11. A. Friedlander, «Heresy, Inquisition, and the Crusader Nobility of Languedoc», *Medieval Prosopography*, 4 (1983), pp. 45-67.

12. M. L. Bulst-Thiele, «Der Prozess gegen den Templerorden», *op. cit.*, p. 397 ss.

13. R. Caravita, *Rinaldo da Concorrezzo, arcivescovo di Ravenna (1303-1321) al tempo di Dante, op. cit.*

14. Barber, *Trial*, pp. 163-164.

15. H. Wood, «The Templars in Ireland», art. cit., p. 353.

16. Barber, *Trial*, p. 168.

17. R. Finzi, «I templari a Reggio Emilia ed il processo a Fra Nicolao», art. cit., p. 40.

18. J. Favier, *Philippe le Bel, op. cit.*, p. 438.

19. Barber, *Trial*, pp. 32-40. Por lo demás, piensa que el éxito perfecto de la operación de detención desde el punto de vista técnico se debió a la experiencia adquirida por la policía real durante las expulsiones de los judíos y los lombardos.

20. J. Favier, *Philippe le Bel, op. cit.*, p. 476.

21. Abate Petel, *Les templiers et les hospitaliers dans le diocèse de Troyes, op. cit.*, p. 291.

22. N. Cohn, reseña del libro de P. Partner, *The Murdered Magicians...*, *Journal of Ecclesiastical History*, 1983, p. 131.

23. M. Barber, «The World Picture of Philip the Fair», *Journal of Medieval History*, 8 (1982).

24. M. L. Bulst-Thiele, «Der Prozess gegen den Templerorden», *op. cit.*

25. J. N. Hilgarth, *Ramon Llull and Llullism in Fourteenth-Century France, op. cit.*, p. 86.

26. J. Prawer, «Military Orders and Crusader Politics in the Second Half of the 13th Century», art. cit., p. 229. F. Tommasi, «L'ordine dei templari a Perugia», art. cit., p. 19.

27. J. Favier, *Philippe le Bel, op. cit.,* p. 442.

28. S. Menache, «Contemporary Attitudes Concerning the Templars' Affair: Propaganda's Fiasco?», *Journal of Medieval History*, 8 (1982), pp. 135-147.

29. Pienso en las páginas, en mi opinión demasiado rápidas, muy poco meditadas, de J. Favier en su *Philippe le Bel.*

30. Umberto Eco, *Le nom de la rose,* trad. del italiano, París, Grasset, 1982, p. 67.

31. B. Alart, «La suppression de l'ordre du Temple en Roussillon», art. cit., p. 13.

32. R. Caravita, *Rinaldo da Concorrezzo, arcivescovo di Ravenna (1303-1321) al tempo di Dante, op. cit.,* p. 150.

33. S. Menache, «Contemporary Attitudes Concerning the Templars' Affair: Propaganda's Fiasco?», art. cit.

34. Jacobo de Thérines fue abad de Chaalis (de 1308 a 1318), después abad de Pontigny. Su texto forma parte de la refutación de un tratado de Gil de Roma. Profesor de la Facultad de Teología de París, se contaba entre aquellos que, en 1308, negaron al rey el derecho a juzgar a los templarios. *Histoire littéraire de la France*, t. XXXIV, pp. 198-200. J. N. Hillgarth, *Ramon Llull and Llullism in Fourteenth-Century France, op. cit.*, p. 92.

Apéndices

Oriente y cruzadas	Occidente: datos políticos	Occidente: datos religiosos
		1073-1085 Gregorio VII, papa: reforma de la Iglesia.
1095 Predicación de Urbano II en Clermont: primera cruzada.		
1099 Conquista de Jerusalén por los cruzados.		
		1112 Entrada de san Bernardo en el Cister.
1118-19 Fundación de la orden del Temple.		
1128 Concilio de Troyes: regla del Temple.		
		1130 (hacia) Composición por san Bernardo del *Elogio de la nueva milicia*.
1139 Bula *Omne datum optimum*: privilegios para el Temple.		
1144 Caída de Edesa.		
		1146 San Bernardo predica la cruzada.
1147-48 Segunda cruzada.	1147 Unión del reino de Aragón y el condado de Barcelona.	
1149 Consagración de la nueva basílica del Santo Sepulcro en Jerusalén.		

1154 Enrique II Plantagenet, rey de Inglaterra; Federico I Barbarroja, emperador.

1169-71 Saladino unifica el mundo musulmán (Siria-Egipto); fin del califato fatimita (chiíta) de El Cairo.

1170 Asesinato de Tomás Becket en la catedral de Canterbury.

1186 Matrimonio del emperador Enrique IV con Constancia, la heredera del reino de Sicilia.

1187 Hattin; toma de Jerusalén por Saladino; reino latino reducido a Tiro.

1189-1190 Tercera cruzada; muerte de Federico I en Asia Menor; fundación de la orden teutónica.

1191 Reconquista de Acre.

1203-4 Desviación de la cuarta cruzada toma de Constantinopla y creación de los Estados latinos de Grecia.

1204 Château-Gaillard; Felipe Augusto se apodera de los dominios de los Plantagenet en Francia del Oeste.

1208 Predicación de la cruzada contra los albigenses (herejes cátaros) en el Languedoc.

1212 Batalla de las Navas de Tolosa, etapa esencial en la Reconquista española.

1214 Victoria de Felipe Augusto en Bouvines.

1215 Concilio de Letrán IV; bula de cruzada.

1217-21 Quinta cruzada; toma de Damieta, en Egipto; luego, fracaso.

1226 Muerte de san Francisco de Asís.

1228-29 Cruzada de Federico II, emperador y rey de Sicilia; recuperación de Jerusalén.

1231 Se confía la Inquisición a las órdenes mendicantes (dominicos y franciscanos).

1238 Toma de Valencia por el rey de Aragón.

1244 Pérdida definitiva de Jerusalén para los latinos.

1244 Hoguera de Montségur.

1248-54 Cruzada de Luis IX.

1250 Advenimiento de los sultanes mamelucos en Egipto.

1250 Muerte de Federico II.

1252 El papado autoriza a los inquisidores a utilizar la tortura.

1258 Toma de Bagdad por los mongoles; fin del califato abasida.

1260 Los mongoles arrojados de Siria por los mamelucos.

1261 Los griegos recuperan el control de Constantinopla.

1266-68 Carlos de Anjou, hermano de Luis IX, se hace dueño del reino de Sicilia.

1270 Muerte de Luis IX ante Túnez.

1274 Segundo concilio de Lyon.

1276 Fundación por Raimundo Lulio de un colegio para enseñar el árabe a los misioneros.

1282 Las Vísperas Sicilianas: Carlos de Anjou pierde Sicilia en provecho de los aragoneses; conserva Nápoles e Italia del Sur.

1291 Caída de Acre; desaparición de los Estados latinos de Tierra Santa.

1303 Atentado de Anagni; muerte de Bonifacio VIII.

1303 Fracaso de los templarios en el islote de Ruad.

1304-9 Redacción de la historia de san Luis por Joinville.

1307 (octubre) Detención de los templarios en el reino de Francia.

1309 Conquista de Rodas por los hospitalarios.

1312 Concilio de Vienne: supresión de la orden del Temple.

1314 Muerte en la hoguera de Jacobo de Molay, último maestre del Temple.

Los reyes de Jerusalén

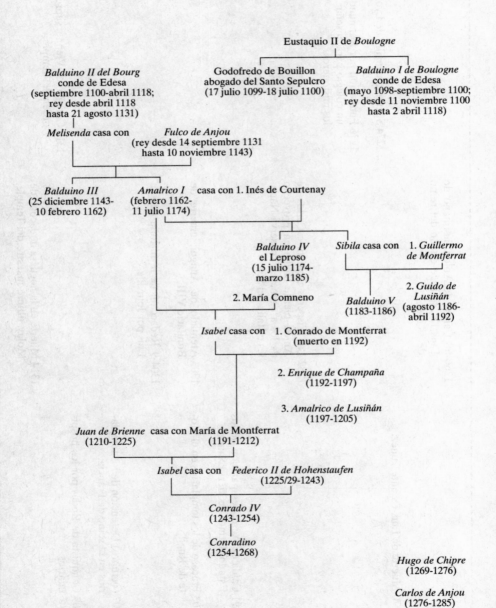

Eustaquio II de *Boulogne*

Balduino II del Bourg
conde de Edesa
(septiembre 1100-abril 1118;
rey desde abril 1118
hasta 21 agosto 1131)

Godofredo de Bouillon
abogado del Santo Sepulcro
(17 julio 1099-18 julio 1100)

Balduino I de Boulogne
conde de Edesa
(mayo 1098-septiembre 1100;
rey desde 11 noviembre 1100
hasta 2 abril 1118)

Melisenda casa con

Fulco de Anjou
(rey desde 14 septiembre 1131
hasta 10 noviembre 1143)

Balduino III
(25 diciembre 1143-
10 febrero 1162)

Amalrico I
(febrero 1162-
11 julio 1174)

casa con 1. Inés de Courtenay

Balduino IV
el Leproso
(15 julio 1174-
marzo 1185)

Sibila casa con

1. *Guillermo
de Montferrat*

2. María Comneno

Balduino V
(1183-1186)

2. *Guido de
Lusiñán*
(agosto 1186-
abril 1192)

Isabel casa con

1. Conrado de Montferrat
(muerto en 1192)

2. *Enrique de Champaña*
(1192-1197)

3. *Amalrico de Lusiñán*
(1197-1205)

Juan de Brienne
(1210-1225)

casa con María de Montferrat
(1191-1212)

Isabel casa con

Federico II de Hohenstaufen
(1225/29-1243)

Conrado IV
(1243-1254)

Conradino
(1254-1268)

Hugo de Chipre
(1269-1276)

Carlos de Anjou
(1276-1285)

Los reyes de Francia (siglos XI-XIV)

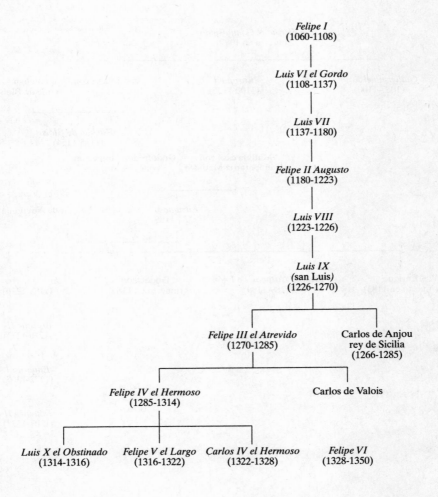

Felipe I
(1060-1108)

Luis VI el Gordo
(1108-1137)

Luis VII
(1137-1180)

Felipe II Augusto
(1180-1223)

Luis VIII
(1223-1226)

Luis IX
(san Luis)
(1226-1270)

Felipe III el Atrevido
(1270-1285)

Carlos de Anjou
rey de Sicilia
(1266-1285)

Felipe IV el Hermoso
(1285-1314)

Carlos de Valois

Luis X el Obstinado
(1314-1316)

Felipe V el Largo
(1316-1322)

Carlos IV el Hermoso
(1322-1328)

Felipe VI
(1328-1350)

Los reyes de Inglaterra (siglos XI-XIV)

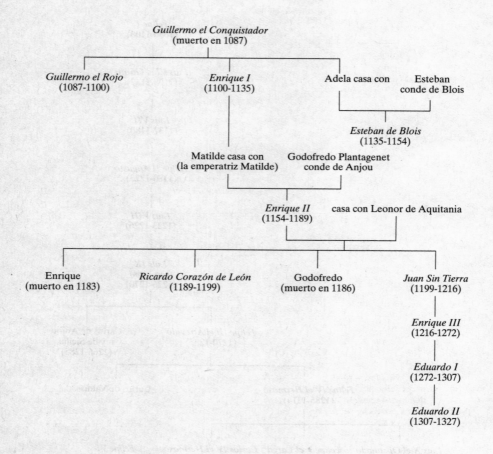

Normandos, Hohenstaufen y angevinos en Italia del Sur y en Sicilia

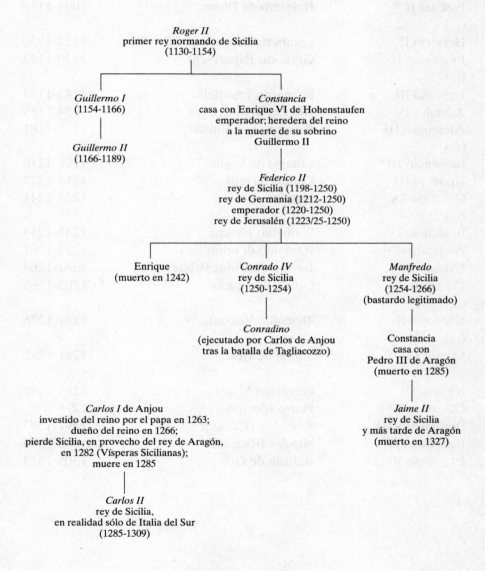

Roger II
primer rey normando de Sicilia
(1130-1154)

Guillermo I
(1154-1166)

Guillermo II
(1166-1189)

Constancia
casa con Enrique VI de Hohenstaufen
emperador; heredera del reino
a la muerte de su sobrino
Guillermo II

Federico II
rey de Sicilia (1198-1250)
rey de Germania (1212-1250)
emperador (1220-1250)
rey de Jerusalén (1223/25-1250)

Enrique
(muerto en 1242)

Conrado IV
rey de Sicilia
(1250-1254)

Manfredo
rey de Sicilia
(1254-1266)
(bastardo legitimado)

Conradino
(ejecutado por Carlos de Anjou
tras la batalla de Tagliacozzo)

Constancia
casa con
Pedro III de Aragón
(muerto en 1285)

Carlos I de Anjou
investido del reino por el papa en 1263;
dueño del reino en 1266;
pierde Sicilia, en provecho del rey de Aragón,
en 1282 (Vísperas Sicilianas);
muere en 1285

Jaime II
rey de Sicilia
y más tarde de Aragón
(muerto en 1327)

Carlos II
rey de Sicilia,
en realidad sólo de Italia del Sur
(1285-1309)

Los principales papas de la época de las cruzadas

Gregorio VII	Hildebrando	1073-1085
Víctor III	Daufari	1086-1087
Urbano II	Eudes de Lagery	1088-1099
Pascual II	Rainiero de Blera	1099-1118
(...)		
Honorio II	Lamberto Scannabecchi	1124-1130
Inocencio II	Gregorio Papareschi	1130-1143
(...)		
Eugenio III	Bernardo Paganelli	1145-1153
Adriano IV	Nicolás Breakspeare	1154-1159
Alejandro III	Rolando Bandinelli	1159-1181
(...)		
Inocencio III	Lotario de Segni	1198-1216
Honorio III	Cencio Savelli	1216-1227
Gregorio IX	Ugolino	1227-1241
(...)		
Inocencio IV	Sinibaldo Fieschi	1243-1254
Alejandro IV	Rainaldo di Ienne	1254-1261
Urbano IV	Jacinto de Court Palais	1261-1264
Clemente IV	Guido Foulquois	1265-1268
(...)		
Gregorio X	Teobaldo Visconti	1271-1276
(...)		
Martín IV	Simón de Brie	1281-1285
(...)		
Nicolás IV	Girolamo Masci	1288-1292
Celestino V	Pedro Morrone	1294
Bonifacio VIII	Benedicto Caetani	1294-1303
Benedicto XI	Nicolás Bocasini	1303-1304
Clemente V	Beltrán de Got	1305-1314

Los grandes maestres de la orden del Temple

Nombre	Región de origen	Fechas
1. Hugo de Payns	Champaña	1118/19-24 mayo 1136/37
2. Roberto de Craon	Maine (región de Vitré)	1136/37-13 enero 1149
3. Everardo des Barres	Champaña (Meaux)	1149-1152
4. Bernardo de Trémelay	Franco Condado	1152-16 agosto 1153
5. Andrés de Montbard	Borgoña	1153-17 enero 1156
6. Beltrán de Blanquefort	Berry o región bordelesa	1156-2 enero 1169
7. Felipe de Naplusia	Tierra Santa	1169-1171
8. Eudes de Saint-Amand	Provenza	1171-8 octubre 1179
9. Arnaldo de Torroja (Tierra Roja)	Aragón	1180-30 septiembre 1184
10. Gerardo de Ridefort	Flandes	1185-4 octubre 1189
11. Roberto de Sablé	Maine	1191-28 septiembre 1193
12. Gilberto Érail	Aragón o Provenza	1194-21 diciembre 1200
13. Felipe de Plessis	Anjou	1201-12 febrero 1209
14. Guillermo de Chartres	Chartres	1210-25 agosto 1219
15. Pedro de Montaigú	Aragón o sur de Francia	1219-28 enero 1232
16. Armando (o Hermant) de Périgord	Périgord	1232-17 octubre 1244
17. Ricardo de Bures	Normandía o Tierra Santa	1244/45-9 mayo 1247
18. Guillermo de Sonnac	Rouergue	1247-11 febrero 1250
19. Rinaldo de Vichiers	¿Champaña?	1250-20 enero 1256
20. Tomás Berard	Italia o Inglaterra	1256-25 mayo 1273
21. Guillermo de Beaujeu	Beaujolais	1273-18 mayo 1291
22. Teobaldo Gaudin	¿Chartres-Blois?	1291-16 abril 1293
23. Jacobo de Molay	Franco Condado	1294-18 marzo 1314

(Lista establecida según la obra citada de Marie Luise Bilst-Thiele.)

La implantación del Temple en Tierra Santa

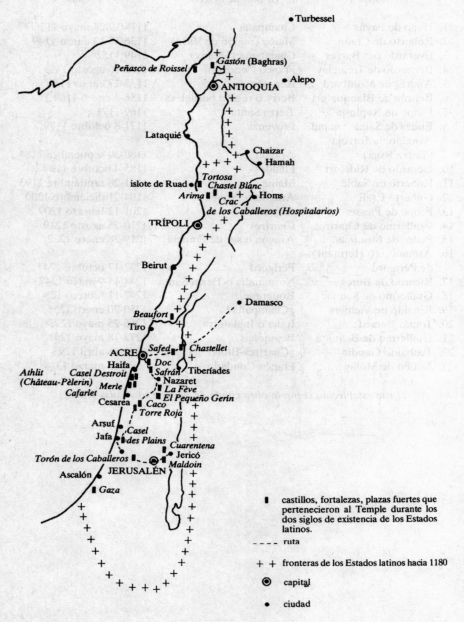

Edesa •

• Turbessel

Gastón (Baghras)

Peñasco de Roissel   • Alepo

ANTIOQUÍA

Lataquié

Chaizar
Hamah

islote de Ruad • *Tortosa*
Chastel Blanc
Arima ●■   • Homs
*Crac
de los Caballeros* (Hospitalarios)

TRÍPOLI

Beirut

• Damasco

Beaufort
Tiro

ACRE   *Safed*   *Chastellet*
Haifa   *Doc*
Athlit   *Casel Destroit* *Safrán*   Tiberíades
(Château-Pèlerin)   *Nazaret*
Merle   *La Fève*
Cafarlet   *El Pequeño Gerín*
Cesarea   *Caco*
Torre Roja

Arşuf
Jafa   *Casel
des Plains*
Cuarentena
Torón de los Caballeros   Jericó
Maldoin
Ascalón   JERUSALÉN

■ *Gaza*

■   castillos, fortalezas, plazas fuertes que
pertenecieron al Temple durante los
dos siglos de existencia de los Estados
latinos.

- - - -   ruta

+ +   fronteras de los Estados latinos hacia 1180

◉   capital

•   ciudad

Jerusalén

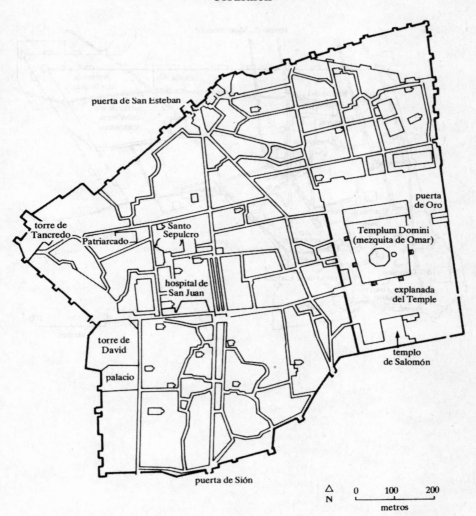

puerta de San Esteban

torre de
Tancredo

Patriarcado

Santo
Sepulcro

hospital de
San Juan

torre de
David

palacio

puerta de Sión

puerta
de Oro

Templum Domini
(mezquita de Omar)

explanada
del Temple

templo
de Salomón

△
N

0   100   200
metros

Acre en el siglo XII

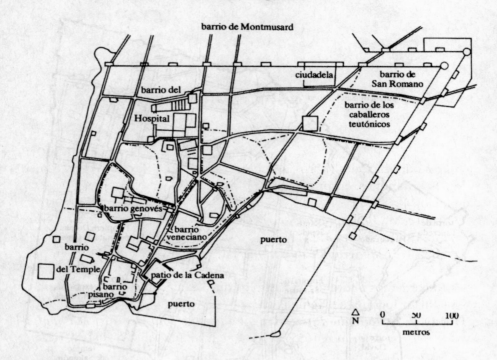

barrio de Montmusard

ciudadela

barrio del

Hospital

barrio de
San Romano

barrio de los
caballeros
teutónicos

barrio genovés

barrio
veneciano

puerto

barrio
del Temple

patio de la Cadena

barrio
pisano

puerto

0   50   100

N

metros

Bibliografía

Las publicaciones (libros, artículos) dedicados al Temple son considerables. Citaremos, en primer lugar, dos catálogos bibliográficos de fácil manejo:

Dessubré, M., *Bibliographie de Vordre des templiers,* París, Librairie critique Émile Nourry, 1928.

Dailliez, L., *Bibliographie du Temple,* París, CEP, 1972.

Recordemos ahora algunos títulos que señalaron etapas importantes en la historiografía del Temple:

Dupuy, P., *Histoire du différend d'entre le pape Boniface VIII et Philippe le Bel, roy de France,* 1655. En 1963 se hizo una reimpresión en Tucson (Arizona).

Raynouard, *Monuments historiques relatifs à la comdamnation des templiers,* París, 1813.

Michelet, J., *Procés des templiers,* París, 1841-1851, «Collection des documents inédits de l'histoire de France», 2 vols.

Prütz, H., *Die geistlichen Ritterorden,* Berlín, 1908. (Se trata de una historia de conjunto de las órdenes militares que conserva todavía su autoridad.)

1. Las grandes colecciones de fuentes

No daré aquí más que los textos esenciales o las colecciones de fácil manejo. El problema general de los archivos centrales del Temple se plantea en:

Hiestand, R., «Zum problem des Templerzentralarchivs», *Archivistische Zeitschrift,* 76 (1980).

Conviene consultar, del mismo autor, una notable obra de erudición, en la que se incluye un inventario detallado de los textos pontificios en favor de los templarios y los hospitalarios recogidos en los depósitos de archivos europeos, a lo que se añade la publicación de un gran número de esos textos:

- *Papsturkunden für Templer und Johanniter* (Abhandlungen der Akademie der Wissenschaften in Göttingen, Philologisch-historische Klasse, 77), Gotinga, 1972, vol. I y (Abhandlungen..., 135), Gotinga, 1983, vol. II.

Dos ediciones de la regla de la orden:

Curzon, H. de, *La règle du Temple*, París, Société de l'Histoire de France, núm. 74, 1886.

Dailliez, L., *Les templiers et les règles de l'ordre du Temple,* París, Belfond, 1972.

El cartulario general de la orden es un conjunto heterogéneo de textos, de los que se ha editado sólo una parte:

Albon, marqués de, *Cartulaire général de l'ordre du Temple,* París, H. Champion, 1913-1922, 2 vols.

Léonard, E. G., *Gallicarum militiae Templi domorum,* «Introducción al cartulario manuscrito del Temple (1150-1317), constituido por el marqués de Albon [...], seguida de un cuadro de las casas francesas del Temple y de sus preceptores», París, Librairie Champion, 1930.

En cuanto al proceso, además de la obra de Michelet, ya citada, se encontrarán numerosos documentos en:

Schottmüller, K., *Der Untergang des Templerordens,* Berlín, 1887, 2 vols.

Prütz, H., *Entwicklung und Untergang des Templerherrenordens,* Berlín, 1888.

Finke, H., *Papsttum und Untergang des Templerordens,* Münster, 1907.

Lizerand, G., *Le dossier de l'affaire des templiers,* París, 1923, «Les classiques de l'histoire de France au Moyen Âge», reeditado en 1964. (Una colección de fácil manejo de los principales textos relativos al proceso, con su traducción al francés.)

En cuanto a la actuación de los templarios en Tierra Santa y, más generalmente, en cuanto a la cruzada, la gran fuente continúa siendo:

Guillermo de Tiro, *Historia rerum in partibus transmarinis gestarum,* con la traducción y la continuación francesa conocida con el título «Estoire d'Eraclès empereur et la conquête de la terre d'Outremer», *Recueil des historiens des croisades, Historiens occidentaux,* París, 1844-1849, 2 t., en 3 vols.

2. Cruzadas e idea de cruzada

Una síntesis historiográfica muy buena:

Cardini, F., «Gli studi sulle crociate dal 1945 ad oggi», *Rivista storica italiana,* 80 (1968).

Destinado al gran público, el número especial de la revista *L'Histoire: le Temps des croisades,* núm. 47, julio-agosto de 1982 (con abundante iconografía).

La idea de cruzada y su trasfondo teórico y teológico han sido tratados por:

Alphandéry, P., y Dupront, A., *La chrétienté et l'idée de croisade,* París, Albin Michel, col. «L'évolution de l'humanité», 1954-1959, 2 vols.

Delaruelle, E., *L'idée de croisade au Moyen Âge,* Turín, Bottega d'Erasmo, 1980. (Se trata de una colección de artículos.)

Erdmann, C., *Die Entstehung des Kreuzzugsgedanken,* Stuttgart, 1935; trad. ingl. de M. W. Baldwin con el título *The Origin of the Idea of Crusade,* Princeton, 1977.

Lecoy de la Marche, «La prédication de la croisade au XIIIᵉ siècle», *Revue des questions historiques,* 48 (1890).

La ideología de la guerra justa y de la guerra santa se encontrará en:

Regout, R., *La doctrine de la guerre juste de saint Augustin à nos jours, d'aprés les théologiens et les canonistes catholiques,* París, 1935.

Richard, J., *L'esprit de la croisade,* París, Éd. du Cerf, 1969. (Recomendamos esta obra por los textos reunidos sobre el tema, entre ellos un amplio fragmento del *De laude* de san Bernardo.)

Robinson, I. J., «Gregory VII and the Soldiers of Christ», *History,* 58 (1973).

Russel, F. M., *The Just War in Middle Ages,* Cambridge University Press, «Cambridge Studies in Medieval Life and Thought», 1975.

Solms, E. de, *Saint Bernard: textes choisis et présentés par Dom J. Leclercq,* Namur, 1958 (con el *De laude* publicado y traducido integralmente.)

Vial, P., «Idéologie de la guerre sainte et l'ordre du Temple», *Mélanges Etienne Fournial,* Saint-Étienne, publicaciones de la universidad de Saint-Étienne, 1978.

Sobre san Bernardo, del que he expuesto la gran importancia en el siglo XII:

Duby, G., *Saint Bernard. L'art cistercien,* París, Flammarion, col. «Champs historiques», 1979.

Leclercq, J., «Saint Bernard's Attitude toward War», *Studies in Medieval Cistercian History, 2, Cistercian Studies,* 24 (1976).

Mélanges saint Bernard, Dijon, 24e Congrès de la Association Bourguignone des Sociétés Savantes.

Vacandard, E., *Vie de saint Bernard, abbé de Clairvaux,* París, 1895, 2 vols.

La crítica de la cruzada es analizada por los autores siguientes:

Constable, G., «The Second Crusade as Seen by Contemporaries», *Traditio,* 9 (1953).

Flahiff, G. B., «*Deus non vult:* A Critic of the Third Crusade», *Mediaeval Studies,* 9 (1947).

Throop, P. A., *Criticism of the Crusade,* Amsterdam, 1940.

En cuanto al desarrollo de las diversas cruzadas, las fuentes son particularmente numerosas. Las más importantes han sido publicadas en *Recueil des historiens des croisades.* Además de este conjunto, citaremos:

Eudes de Deuil, *De projectione Ludovici VII in Orientem (La croisade de Louis VII, roi de France),* editado por H. Waquet, París, 1949.

Este texto está traducido íntegramente en:

Castries, duque de, *La conquête de la Terre sainte par les croisés,* París, Albin Michel, col. «Le mémorial des siècles», 1973.

Ambrosio, *L'estorie de la guerre sainte,* historia en verso de la tercera cruzada, editada y traducida al francés por G. Paris, París, «Collection de documents inédits sur l'histoire de France», 1897.

Ernoul, *Chronique d'Ernoul et de Bernard le Trésorier,* editada por L. de Mas-Latrie, París, «Société de l'Histoire de France», 1871.

Les gestes des Chiprois. Recueil de chroniques françaises écrites en Orient aux XIIIe-XIVe siècles, publicadas por G. Raynaud, Ginebra, «Société de l'Orient Latin», serie histórica V, 1887. (Comprende tres crónicas: «Chronique de Terre sainte, 1131-1224»; «Récit de Philippe de Novarre, 1212-1242»; «Chronique du Templier de Tyr, 1242-1309».)

Joinville, *Histoire de saint Louis,* editada por Natalis de Wailly, París, 1874.

Los estudios de conjunto sobre las cruzadas son inseparables de los estudios sobre los Estados latinos nacidos de las empresas de los cruzados en Tierra Santa, Chipre, Grecia y la península Ibérica. Todos ellos incluyen algunas páginas o algunos capítulos sobre las órdenes militares, en particular sobre el Temple. Una obra reciente hace un análisis penetrante del conjunto de las relaciones económicas, sociales, políticas, religiosas y culturales entre Oriente y Occidente. Se trata de:

Cahen, C., *Orient et Occident au temps des croisades,* París, Aubier, «Collection historique», 1983.

Además de este libro, retengamos:

Grousset, R., *Histoire des croisades et du royaume franc de Jérusalem,* París, Plon, 1934-1936, 3 vols. (Un «monumento» hoy en día completamente sobrepasado.)

Morrison, C., *Les croisades,* París, PUF, col. «Que sais-je?», núm. 156, 1973.

Runciman, S., A *History of the Crusades,* Cambridge, 1951-1955, 3 vols.

Bajo la dirección de K. M. Setton (al menos al principio), la universidad de Wisconsin (Estados Unidos) ha emprendido una amplia publicación colectiva, *A History of the Crusades,* de la que han aparecido ya cuatro de los seis volúmenes previstos:

Vol. 1. *The First Hundred Years,* M. W. Baldwin (ed.), The University of Wisconsin Press, 1969, 2.ª ed.

Vol. 2. *The Later Crusades, 1189-1311,* R. L. Wolff y H. W. Hazard (eds.), 1969, 2.ª ed.

Vol. 3. *The Fourteenth and Fifteenth Centuries,* H. W. Hazard (ed.), 1975.

Vol. 4. *The Art and Architecture of the Crusader States,* H. W. Hazard (ed.), 1977.

Dejando aparte estas historias generales, los títulos siguientes tratan de puntos más precisos:

Perroy, E., *Les croisades et l'Orient latin (1095-1204),* París, Centre de Documentation Universitaire, s. f.

Prawer, J., *Histoire du royaume latin de Jérusalem,* París, Ed. del CNRS, 1969-1970, 2 vols.

— *The Crusaders' Kingdom. European Colonialism in the Middle Ages,* Nueva York, 1972.

— *Crusader Institutions,* Oxford, Clarendon Press, 1980. (Se trata de una colección de artículos.)

Richard, J., *Le royaume latin de Jérusalem,* París, PUF, 1953.

— *Le comté de Tripoli sous la dynastie toulousaine,* París, P. Geuthner, 1945.

Cahen, C., *La Syrie du Nord à l'époque des croisades et la principauté franque d'Antioche,* París, P. Geuthner, 1940.

Boase, T. S. R., *The Cilician Kingdom of Armeny,* Edimburgo-Londres, Scottish Academic Press, 1978. (Serie de estudios, entre ellos el de J. Riley-Smith dedicado a los templarios de Cilicia.)

Longnon, J., *L'empire latin de Constantinople et la principauté de Morée*, París, Payot, 1949.

La Reconquista española se inscribe en el movimiento de la cruzada. Dos obras de conjunto, una clásica, la otra reciente:

Menéndez Pidal, R., *La España del Cid*, Madrid, 1947, 2 vols.

Lomax, D. W., *The Reconquest of Spain*, Londres, Longman, 1978.

Pueden verse también:

Burns, R. I., *The Crusader Kingdom of Valencia. Reconstruction on a Thirteenth-Century Frontier*, Cambridge (Massachusetts), Harvard University Press, 1967, 2 vols.

— *Moors and Crusaders in Mediterranean Spain, Collected Studies*, Londres, Variorum Reprints, 1978.

Todas estas obras tratan abundantemente de los diversos aspectos de la vida de los cruzados, de sus relaciones con las poblaciones autóctonas. Un excelente análisis de la vida de los cruzados en Tierra Santa, realizado a partir de datos arqueológicos, es el de:

Benvenisti, M., *The Crusaders in the Holy Land*, Jerusalén, Israel University Press, 1970. (Esta obra resulta particularmente interesante para los problemas de la guerra, los principales en los Estados cruzados.) Véase también:

Contamine, P., *La guerre au Moyen Âge*, París, PUF, col. «Nouvelle Clio», núm. 24, 1980.

Smail, R. C., *Crusading Warfare (1097-1193)*, Cambridge, 1956.

Deschamps, P., *Les châteaux des croisés en Terre sainte*, París, 1934-1936, 2 vols., y 2 álbumes de planchas y fotos.

Cruzadas y órdenes religiosas son el producto de la evolución social de Occidente en los siglos XI, XII y XIII. Nos remitiremos a los grandes estudios clásicos referentes a este último:

Boutruche, R., *Seigneurie et féodalité*, París, Aubier, «Collection historique», 1969-1970, 2 vols.

Duby, G., *Guerriers et paysans. Le premier essor de l'économie européenne*, París, Gallimard, «Bibliothèque des histoires», 1973.

— *Hommes et structures du Moyen Âge*, París, Mouton, 1973. (Se trata de una colección de artículos.)

— *Les trois ordres ou l'imaginaire du féodalisme*, París, Gallimard, «Bibliothèque des histoires», 1978.

— *Guillaume le Maréchal ou le Meilleur Chevalier du monde,* París, Fayard, col. «Les inconnus de l'histoire», 1984.

Fossier, R., *Enfances de l'Europe,* París, PUF, col. «Nouvelle Clio», núms. 17 y 17 *bis*, 1982, 2 vols.

Kohler, E., *L'aventure chevaleresque. Idéal de réalité dans le roman courtois,* París, Gallimard, «Bibliothèque des histoires», 1974. (Traducción al francés de una obra escrita en alemán en 1970.)

Paix de Dieu et guerre sainte en Languedoc au XIIIᵉ siècle, Cahiers de Fanjeaux, Toulouse, Privat, 4 (1969). (Serie de comunicaciones presentadas en el coloquio anual de Fanjeaux.)

3. Las órdenes militares

Además del estudio de conjunto de Prütz mencionado al comienzo de esta bibliografía, señalaré algunos títulos recientes:

Fleckensein, J., y Hellmann, M. (eds.), *Die geistlichen Ritterorden Europas,* «Vorträge und Forschungen, XXVI, Sigmaringen, Jan Thorbecke, 1980. (Serie de estudios de autores diversos.)

Linage Conde, A., «Tipología de vida monástica en las órdenes militares», *Yermo,* 12 (1974).

Seward, D., *The Monks of War. The Military Religious Orders,* Londres, Eyre, Methuen, 1972.

Bertrand de la Grassière, P., *L'ordre militaire et hospitalier de Saint-Lazare de Jérusalem,* París, Peyronnet et Cie, 1960.

Dailliez, L., *Les chevaliers teutoniques,* París, Perrin, 1979.

Gorski, K., «Du nouveau sur l'ordre teutonique», *Revue historique,* 531(1969).

Forey, A. J., «The Military Order of Saint Thomas of Acre», *English Historical Review,* 92 (1977).

Luttrell, A., *The Hospitallers in Cyprus, Rhodes, Greece and the West, 1291-1440, Collected Studies,* Londres, Variorum Reprints, 1978.

Riley-Smith, J., *The Knights of Saint John in Jerusalem and Cyprus, c. 1050-1310. A History of the Order of the Hospital of Saint John of Jerusalem,* L. Butler (ed.), t. I, Londres, 1967.

La Península Ibérica fue un campo de acción particular para las órdenes internacionales, al mismo tiempo que el campo de experimentación de las órdenes militares nacionales:

Cocheril, M., «Essai sur l'origine des ordres militaires dans la Péninsule

Ibérique», *Collectanea ordines cisterciensium reformatorium*, 20-21, Westmalle, 1958-1959.

Forey, A. J., «The Orden of Mountjoy», *Speculum*, 46 (1971).

Lomax, D. M., *Las órdenes militares en la Península Ibérica durante la Edad Media*, tomado de *Repertorio de historia de las ciencias eclesiásticas en España*, núm. 6, Salamanca, 1976.

—, «La historiografía de las órdenes militares en la Península Ibérica (1100-1550)», *Hidalguía*, 23 (1975).

O'Callaghan, F., *The Spanish Military Order of Calatrava and its Affiliates, Collected Studies*, Londres, Variorum Reprints, 1975.

4. La orden del Temple: problemas generales

Aunque breve, el estudio más recomendable es:

Pernoud, R., *Les templiers*, París, PUF, col. «Que sais-je?», núm. 1157, 1974.

Los libros accesibles en francés pecan todos por su carácter «hagiográfico» y por su tendencia a rehacer el proceso del Temple en todas las etapas de su existencia:

Bordonove, G., *La vie quotidienne des templiers au XIIIe siècle*, París, Hachette, 1975.

Melville, M., *La vie des templiers*, París, Gallimard, col. «La suite des temps», 1951, 2.ª edición, 1974.

Ollivier, A., *Les templiers*, París, Ed. du Seuil, col. «Les temps qui court», 1958.

El libro más cuidado, el más preciso con respecto al conjunto de la orden, es el que Marie Luise Bulst-Thiele dedica a los grandes maestres del Temple. Muy erudito, difícil de leer, atiborrado de datos y de referencias a las fuentes y a la bibliografía, puntualiza una serie de cuestiones, importantes o nimias, de la historia del Temple. Es irreemplazable:

Bulst-Thiele, M. L., *Sacrae domus militiae Templi Hierosolymitani magistri, Untersuchungen zur Geschichte des Templerordens, 1118/9-1314*, Gotinga, 1974.

Los comienzos de la orden fueron objeto de numerosas investigaciones:

Barber, M., «The Origins of the Order of the Temple», *Studia Monastica*, Barcelona, 12 (1970).

Carrière, V., «Les débuts de l'ordre du Temple en France», *Le Moyen Âge*, 27 (1914).

Leclercq, J., «Un document sur les débuts des templiers», *Revue d'histoire ecclésiastique*, 52 (1957).

Lourie, E., «The Will of Alfonso I "el Batallador", King of Aragon and Navarra: A Reassessment», *Speculum*, 50 (1975).

— «The Confraternity of Belchite, the Ribat and the Temple», *Viator, Mediaeval and Renaissance Studies*, Los Ángeles, 13 (1982).

Valous, G. de, «Quelques observations sur la toute primitive observance des templiers et la *Regula pauperum commilitium Christi Templi Salomonis*», *Mélanges saint Bernard*, Dijon, 1954.

La más reciente puntualización sobre el sello de los templarios es la siguiente:

Metman, Y., «Le sceau des templiers», *Club français de la médaille, Bulletin*, 39-40 (1973).

La bandera del Temple, el famoso pendón *baussant*, ha hecho correr mucha tinta... inútil. Una buena puntualización se encuentra en:

Tommasi, F., «L'ordine dei templari a Perugia», *Bolletino della Regia Deputazione di Storia Patria per l'Umbria*, 78 (1981). (Este artículo presenta también un enorme interés para el estudio de la capilla templaria de San Bevignate de Perusa.)

Sobre la arquitectura religiosa de los templarios (y de manera más general, de las órdenes militares), se consultará:

Higounet, C., y Gardelles, J., «L'architecture des ordres militaires dans le sud-ouest de la France», *Actes du 87ᵉ Congrès des Sociétés Savantes, Poitiers, 1962, Section d'Archéologie*, París, Biblioteca Nacional, 1963.

Laborde, F., «L'église des templiers de Montsaunès (Haute-Garonne), *Revue de Comminges*, 92-93 (1979-80).

Lambert, E., «L'architecture des templiers», *Bulletin monumental*, 112 (1954).

Le Bras, bajo la dirección de G., *Les ordres religieux. La vie et l'art*, t. I. «Les ordres militaires», por Dom M. Cocheril, París, Flammarion, 1979 (abundante iconografía).

Sobre la actividad financiera de los templarios:

Delisle, L., *Mémoire sur les opérations financières des templiers*, París, Mémoires de l'Institut National de France, Académie des Inscriptions et Belles-Lettres, t. XXXIII, 2, 1889.

Metcalf, D. M., «The Templars as Bankers and Monetary Transfers between West and East in the 12th Century», *Coinage in the Latin East, «the Fourth Oxford Symposium on Coinage and Monetary History»*, P. W. Edbury y D. M. Metcalf (eds.), Oxford, British Archeological Reports, 1980.

Piquet, J., *Des banquiers au Moyen Âge: les templiers. Étude de leurs opérations financières*, París, 1939.

Vilar Bonet, M., «Actividades financieras de la orden del Temple en la Corona de Aragón», *VII Congreso de la Historia de la Corona de Aragón*, 2, Comunicaciones, Barcelona, 1962.

La parte que los templarios y, más generalmente, las órdenes militares tomaron en la expansión agrícola y el poblamiento de Occidente ha sido el objeto de las Sextas Jornadas Internacionales de Historia de Flaran (Gers), celebradas en septiembre de 1984. Sus actas serán publicadas próximamente con el título siguiente:

Les ordres militaires, la vie rural y le peuplement en Europe occidentale (XIIe-XVIIIe siècles), Sixièmes Journées Internationales d'Histoire, 1984, Flaran 6, Auch, Comité departamental de Turismo de Gers (en prensa).

Las relaciones con Tierra Santa no han sido estudiadas de modo sistemático. Citaremos:

Mollat, M., *Études d'histoire maritime*, Turín, Bottega d'Erasmo, 1977. (Se trata del conjunto de los artículos que el autor ha dedicado a estos problemas.)

Pryor, J. H., «Transportation of Horses by Sea during the Era of the Crusades, 8th Century to 1255», *Mariner's Mirror*, 68 (1982).

La leyenda del Temple –las leyendas, deberíamos decir– ha dado lugar a elucubraciones de todo tipo. Todo vale para alimentar los relatos sobre los misterios, los secretos, los tesoros de los templarios. Retendré cuatro estudios críticos sobre algunos temas de moda.

Barber, M., «The Templars and the Turin Shroud», *Catholic Historical Review*, 68 (1982). (El autor hace la crítica de una obra que explica toda la historia de los templarios por el hecho de que estaban en posesión del santo sudario de Turín. Hasta ese momento, todavía no se le había ocurrido a nadie...)

Bertrand, R., «Les templiers à Gréoux; avatars d'un légende», *Annales de Haute-Provence*, 48 (1979). (Ejemplo de uno de esos castillos templarios imaginarios.)

Mazières, M. R., «Un épisode curieux en terre d'Aude du procès des templiers», *Mémoires de la Société des Arts et des Sciences de Carcassonne,* series 4 y 5 para los años 1963-1967, 1971.

Partner, P., *The Murdered Magicians, The Templars and Their Myths,* Oxford, Oxford University Press, 1982. (El autor dedica la primera parte al proceso de los templarios; la segunda se refiere al mito del origen templario de la masonería.)

5. La orden del Temple: estudios por países

En Francia

Los libros y artículos, las monografías dedicadas a las encomiendas del Temple son superabundantes, pero en su mayoría de escasa calidad. Se han editado numerosos cartularios. Retendré solamente los más importantes o los más recientes:

Amargier, P. A., *Le cartulaire de Trinquetaille,* Publications universitaires des lettres et sciences humaines d'Aix-en-Provence, 1972. (Se trata de un cartulario de los hospitalarios.)

Carrière, V., *Histoire et cartulaire des templiers de Provins,* París, Champion, 1919.

Gérard, P., y Magnou, E., *Le cartulaire des templiers de Douzens,* París, «Collection de documents inédits sur l'histoire de France», serie in-8.º, 5, 1966.

Higounet, C., «Le cartulaire des templiers de Montsaunès», *Bulletin philologique et historique du Comité des Travaux Historiques et Scientifiques, 1955-1956,* París, 1957.

Petel, abate, *Templiers et hospitaliers dans le diocèse de Troyes: comptes de régie de la commanderie de Payns, 1307-1309,* Troyes, 1908.

Entre las monografías:

Bertrand, M., «Les templiers en Normandie», *Heimdal, revue d'art et d'histoire de Normandie,* 26 (1978).

Bourg, A. du, *Histoire du grand prieuré de Toulouse,* Toulouse, 1883. (Incluye numerosos documentos.)

Curzon, H. de, *La maison du Temple à Paris. Histoire et description,* París, 1888.

Delaruelle, E., «Templiers et hospitaliers en Languedoc pendant la croisade del Albigeois», *Cahiers de Fanjeaux,* 4 (1969), *Paix de Dieu et guerre sainte en Languedoc au XIIIᵉ siècle.*

Durbec, J. A., «Les templiers dans les Alpes-Maritimes», *Nice historique,* 1938.

Durbec, J. A., «Les templiers en Provence; formation des commanderies et répartition géographique de leurs biens», *Provence historique,* 8 (1959).

Guériff, F., «Les chevaliers templiers et hospitaliers dans l'ancien pays de Guérande», *Bulletin de la Société Archéologique et Historique de Nantes et de Loire-Atlantique,* n.º 106 para 1967, 1970.

Lascaux, M., *Les templiers en Bretagne,* Rennes, Éd. Ouest-France, 1979.

Le Blévec, D., «Les templiers en Vivarais, les archives de la communauté de Jalès et l'implantation de l'ordre du Temple en Cévennes», *Revue du Vivarais,* 84 (1980).

Legras, A. M., *Les commanderies des templiers et des hospitaliers de Saint-Jean de Jérusalem en Saintonge et en Aunis,* París, Ed. del CNRS, 1983.

Magnou, É., «Oblature, classe chevaleresque et servage dans les maisons méridionales du Temple au XIIᵉ siècle», *Annales du Midi,* 73 (1961).

Mairesse, R., «La commanderie de Sours en Chartrain», *Cahiers du Temple,* 1 (1963).

Ourliac, P., «Le pays de la Selve à la fin du XIIᵉ siècle», *Annales du Midi,* 80 (1968).

Richard, J., «Les templiers et les hospitaliers en Bourgogne et Champagne du Sud (XIIᵉ-XIIIᵉ siècle)», en *Die geistlichen Ritterorden Europas,* «Vorträge und Forschungen», XXVI, Sigmaringen, Jan Thorbecke, 1980.

Vial, P., «Les templiers en Velay aux XIIᵉ et XIIIᵉ siècles», *Actes du 98ᵉ Congrès National des Sociétés Savantes, Saint-Étienne, 1973,* París, Biblioteca Nacional.

En las islas Británicas

Lees, B. A. (ed.), *Records of the Templars in England in the 12ᵗʰ Century. The Inquest of 1185 with Illustrative Charters and Documents,* British Academy, Records of the Social and Economic History of England and Wales, IX, Londres, 1935 reimpreso en 1981.

Publicados poco más o menos en el mismo momento, cuatro artículos cubren el conjunto del territorio británico:

Aitken, R., «The Knights Templars in Scotland», *Scottish Review,* 32 (1898).

Edwards, J., «The Templars in Scotland in the 13ᵗʰ Century», *Scottish Historical Review,* 5 (1907).

Perkins, C., «The Knights Templars in the British Isles», *English Historical Review,* 25 (1910).

Wood, H., «The Templars in Ireland», *Proceedings of the Royal Irish Academy,* 27 (1907).

Más recientes:

Parker, T., *The Knights Templars in England,* Tucson, The University of Arizona Press, 1963.

Sandys, A., «The Financial and Administrative Importance of the London Temple in the 13th Century», *Essays in Mediaeval History Presented to T. F. Tout,* A. G. Little y M. Powicke (eds.), Manchester, 1925.

En la Península Ibérica

Una síntesis minuciosa, llevada a cabo por uno de los grandes especialistas ingleses en las órdenes militares, dispensa de toda otra referencia para Aragón y Cataluña:

Forey, A. J., *The Templars in the Corona de Aragón,* Oxford, 1973.

Por lo demás, las investigaciones están mucho más desarrolladas en Aragón que en Castilla. Señalemos los trabajos recientes de J. M. Sans i Trave (que no he podido consultar), publicados en diversas revistas catalanas:

• «Alguns aspectes de l'establiment dels templers a Catalunya: Barberà», *Quaderns d'història tarraconense,* 1 (1977).

• «Relació de la casa del Temple a Barber amb el monastir de Santes Creus (segle XIII)», *Analecta Sacra Terraconensia,* núm. 48 para 1975, 1977.

• «El Rourell, una preceptoria del Temple del camp de Tarragona (1162-1248)», *Boletín arqueológico,* 1976-1977.

Señalemos también el muy sugestivo artículo de:

Castillón Cortada, F., «Política hidráulica de templarios y sanjuanistas en el valle del Cinca», J. Zurita, *Cuadernos de Historia,* 35 (1980).

Para León y Castilla:

Lomax, D. W., «Las órdenes militares en León durante la Edad Media», *León Medieval.*

En Portugal:

Cocheril, M., «Les ordres militaires cisterciens au Portugal», *Bulletin des études portugaises,* Lisboa, 28-29 (1967-1968).

Se ha dedicado una impresionante colección al conjunto de las órdenes militares, nacionales e internacionales, en la Península Ibérica. Se trata de un coloquio celebrado en 1971, pero cuyas actas no se publicaron hasta 1983:

Anuario de Estudios Medievales, núm. 11, Barcelona, 1983.
No he tenido acceso a:
Ledesma Rubio, M. L., *Templarios y hospitalarios en el reino de Aragón,* 1982.

En Italia

Una publicación en curso hace el inventario de las fuentes disponibles:
Bramato, F., Registre diplomatici per la storia dei templari in Italia», *Rivista araldica,* Roma, 77 (1978), 79 (1980), 80 (1981), 81 (1982), etcétera.
Entre los estudios recientes:
Luttrell, A., «Two Templar-Hospitaller Preceptories, North of Tuscania», incluido en *The Hospitallers in Cyprus, Rhodes, Greece and the West, 1291-1440,* Londres, Variorum Reprints, 1978.
Y el artículo de F. Tommasi sobre los templarios de Perusa, citado en la cuarta parte de esta bibliografía.
No he tenido acceso a la importante publicación de:
Ricaldone, A. di, *Templare e gerusilimitani di Malta in Piemonte dal XII al XVIII secolo,* Madrid, Instituto Internacional de Genealogía y Heráldica, 1979-1980, 2 vols.

Para las demás regiones de Occidente, es también en Prütz, obra citada en la primera parte, donde se encuentran las indicaciones más seguras, especialmente en lo que se refiere a Alemania y Hungría. Para los Países Bajos y Bélgica, existen algunas monografías; poco accesibles al estar escritas en flamenco y además imposibles de encontrar en las bibliotecas francesas. A falta de algo mejor, nos remitiremos a:
Dailliez, L., *Les templiers,* Niza, Alpes Mediterráneos, Éd. Impres-Sud, 1978. 3. *En Flandre, Hainaut, Brabant, Liège et Luxembourg.*

En cuanto al Temple en Tierra Santa, no existe ningún estudio comparable al dedicado por J. Riley-Smith a los hospitalarios. Puede consultarse también:
Trudon des Ormes, A., «Liste des maisons et quelques dignataires de l'ordre du Temple en Syrie, en Chypre, en France, d'après les pièces du procès», *Revue de l'Orient latin,* 5-7 (1897-1899).

6. El proceso

Hemos mencionado ya las principales fuentes en la primera parte de esta bibliografía.

Para los problemas del reinado de Felipe el Hermoso en su conjunto:

Favier, J., *Philippe le Bel,* París, Fayard, 1978.

Lea, H. C., *A History of the Inquisition of the Middle Ages,* Nueva York, 1888, 3 vols.; traducido al francés por S. Reinach, *Histoire de l'Inquisition au Moyen Âge,* París, 1900-1901, 2 vols. (El autor sitúa el proceso en la historia general de la lucha de la Iglesia romana contra las herejías.)

La obra más reciente, la más completa y la más rigurosa sobre el proceso es:

Barber, M., *The Trial of the, Templars,* Cambridge, Cambridge University Press, 1978.

El libro de P. Partner, ya señalado, y el artículo de M. L. Bulst-Thiele, «Der Prozess gegen den Templerorden», en *Die geistlichen Ritterorden,* no añaden nada al libro de Barber.

Sobre el proceso en Italia:

Gilmour-Bryson, A., The *Trial of the Templars in the Papal States and the Abruzzi, Studi e Testi,* 303, Ciudad del Vaticano, 1982.

El contexto general del proceso (crítica de la cruzada, crítica de las órdenes) se puede analizar a partir de:

Amargier, P., «La défense du Temple devant le concile de Lyon en 1274, *1274, année charnière: mutations et continuité, Colloque International du CNRS, Lyon-Paris 1974,* París, CNRS, 1977.

Bastard, A. de, «La colère et la douleur d'un templier en Terre sainte (1265)», *Revue des langues romanes,* 81 (1974).

Hillgarth, J. N., *Ramon Llull and Llullism in Fourteenth-Century France,* Oxford, Clarendon Press, 1971.

Kedar, S. M., y Schein, S., «Un projet de "passage particulier" proposé par l'ordre de l'Hôpital, 1306-1307», *BEC (Bibliothèque de l'École des Chartes),* 137 (1979).

Petit, J., «Le mémoire de Foulques de Villaret sur la croisade», *BEC (Bibliothèque de l'École des Chartes),* 60 (1899).

Uno de los tratados más célebres sobre la cruzada emana de un oscuro abogado del rey en Falaise, Pedro Dubois:

Dubois, P., *De recuperatione Terre Sancte,* París, editado por C. V. Langlois,

«Collection de textes pour servir à l'étude et l'enseignement de l'histoire», 1891.
Existe una edición reciente, con su traducción al inglés:
Brandt, W., *The Recovery of the Holy Land, by Pierre du Bois,* Nueva York, 1956.

La propaganda real sirve de tema a varios artículos:
Barber, M., «Propaganda in the Middle Ages: the Charges against the Templars», *Nottingham Medieval Studies,* 17 (1973).
Barber, M., «The World Picture of Philip the Fair», *Journal of Medieval History,* 8 (1982).
Menache, S., «Contemporary Attitudes Concerning the Templars' Affair: Propaganda's Fiasco», *Journal of Medieval History,* 8 (1982).
Menache, S., «La naissance d'une nouvelle source d'autorité: l'Université de Paris», *Revue historique,* 544 (1982).
Reinach, S., «La tête magique des templiers», *Revue de l'histoire des religions,* 63 (1911).

Dejando aparte el estudio de Barber, se tendrá una idea del proceso tal como se desarrolló fuera de Francia leyendo:

Alart, B., «La suppression de l'ordre du Temple en Roussillon», *Bulletin de la Société Agricole, Scientifique et Littéraire des Pyrénées-Orientales,* 15 (1867).

Blancard, L., «Documents relatifs au procès des templiers en Angleterre», *Revue des Sociétés Savantes des Départements,* 6 (1867).
Cheney, C. R., «The Downfall of the Templars and a Letter in Their Defence», *Medieval Texts and Studies,* Oxford, Clarendon Press, 1973.
Perkins, C., «The Trial of the Templars in England», *English Historical Review,* 24 (1909).

Caravita, R., *Rinaldo da Concorrezzo, arcivescovo di Ravenna (1303-1321) al tempo di Dante,* Florencia, Leo Olschki, 1964.
Gilmour-Bryson, A., «The Trial of the Templars in Florence, Lucca and in the Papal States: A Comparison», *Manuscripta,* 22 (1978).
En el mismo número de esta revista, el autor presenta su futura edición de las piezas del proceso de los templarios en Italia:
Gilmour Bryson, A., «Transcription and Edition of a Medieval Manuscript with the Help of the Computer», *Manuscripta,* 22 (1978).

Estepa, C., «La disolución de la orden del Temple en Castilla y León», *Cuadernos de Historia*, 6 (1975).
Javierre Mur, A. L., «Aportación al estudio del proceso contra el Temple en Castilla», *Revista de archivos, bibliotecas y museos*, 64 (1961).

Señalemos, por último, un artículo reciente sobre el último Gran maestre de la orden, Jacobo de Molay:
Barber, M., «James de Molay, the Last Grand Master of the Order of the Temple», *Studia Monastica*, 14 (1972).

La historiografía del proceso ha sido hecha en parte por:
Wildermann, A. K., *Die Bemteilung des Templerprozesses bis zum 17. Jahrhundert,* Friburgo de Brisgovia, 1971.

Créditos de las ilustraciones

Fotografías

Página 25. Guillermo de Tiro, *Les estoires d'Outremer,* traducción francesa completada hasta 1229, siglo XIII, BNF, Ms Fr. 2630, fol. 38.

Página 64. (*Arriba.*) Foto Georg Gester-Rapho. (*Abajo.*) Giacomo *Bosio, Histoire des chevaliers de l'ordre de Saint-Jean de Jérusalem* (traducido al francés del italiano), París, 1629, t. 2, BNF-Seuil.

Página 107. Sébastien Mamerot, *Les passages faits outremer par les Français contre les Turcs et autres Sarrasins et Maures outremarins,* hacia 1490, Biblioteca Nacional Francesa, Ms Fr. 5594, fol. 138.

Página 132. (*Arriba, izquierda y derecha.*) Efigies, Temple Church, Londres. Tomado de *The Monumental Effigies of the Temple Church,* por E. Richardson, Londres, 1845. BNF. (*Abajo.*) Efigie de sir John Holcombe, cruzado muerto en Tierra Santa durante la segunda cruzada. Abadía de Dorchester, Inglaterra. Michael Holford Library, Londres.

Página 138. Joseph-François Michaud, *Histoire des croisades,* grabados de Gustavo Doré, París, 1877. Foto J.-L. *Charmet-L'Histoire.*

Páginas 175 y 179-180. San Bevignate, fotos de Francesco Tommasi, Maurizio Marchesi y Paolo Raspa (Perusa, Italia), a los que quiero expresar particularmente mi agradecimiento por la amabilidad y la liberalidad con que me abrieron sus archivos fotográficos.

Página 213. *Le roman de Godefroi de Bouillon el de Saladin,* 1337, BNF, Ms Fr. 22495, fol. 287.

Página 217. Sébastien Mamerot, *op. cit.,* hacia 1490, BNF, MS Fr. 5594, fol. 217.

Página 232. (*Arriba.*) Grabado de Jean Marot, BNF. (*Abajo.*) Grabado de Chastillon, BNF.

Página 239. Foto Rapho.

Página 252. (*Arriba.*) Jacquemart Gelée, *Renart le Nouvel,* BNF, Ms Fr.

25556, fol. 173 (manuscrito de finales del siglo XIII). (*Abajo.*) *Ibid.,* BNF, Ms Fr. 372, fol. 59 (manuscrito de principios del siglo XIV).

Página 253. *Ibid.,* BNF, Ms Fr. 1581, fol. 57 (manuscrito de finales del siglo XIII).

Página 265. *Ibid.,* t. 1, p. 45.

Página 279. Foto Jean-Robert Masson.

Página 285. Gervais du Bus, *Le Roman de Fauvel,* BNF, Ms Fr. 146, fol. 8 (manuscrito del primer tercio del siglo XIV).

Página 290. Giovanni Villani, *Crónicas,* Roma, Biblioteca Vaticana, Chigi L VIII 296,191 v.

Mapas y planos

Los planos de Jerusalén y Acre han sido trazados a partir de los mapas de M. Benvenisti, *The Crusaders in the Holy Land,* Jerusalén, 1970.

El mapa de la implantación del Temple en Tierra Santa se ha establecido a partir de las indicaciones de M. Benvenisti, *op. cit.,* completadas con las de M. L. Bulst-Thiele, *Sacrae domus militiae Templi hierosolymitani magistri,* Gotinga, 1974.

Sello del Temple
(Archives Nationales)
(Foto J.-L. Charmet)